A FILHA DO REICH

Paulo Stucchi

A FILHA DO REICH

JANGADA

Copyright © 2018 Paulo Eduardo Stucchi de Carvalho.

Copyright da edição brasileira © 2019 Editora Pensamento-Cultrix Ltda.

1ª edição 2019.

Todos os direitos reservados. Nenhuma parte desta obra pode ser reproduzida ou usada de qualquer forma ou por qualquer meio, eletrônico ou mecânico, inclusive fotocópias, gravações ou sistema de armazenamento em banco de dados, sem permissão por escrito, exceto nos casos de trechos curtos citados em resenhas críticas ou artigos de revistas.

A Editora Jangada não se responsabiliza por eventuais mudanças ocorridas nos endereços convencionais ou eletrônicos citados neste livro.

Esta é uma obra de ficção. Todos os personagens, organizações e acontecimentos retratados neste romance são produtos da imaginação do autor e usados de modo fictício.

Editor: Adilson Silva Ramachandra
Gerente editorial: Roseli de S. Ferraz
Preparação de originais: Suzana Dereti
Produção editorial: Indiara Faria Kayo
Editoração eletrônica: Join Bureau
Revisão: Vivian Miwa Matsushita

Dados Internacionais de Catalogação na Publicação (CIP)
(Câmara Brasileira do Livro, SP, Brasil)

Stucchi, Paulo
  A filha do reich / Paulo Stucchi. – São Paulo: Cultrix, 2019.

  ISBN 978-85-5539-140-8
  1. Ficção brasileira I. Título.

19-26792   CDD-B869.3

Índices para catálogo sistemático:
1. Ficção: Literatura brasileira B869.3
Iolanda Rodrigues Biode – Bibliotecária – CRB-8/10014

Jangada é um selo editorial da Pensamento-Cultrix Ltda.

Direitos de publicação para a língua portuguesa adquiridos com exclusividade pela EDITORA PENSAMENTO-CULTRIX LTDA., que se reserva a propriedade literária desta obra.
Rua Dr. Mário Vicente, 368 — 04270-000 — São Paulo, SP
Fone: (11) 2066-9000
http://www.editorajangada.com.br
E-mail: atendimento@editorajangada.com.br
Foi feito o depósito legal.

Plaszow (Cracóvia), Polônia
12 de setembro de 1943

Fazia apenas duas semanas que eu e meu amigo Heinz havíamos sido transferidos para o Campo de Trabalhos Forçados de Plaszow, no estado da Cracóvia, na Polônia.

Este era uma espécie de treinamento de fogo para cadetes que haviam se destacado nas tropas de jovens do Exército Nazista. Ao todo, éramos seis jovens soldados de 19 anos, mandados da região do Vale do Rio Reno para o leste; havia outros oriundos de diferentes regiões da Alemanha. Não tardamos em descobrir que o inverno polonês era tão ou mais rigoroso que o alemão, e que os flocos brancos que caíam do céu, juntamente com a umidade e o cinza da paisagem, tornavam tudo por ali ainda mais desolador. Um verdadeiro teste emocional que punha à prova os nervos dos mais fracos.

Heinz não parava de falar, lembrando-me a cada segundo de como éramos afortunados em comparação aos nossos companheiros que rumavam em direção à Rússia e Ucrânia, para defenderem nossas posições na frente oriental.

Ele não deixava de ter razão. Era um ponto de vista que se deveria levar em consideração: patrulhar um campo de prisioneiros na Polônia era melhor do que combater no front soviético, onde a morte havia se tornado onipresente.

"Devemos usar o espírito combatente de nossos companheiros na União Soviética para termos forças, Olaf, meu amigo", ele dizia.

Naquela manhã, acendi meu quinto cigarro. É um hábito que, agora, no fim de minha vida, certamente levarei para o túmulo. Contudo, naqueles dias de início de inverno em Plaszow, parecia mais do que razoável: iludíamo-nos com a ideia de que a fumaça quente que queimava nossas gargantas e enchia nossos pulmões poderia, de algum modo, nos aquecer de dentro para fora.

"De qualquer modo", prosseguia Heinz em mais um de seus discursos, "temos mais sorte do que aqueles infelizes ali."

Meu amigo apontou o dedo metido em grossas luvas para um grupo de homens cadavéricos que cortavam pedras para a construção da parede oeste da ala masculina do campo de trabalhos.

"Sabe, Olaf, não importa o que dizem os pensadores. O trabalho nunca enobrecerá gente como eles", falou Heinz, pisoteando a bituca do cigarro com a bota. "É o que penso. E você? O que acha dos judeus?"

Eu só queria terminar a ronda e ficar livre da verborragia do meu amigo. Ao contrário da maioria dos jovens de minha geração, não passava as horas do meu dia pensando em judeus. Obviamente, sentia orgulho da Alemanha que minha geração e as gerações mais velhas estavam construindo. Depois da humilhação imposta pelo Tratado de Versalhes, o povo alemão tinha, finalmente, um novo motivo para se orgulhar. Contudo, os rumores sobre Campos de Extermínio cresciam e pareciam ser mais do que meramente propaganda antinazista, apesar das veementes negativas dadas pelo Führer em pessoa, afirmando que tudo não passava de boatos.

Isso acalmava meu coração. Minha formação católica, herança mais rica que recebi de minha mãe, me impedia de enxergar razão em matar pessoas simplesmente porque eram de origem ou credo diferente do nosso. Na época, eu também não acreditava que o Führer, em sua nobreza, permitisse tal atrocidade.

"O que penso dos judeus?", perguntei, observando um novo lote de armamentos que chegava em três caminhões, transpassando o portão rumo ao pátio. "O que há para se pensar sobre eles? Acho que estão, simplesmente, do lado errado da corrente. Apenas isso."

"Você teria coragem de matar um judeu, Olaf?", Heinz me perguntou com olhar penetrante.

Apaguei o cigarro. Pensar em matar por prazer me embrulhava o estômago, e os cinco cigarros consumidos em sequência estavam me dando enjoo.

"Por que quer saber? Sou um soldado, assim como você. Se fosse preciso, acho que eu..."

Minha resposta foi interrompida pelos berros do Scharführer[1], que tinha forte sotaque de Bremen, ordenando, a mim e a Heinz, que ajudássemos a descarregar os caminhões.

Penduramos nossas submetralhadoras a tiracolo e corremos em direção a um grupo de três soldados que, prontamente, trepavam no primeiro caminhão e punham-se a baixar as caixas de madeira repletas de armas.

"Parece que o Führer foi generoso conosco desta vez, hein, Olaf?", comentou Heinz, referindo-se à quantidade de armamentos novos. Era fato. Dias antes, mais caminhões haviam chegado trazendo caixas. Agora, mais três. Eu tive a sensação de que algo estava para acontecer, mas nada disse.

Retiramos as grossas luvas e colocamo-nos em movimento. Heinz subiu na lateral do caminhão e saltou para cima da carroceria como um felino. Apoiou-se em uma pilha de caixas e pediu que eu soltasse o ferrolho, liberando a guarnição para que as caixas fossem retiradas.

O ferrolho estava enrijecido pelo frio, de modo que foi preciso bastante força para soltá-lo. Quando finalmente consegui tirar a trava e puxei a guarnição de madeira, ela veio abaixo, caindo sobre meu pé esquerdo. A dor foi lancinante; cravei os dentes nos lábios para não gritar — não queria ter que conviver com a humilhação de urrar de dor diante de um punhado de prisioneiros.

Soltei o corpo em direção ao chão, caindo sentado. Eu respirava com dificuldade; a dor era quase insuportável.

"O que estão olhando? Ajudem seu companheiro!", ordenou o Scharführer. Imediatamente, alguns jovens soldados, incluindo Heinz,

---

[1] Segundo-sargento da SS.

levantaram-me do chão. Eu não conseguia apoiar o pé; tinha quase certeza de que havia fraturado um osso (ou mais).

"*Esse clima dos infernos*", *esbravejou Heinz enquanto me carregava.* "*A madeira deve ter apodrecido. Aguente firme, Olaf.*"

Colocaram-me sentado em um banco junto à parede de tijolos do escritório da administração. Heinz e outro soldado precipitaram-se em chamar um médico. Outro jovem soldado perguntou se eu ficaria bem; balancei a cabeça afirmativamente, ainda que soubesse que nada estava bem.

Convencido, o soldado retornou para junto dos caminhões, enquanto eu tentava, em vão, puxar minha bota. A dor aguda parecia consumir-me por completo. Soltei o colarinho do uniforme, procurando respirar melhor. Um fio de suor escorria-me pela têmpora direita. Murmurei algo sobre Deus; sim, creio que pedi ajuda a Ele. Depois, temeroso, olhei em volta e torci para que ninguém tivesse ouvido. Nenhum soldado alemão, incluindo Heinz, ficaria feliz em me ver choramingar a um Deus cristão por causa de um pé quebrado.

Foi então que a vi pela primeira vez. Uma jovem prisioneira, maltrapilha como todos os demais, caminhava em minha direção. Tinha o cabelo castanho, quase totalmente raspado, e uma palidez cadavérica. Contudo, seus olhos eram grandes, vivos e penetrantes, algo raro de se encontrar num lugar como Plaszow.

Ela caminhou em minha direção sem, aparentemente, ser notada por qualquer soldado. Sorriu para mim de modo discreto, exibindo os dentes podres. Por fim, falou em alemão perfeito:

"*Vi o que aconteceu. Deve estar doendo muito.*"

Balancei a cabeça positivamente. Se pedir ajuda a Deus era algo impensável para um soldado alemão, conversar amistosamente com uma prisioneira judia era um crime sem perdão.

"*Desculpe, ouvi você falar o nome de Deus, soldado Seemann*", *ela disse como se houvesse escutado meus pensamentos e, diante de meu olhar interrogativo sobre como ela sabia meu nome, apontou o dedo imundo em direção à tarja em meu uniforme.* "*Aí diz: Seemann, O.*"

"Olaf", eu falei, sem entender direito o porquê de prosseguir conversando com aquela garota recém-saída da puberdade e, ainda por cima, judia.

"Olaf", ela repetiu. *"Então, fique calmo, Olaf. Logo seu pé estará bom. Permite?"*

Ainda que eu não tivesse respondido afirmativamente, dando a ela permissão para me tocar, ela envolveu meu pé esquerdo com as duas mãos e fechou os olhos. Fosse o que fosse, aquele ritual miraculoso não estava surtindo efeito — a dor continuava fortíssima.

Ela voltou para mim seu olhar vívido, que parecia ainda mais brilhante e cheio de energia do que antes.

"Ficará tudo bem", ela disse, sorrindo. *"Agora, preciso ir. Preciso voltar ao trabalho."*

Ela se afastou correndo, juntando-se a um grupo de mulheres mais velhas. Não tardou para que um soldado se aproximasse e ralhasse com ela. Certamente a havia questionado sobre o que estivera fazendo. Depois, acertou-lhe um tabefe e a garota caiu. O soldado afastou-se, rindo orgulhoso de seu feito. As mulheres ajudaram a garota a se levantar, e todas retornaram ao trabalho.

Absorto pela cena, não percebi Heinz, um jovem soldado e um médico corpulento se aproximando de mim.

"Como está, soldado? Soube que sofreu um acidente", disse o médico. *"A guerra não é lugar para meninos desastrados. Vamos para a enfermaria para dar uma olhada nesse pé."*

Heinz tirou o cigarro que estava em sua boca e o colocou entre meus lábios. Dei uma grande tragada e isso pareceu aliviar a dor. Depois, eu entrelacei o braço em seu pescoço; fiz o mesmo no outro soldado e logo eu estava saltitando rumo à enfermaria.

Deitado, fui examinado pelo médico, que precisou cortar minha bota, já que era impossível retirá-la por meios normais. Meu pé estava terrivelmente inchado, mas a dor havia diminuído.

Com habilidade, o médico girou meu pé esquerdo para um lado; depois, para o outro. A dor era mínima. Apertou a parte superior, bastante inchada, e tentou tocar os ossos com a ponta dos dedos.

"Você tem sorte, soldado", disse, depois de soltar um longo grunhido. *"Não quebrou nada."*

"Tem certeza, doutor?", perguntei, incrédulo. *"Pela dor que senti, achei que tinha esmagado o pé!"*

"Mas se enganou, rapaz. Seu pé está novinho. Deixarei você em observação hoje, mas estou certo de que poderá até sair pulando daqui amanhã mesmo."

Perguntei se podia fumar e o doutor assentiu com a cabeça. Acendi o cigarro e permaneci vários minutos sentado na cama, pensativo. A imagem da menina; a garota que tocara meu pé. Ficaria tudo bem, ela tinha dito.

E, de fato, tudo ficou bem. Pelo menos, para mim. No dia seguinte, eu estava de volta à ativa, para incredulidade de todos, incluindo Heinz. Depois desse episódio, aproveitei o momento oportuno de uma ronda para perguntar o nome da garota prisioneira.

"Prisioneiros não têm nome, soldado", ela respondeu, deixando o ar gelado escapar pela boca.

"Ainda assim, gostaria de saber o seu", reforcei, acendendo um cigarro.

"Mariele. Mariele Goldberg."

PARTE 1

PAI

Capítulo 1

São Paulo, Brasil
23 de dezembro de 2006

Enchi a caneca com café preto e forte e apaguei a luz da copa. O relógio de parede, cujo *design* lembrava muito um quadro de Salvador Dalí, marcava dez e quinze da noite. Mas, para mim, era apenas o início de uma longa madrugada de trabalho de sexta-feira.

Acomodei-me em minha baia e coloquei a caneca sobre a bancada. O café ainda fumegava. Na caneca estava escrito, em letras garrafais: "Lembrança de alguém que te ama". Recordação de Lívia, minha ex-namorada. Havíamos terminado fazia quatro meses e, desde então, eu não havia tido qualquer relacionamento fixo. Lívia se fora, mas a caneca ainda estava ali. Enfim, ela, a caneca, era a melhor coisa que nosso namoro de cinco anos tinha rendido.

Apertei o *Enter* do meu Macintosh, e, imediatamente, a tela se iluminou. A página do Illustrator permanecia aberta, com o esboço de um logotipo em que vinha trabalhando havia horas. Suspirei e provei um gole de café.

O cliente em questão era uma importante empresa do ramo de cerveja. A Agência Royale, na qual eu trabalhava como diretor de arte havia sete anos, tinha vencido a concorrência para desenvolver todo o trabalho de comunicação visual — o que incluía a logomarca — de uma nova linha de cerveja *bock* chamada Strongmen. O *briefing* havia sido claro: cerveja especial e forte para homens especiais e fortes; as cores predominantes deveriam seguir a paleta do amarelo, ocre, laranja, vermelho queimado e marrom. O uso de Pantone estava liberado.

O lançamento da nova linha estava previsto para o final de abril, e o fato de que estávamos em dezembro não me dava muito prazo. Pelo contrário, tínhamos pouquíssimo tempo, tendo em vista que o produto seguiria a estratégia do marketing de guerrilha, e a campanha estava planejada para ir às ruas antes da principal concorrente.

Heloísa, sócia-diretora da Agência Royale e, portanto, minha chefe, já dava sinais de que estava prestes a entrar em pânico com o *status* do trabalho. Nossas quatro primeiras ideias haviam sido rejeitadas pelo cliente e coubera a mim desenvolver algo totalmente novo — e, desta vez, que recebesse um ok! No auge de sua impaciência, Heloísa havia agendado, para a manhã do dia seguinte, sábado, mais uma reunião de emergência, na qual minha equipe tinha a *obrigação* de apresentar uma nova ideia.

— Ei, Hugo, tem um chiclete aí? — Rosa esticou o pescoço por cima da divisória da baia. Tinha olheiras profundas e aparência bastante cansada. Era uma arte-finalista de primeira e parte de minha equipe; praticamente, meu braço direito. — Chiclete ajuda a espantar meu sono.

— Não — respondi. — Só café — e ergui a caneca à altura dos olhos de Rosa, que suspirou e voltou a se sentar.

— Estes dias serão do caralho! — ela resmungou. — Helô tá numa TPM danada e vai esfolar cada um de nós se falharmos no projeto dessa maldita campanha.

Rosa não poderia ter sido menos sutil. Estava em minhas mãos o desenvolvimento da comunicação visual da campanha e, portanto, seria minha responsabilidade dar o *start* em todo o projeto.

— E, pelo jeito, também perderemos nossa noite de Natal. Laísa ia fazer peru — murmurou, referindo-se à companheira com quem dividia a vida havia vários anos. — Pelo menos você não sairá perdendo, né, Hugo? Afinal, não tem ninguém.

— Claro que tenho — respondi, terminando o café. — Sócrates é uma excelente companhia!

— Sócrates é uma tartaruga, Hugo! Pelo amor de Deus! — Rosa bufou. — Até quando você vai curtir a vida de solteirão, meu amigo? Já está com 39 anos; ano que vem, fará *quarentinha*.

— Ainda não encontrei alguém com quem quisesse acordar todas as manhãs — justifiquei, mexendo o cursor e traçando uma linha curva, que finalizava a forma de um copo de cerveja. Finalmente, algo começava a brotar em minha tela. — Além disso, casamento dá muito trabalho. As tartarugas são melhores companhias.

— O problema das tartarugas é que elas são como as sogras: vivem demais. — Estêvão aproximou-se por trás e colocou os braços sobre meus ombros. — E parem com essa choradeira! Ontem a campanha do celular foi aprovada com 10 e louvor! Vamos comemorar hoje, depois que sairmos desta ratoeira. Querem ir junto? É sexta-feira, porra!

— Não podemos — suspirei. — Não enquanto eu não deixar a Helô feliz com um projeto matador para a Strongmen.

— Então vou beber por vocês, meus amigos — disse Estêvão, retirando um vidro de perfume CKBe de sua gaveta e espirrando uma generosa quantia no pescoço.

— Que horror, Estêvão! Quer infestar tudo por aqui? — reclamou Rosa.

Ele, no entanto, limitou-se a rir e acenou, dando adeus. Era o segundo em comando na equipe de criação, abaixo de mim apenas. Quando fechamos com a conta da cervejaria, Estêvão assumiu a coordenação de outro projeto — uma campanha de ano-novo para uma fabricante de celulares. Foi um sucesso absoluto, o que fez com que meu colega caísse nas graças de Heloísa. Por sua vez, os sucessivos e recentes fracassos nas propostas de campanha para a Strongmen apontavam que eu caminhava para o sentido oposto, e minha chefe já estava impaciente por resultados.

O relógio já batia onze da noite e éramos somente eu, Rosa e mais três *designers* iniciantes no imenso escritório da Royale, localizado em um prédio da Vila Olímpia. Espreguicei, esticando os braços e as pernas.

— Rosa, dá uma olhada. Acho que tenho algo — eu disse.

Imediatamente, minha parceira de trabalho espiou a tela de meu Mac. E lá estava: uma caneca de cerveja desenhada com traços fortes, cheia de um líquido alaranjado. No fundo cinza, texturizado para simular pedra rachada, havia os dizeres escritos em fonte serifada: "Simplesmente, forte".

— Hugo, acho que é o caminho! Transparece a força e robustez que o cliente quer — Rosa opinou. — Típico produto chauvinista, criado para homens que se orgulham de beber cerveja em baldes.

— Ei, ei! Você acaba de me dar um banho de água fria, sabia? — reclamei. — Nem todo mundo que bebe cerveja tem barriga caindo sobre a calça e ronca como um porco! É justamente o que esse produto quer passar: consumo por homens de gosto apurado, que não têm medo de arriscar. Contudo, ao mesmo tempo, são homens sofisticados, que tomariam esta cerveja, confortavelmente sentados diante de uma lareira, em um restaurante familiar localizado numa estância de inverno, e em um clima totalmente romântico.

Rosa bateu em meu ombro e riu.

— Definitivamente, você precisa de uma mulher, Hugo.

Diante de meu espanto, ela completou:

— Mas você está certo! Acho que encontramos o caminho.

Eu, Rosa e os três *designers* sentamos ao redor da mesa de reunião e, uma vez mais, apresentei o conceito da nova arte. Todos gostaram. No dia seguinte, seria a vez de mostrarmos a Heloísa e, depois, partir para a etapa final: a aprovação do cliente.

— Quando Helô sinalizar positivamente em relação a este novo conceito — eu disse — teremos que produzir todos os materiais da campanha a toque de caixa: produto de PDV, cartazes e comunicação via *outdoor*. Estamos bastante atrasados, o que significa que é quase certo que comeremos peru de Natal aqui na agência.

— Sempre achei esta mesa parecida com a mesa de jantar lá de casa — brincou um dos jovens *designers*, provocando risos, inclusive em Rosa. O bom humor era um dos aspectos mais sintomáticos de uma equipe animada.

— Bom, terei que dar a má notícia a Laísa — Rosa disse.

— Seja carinhosa — eu disse, caminhando em direção à minha mesa. — Um beijinho antes de bater sempre torna as coisas menos dolorosas.

Dei uma piscadela, e Rosa riu.

— Agora, falando sério, vão para casa, todos vocês — falei. — Aproveitem para dormir, porque amanhã quero todos às sete aqui na agência como se fosse um dia normal de trabalho. E venham de armadura, porque teremos que enfrentar a chefe de TPM.

— Vou mesmo. Estou pregada. — Rosa apanhou a bolsa que estava pendurada no encosto da cadeira e jogou sobre o ombro. — E você? Não vai pra casa, não?

— Daqui a pouco — respondi. — Vou responder alguns e-mails antes.

Os três rapazes se despediram. Estavam animados, provavelmente encontrariam o grupo de Estêvão para beber.

— Para quem você acha que está mentindo, Gaúcho? — Rosa me chamava de "Gaúcho" quando queria me provocar. — Capaz de você dormir aqui. Te conheço. Vai para casa você também.

— Não se preocupe — eu disse enquanto abria a tela do Outlook. — Serão só alguns e-mails. Juro.

— Vou fingir que acredito — disse Rosa, beijando minha testa. — Até amanhã.

Despedimo-nos e, finalmente, eu estava sozinho, com todo o espaço da Agência Royale para mim. Deletei rapidamente os *spams* da caixa de entrada e saí do Outlook. Eu adorava meu trabalho, mas amava quando todos iam embora, e eu podia ficar sozinho. O silêncio era tão intenso que era possível até ouvir, em alto e bom som, cada sílaba de meus pensamentos.

Conferi os minutos passando lentamente. Eram quase quinze para meia-noite, o que indicava que, em breve, eu teria que sair e ir para o meu apartamento, onde ninguém me esperava, senão Sócrates, feliz e conformado em seu viveiro, vivendo cada segundo como se fosse uma eternidade.

Eu não estava minimamente a fim de me mexer, descer até a garagem e dirigir até meu prédio. Nos últimos dias, o sentimento de apatia piorara. Segundo Rosa, eu estava ficando seriamente deprimido, fato que, claro, eu negava com veemência. Afinal, que motivo teria eu para ficar *deprê*?

Era diretor de criação de uma das agências mais badaladas de São Paulo, e havia ganhado dinheiro o bastante para realizar uma viagem em grande estilo por ano. Tinha apartamento próprio, quitado, numa região valorizada no bairro de Perdizes, e havia comprado um jipe Cherokee zero quilômetro um ano antes. Era solteiro, não tinha filhos e meu salário estava integralmente disponível para meu deleite. Ou seja, tinha muito mais do que poderia sonhar quando, aos 21 anos, saíra de Porto Alegre rumo a São Paulo para investir em minha carreira de *designer*.

Desliguei o monitor do Mac e esfreguei os olhos. Voltar para casa era algo que eu não podia evitar, enfim. Antes de sair, dei uma olhadela no recorte que eu havia tirado de uma revista de viagem e pregado na divisória de minha baia. Nele, havia estampada a imagem de uma linda praia de areias brancas em Aruba. "Minhas próximas férias, *baby*", pensei, apagando a luz.

Apertei o botão do elevador e aguardei. Mal ouvi quando o celular tocou em meu bolso. Conferi o horário; era quase meia-noite. Não havia ninguém que pudesse me ligar àquela hora. Então, lembrei-me de Estêvão; certamente, estava me ligando para encher o saco e falar sobre quão delicioso estava o *chope*.

Olhei para o número do visor e senti o sangue gelar quando li o identificador de chamadas. Era o número da casa de meu pai em Nova Petrópolis, Rio Grande do Sul. Um chamado àquela hora não podia significar coisa boa.

— Alô — atendi.

— Hugo! — era a voz de Diva, a senhora que eu havia contratado para morar (e cuidar) do velho Olaf. — É sobre teu pai, Hugo!

Permaneci calado enquanto ouvia o que Diva tinha a me dizer, e meu cérebro processava toda a informação. A porta do elevador se abriu diante de mim, mas não entrei. Então, ela fechou novamente, e eu fiquei ali, parado, diante do meu reflexo opaco na porta de aço escovado.

Quando Diva terminou de falar, eu disse:

— Cuide de tudo, por favor. Não se preocupe com os custos.

E, depois de um breve silêncio, prossegui:

— Eu pegarei o primeiro voo para Caxias ou Porto Alegre amanhã. Irei assim que for possível.

Desliguei, esquecendo-me de me despedir. Fechei o *flip* do celular e voltei a guardá-lo no bolso. Apertei o botão do elevador e a porta se abriu novamente. Dessa vez, entrei e apertei o botão do subsolo 2.

Quando o elevador chegou à garagem, desci e caminhei até meu carro, solitário em sua vaga. Destravei-o e sentei-me diante do volante. Então, finalmente, uma lágrima caiu. Uma única e solitária lágrima.

Meu pai estava morto.

Capítulo 2

Heloísa era sempre a primeira a chegar. Diziam as más línguas que ela acordava religiosamente às quatro da manhã todos os dias, ia malhar em uma academia próxima ao escritório e, às seis e meia, no máximo, já estava em sua sala, devidamente vestida, perfumada, de unhas feitas e pronta para encarar mais um dia de trabalho. Naquele sábado, 24 de dezembro, não foi exceção. Ela, assim como toda a agência, não gozaria das festas natalinas.

Quando entrei na agência, tudo estava envolto num silêncio sepulcral, tal e qual eu havia deixado na noite anterior. Dirigi-me diretamente à sala de Heloísa, que ficava no final do corredor, depois da recepção e da enorme sala de produção dividida em baias.

Sem rodeios, contei a ela sobre a morte do meu pai, e menti que, apesar de minha tentativa, tinha sido impossível conseguir um voo. Era véspera de Natal e final de semana, e praticamente todas as companhias aéreas trabalhavam com lotação máxima, aleguei. Apesar de meus argumentos imaginários serem perfeitamente verossímeis, eu mal havia mexido um dedinho para viabilizar minha ida ao Sul. Primeiro, porque eu não tinha a mínima vontade de retornar à casa do meu pai, em Nova Petrópolis, pequena cidade cravada na Serra Gaúcha (na época, tal pensamento não me trazia nenhum tipo de remorso); em segundo lugar, porque eu estava totalmente absorvido pela campanha da nova cerveja *bock*, e havia se tornado uma questão de honra fazer com que o projeto fosse, finalmente, aprovado.

— Isso é um absurdo, Hugo! Pelo amor de Deus, é seu pai! — disse Heloísa. — É claro que precisamos de você aqui, ainda mais neste estágio da campanha, mas as coisas por lá devem estar uma bagunça! Você precisa viajar para o Sul e resolver tudo.

Novamente, discordei. Insisti em lhe apresentar a nova ideia para a campanha e, também, em prosseguir comandando a equipe na apresentação do novo projeto no departamento de marketing do cliente.

Relutante, Heloísa concordou. Mas houve uma condição:

— Convoquei Mirela para vir hoje cedo também — disse Heloísa, referindo-se à sua secretária. — Quando ela chegar, tentarei reservar o primeiro voo para Porto Alegre para você. Caxias do Sul, a essa altura, será difícil. Faremos a reunião hoje logo cedo e, depois, você some daqui rumo ao aeroporto — ela disse, em um tom que não me permitiu negociar.

Agradeci e, então, me lembrei de outra coisa: eu não havia feito as malas. Praguejando, liguei para meu apartamento; dona Áurea, minha mensalista, atendeu.

— Dona Áurea, preciso de um favor da senhora — pedi. Então, solicitei que ela tirasse minha mala do armário e colocasse dentro dela as peças de roupa que eu ia ditando: camisetas, camisa, duas calças, três meias, quatro cuecas. Seria o suficiente, já que eu não pretendia ficar muito tempo em Nova Petrópolis.

— O senhor vai viajar?

— Vou, vou sim. Meu pai faleceu, e precisarei viajar para o Sul — expliquei.

— Justo na véspera de Natal?! Que triste, Sr. Hugo. Que triste... Meus pêsames.

— Obrigado, dona Áurea.

— O senhor é mesmo responsável; seu pai morreu e você foi trabalhar! Eu não teria cabeça.

Eu não retruquei.

— Ah, apenas lembrando o senhor: dia 26, virei trabalhar. Tenha um bom Natal, na medida do possível...

— Obrigado de novo. Aproveite o domingo — agradeci.

— O senhor deve estar arrasado. Eu nem imagino... que coisa! Irei orar pelo senhor, viu?

— Obrigado.

Depois de me certificar de que a mala estava arrumada, pedi que dona Áurea chamasse um táxi. Quando bateram oito e quinze, toda a equipe já havia chegado; àquela altura, todos já tinham sido alertados por Heloísa sobre a morte do meu pai e me ligaram para dar os devidos pêsames. Estêvão me telefonou e foi bastante discreto, agindo do modo típico de quem não sabe o que dizer em horas como aquela. Rosa me abraçou com força e me encheu de beijos, enquanto eu fingia estar profundamente agradecido com o gesto.

Às oito e vinte, fomos à sala de Heloísa e, então, pude apresentar meu novo conceito para a campanha. Minha chefe ouviu tudo com atenção, certamente se perguntando como eu, que tinha acabado de receber a notícia da morte de meu pai, tinha sangue-frio suficiente para falar de modo tão sereno sobre cerveja.

Quando terminei, um silêncio incômodo preencheu a sala. Por fim, Heloísa suspirou e disse:

— Muito bem, continue o projeto. Tentarei marcar uma reunião com o cliente no dia 27. É o tempo que nos resta. Até lá, quero todos os itens da campanha concluídos — e, virando-se para mim, continuou: — Como você não estará aqui, pedirei a Estêvão que assuma a direção do projeto até sua volta. Você terá dois dias. Acha suficiente, Hugo?

— Mais do que o suficiente — eu respondi, contrariado. — Na verdade, sinto-me mal por abandonar o barco agora.

— Já conversamos sobre isso — disse Heloísa, dando o assunto por encerrado. — Aliás, seu voo sai às treze e trinta de Guarulhos. Fará escala em Curitiba, mas foi o melhor que conseguimos.

— E o valor da passagem?

— O olho da cara, como tudo nesta época do ano — ela disse. — Mas, desta vez, é por conta da agência.

Rosa e os demais já haviam deixado a sala; eu era o último e estava pronto para fechar a porta quando Heloísa me chamou de volta.

— Hugo, não sei exatamente que tipo de relacionamento você e seu pai tinham — falou. — Mas vou lhe dizer uma coisa: fiquei cinco anos sem falar com minha mãe. Ela morreu um dia antes do meu aniversário e nunca tive a oportunidade de lhe pedir perdão. E, por mais irônico que possa parecer, hoje nem me lembro mais do motivo de nossa briga. Entende o que quero dizer?

— Sim, Helô — respondi. — Obrigado pelo apoio.

— Não me agradeça. Nosso cliente tem que chorar de felicidade com o novo projeto. Senão, estaremos ferrados.

Porto Alegre, Brasil
24 de dezembro de 2006

Com uma hora de atraso, meu voo decolou de Guarulhos rumo a Porto Alegre. Procurei não pensar em absolutamente nada. Coloquei os fones e mergulhei na música instrumental, parte da programação de bordo da companhia aérea.

Quando aterrissamos no Aeroporto Salgado Filho, aluguei um carro por dois dias. Antes, comprei a passagem de volta para o dia 26, à noite. Quase caí de costas quando vi o preço, mas não tinha jeito.

Já dentro do carro, dirigi em direção a Caxias do Sul, subindo as serras. Nova Petrópolis ficava mais ou menos na metade do caminho. Toda a estrada estava enfeitada com bonecos de Papai e Mamãe Noel, renas, guirlandas e outras parafernálias típicas do Natal, que os turistas adoravam ver e comprar. Mas, ao contrário da Lapônia, fazia um calor infernal, e o céu cinzento anunciava chuva.

Quando passei por Gramado e Canela, ambas lotadas de turistas vindos de todo o país, um intenso mal-estar tomou conta de mim. Minhas mãos tremiam. Eu odiava estar ali. Odiava meu pai. Mas não estava feliz por ele ter morrido. Afinal, fosse como fosse, eu era seu filho. Único filho.

Desejei muitas vezes que ele se *ferrasse*. Jurei que ele poderia sofrer o que fosse; se dependesse de mim, morreria sozinho. Pagaria pelo que fez à minha mãe e a mim. Teria seu troco por ter sido um péssimo pai. E, de fato, ele morreu sozinho, tendo ao seu lado uma desconhecida, paga para cuidar dele como se fosse um bebê.

Nem mesmo quando o diabetes tomou conta do seu corpo e as súplicas de Diva para que eu fosse visitá-lo se tornaram constantes, eu cedi. Não queria vê-lo. E que ele se fodesse com o diabetes dele.

Dobrei à esquerda, cruzando com cuidado a pista da serra, e entrei em Nova Petrópolis. Meu mal-estar havia aumentado. Tudo parecia mais ou menos igual. A mesma entrada, enfeitada com motivos natalinos, o farol que servia como ponto de informações turísticas, as farmácias, lojas de roupas e de produtos agrícolas. Alguns novos prédios de apartamentos, decorados em estilo enxaimel, haviam brotado. Cedo ou tarde, o progresso chegava para tornar tudo terrivelmente igual e chato.

Contei as ruas — como sempre fazia nas poucas vezes em que fora para Nova Petrópolis visitá-lo; em todas elas, por insistência de minha mãe. Na terceira rua, duas antes da praça principal onde ficava o labirinto[2], virei à direita. Depois, à esquerda. A casa do meu pai era a sexta da rua e seguia o padrão de construção de todas: frente ajardinada, portão baixo, linhas retas e uso de muita madeira. Dois homens desconhecidos conversavam em tom respeitoso perto da porta de entrada. Estacionei e desci.

---

[2] O labirinto verde, localizado na Praça das Flores, é uma das principais atrações turísticas de Nova Petrópolis, e realmente existe. Trata-se de um jardim cujas plantas formam um labirinto circular.

Abri o portão, que rangeu clamando por graxa. Um dos homens, que estava junto à porta, pareceu me reconhecer.

— É o filho de Olaf — ele disse.

Estendi a mão.

— Hugo Seemann — eu falei. — Vim o mais rápido que pude. É difícil conseguir voos nesta época.

— Que Natal triste... — suspirou o outro.

Não tive tempo de responder. De dentro da casa, Diva correu em minha direção, chorando copiosamente.

— Hugo! — ela exclamou. — Ele se *foi*. Ele se foi, menino!

— Eu sei — respondi, abraçando a mulher com força. Por dez longos anos, Diva tinha sido a única companhia real de meu pai. Aguentá-lo não era fácil, sobretudo depois de o diabetes levar dois terços de sua visão e dificultar sua locomoção. Nos últimos meses, meu pai, o velho Olaf, estava *variando* também; gradualmente, perdia o juízo, não dizia coisa com coisa.

Uma vez por semana, Diva me ligava para me atualizar, com detalhes, sobre o estado de saúde do meu pai. Do meu lado, eu fingia me importar.

— Ele já foi enterrado? — perguntei.

— Está brincando, guri? — indagou a senhora, com forte sotaque sulino. — Não deixaria fazerem uma coisa dessas contigo! Tens que ver teu pai, Hugo. Um último adeus. Esse é o dever de todo cristão. Seu pai era um bom homem, ainda que um pouco difícil de lidar. Ele merece esse gesto de carinho de tua parte!

Diva disse exatamente o que minha mãe diria se estivesse viva. Acho que foi por isso que concordei, sem retrucar.

— O corpo dele está na Igreja de São José[3] esperando por ti. Segurei o enterro, oras!

---

[3] Igreja de São José Operário, no centro de Nova Petrópolis.

Meneei a cabeça, rendido. O que eu podia fazer? Mesmo depois de morto, meu pai conseguia me tirar a paz. Fizera-me viajar para as serras a contragosto, deixando para trás um trabalho importante. E, depois, ainda poderia me ver, de onde diacho estivesse, reclinado sobre seu caixão, dando o último adeus.

— Não podemos demorar muito — disse um dos homens, um senhor de cabelos cor de palha.

Concordei. Fora a primeira coisa sensata que eu havia ouvido desde a minha chegada. *Não podemos demorar.* Ou seja, tudo aquilo tinha que acabar logo. Meu pai estava morto, seria lacrado num caixão e, após os devidos trâmites, eu teria minha vida de volta.

Em poucos minutos, combinamos alguns detalhes. Diva iria comigo, de carro, até a igreja. Dirigíamo-nos para a calçada quando um senhor, já bastante idoso, quase todo calvo, mas com uma aparência forte e saudável, parou diante de mim, estendendo-me a mão roliça. Reparei em sua saliente barriga, que parecia querer saltar de dentro da camisa.

— Meus sentimentos — disse o senhor, com forte sotaque alemão.

— Obrigado.

— Tu não me conheces, mas eu te conheço. Conheço desde que era guri e morava em Porto Alegre — o homem prosseguiu. — Também conhecia teu pai. Homem bom. Muito religioso.

— Sim, ele era religioso — eu disse. — E, de fato, não me lembro do senhor. O senhor morava em Porto Alegre também?

— Coincidência, não? Morei lá muitos anos. Mudei para Nova Petrópolis pouco depois de teu pai.

— Desculpe, mas não me recordo. Meu pai morava aqui, mas eu moro em São Paulo.

— Também sei disso. Aliás, sei muito sobre ti, guri. Muito.

O homem sorriu, e me senti incomodado.

— Meu nome é Klaus — ele disse. — Era amigo de Olaf. Se precisar de algo, pode me procurar. Moro na segunda casa ao lado da

Igreja Luterana. Procure por Klaus Schneider. Será um prazer falarmos sobre o velho Olaf.

Agradeci novamente e abri a porta do carro. O estranho senhor seguiu andando no sentido contrário.

— Esse homem era amigo do meu pai? — perguntei a Diva.

— Já o vi algumas vezes, mas nunca conversei com ele — ela respondeu. — Talvez fosse, era um colega. Seu pai praticamente não tinha amigos, apenas muitos conhecidos.

Era verdade. O velho Olaf Seemann tinha sido o sujeito mais fechado que eu conhecera.

E lá estava, diante de nós, a Igreja Matriz de São José Operário, com suas linhas retas modernas e frente envidraçada. Também lá, os enfeites estavam presentes. Era hora da missa de Natal, e as pessoas chegavam com suas famílias para a celebração mais esperada do ano, que lembrava o nascimento de Cristo.

Estacionei a cinco quadras do templo e consolei Diva quando esta desceu do carro e afundou o rosto em meu peito.

— Meu filho, quanta tristeza! — disse ela, quebrando a mudez que mantivera durante todo o curto trajeto. — Ainda não consigo acreditar que teu pai se foi.

Diva era uma boa pessoa. Assim como muitos jovens descendentes de alemães da região serrana, seus dois filhos haviam partido para a Alemanha à procura de uma vida melhor, cuja contabilidade era feita em Euros. Porém, a crise econômica que acenava no cenário mundial da época — e que se tornaria real e dura em 2008 — havia feito com que, rapidamente, os rapazes mudassem os planos. Naquela época, se bem me recordo, um deles, o mais novo, havia deixado a Alemanha e estava morando em Braga; o outro, mais velho, retornara ao Brasil e havia se estabelecido em Santa Catarina.

Ou seja, ela era uma mulher solitária, que nascera e sempre vivera na pequena Nova Petrópolis, trabalhando em lojas e em serviços domésticos. Em 2006, ano dos fatos que descrevo, Diva tinha 54 anos; tivera filhos cedo, ficara viúva aos 46 e aparentava ser bem mais velha do que realmente era.

Pensei em dizer algo para acalmá-la — algo bem "senso comum", do tipo "Ele está em um lugar melhor" ou "Ele está melhor do que nós". Meu pai tinha sido um homem bastante católico, até onde sei, e as tais frases combinariam perfeitamente com ele. Mas, enfim, não disse nada, porque não acreditava que pudesse haver outro lugar senão esta Terra.

Suspirando fundo, Diva logo tomou a dianteira e cruzou o caminho ajardinado que dava para a porta da igreja. Detive os passos, tentando acumular coragem para entrar.

— Vamos, filho. Sei que é duro, mas tu precisa ser forte, oras — ela disse, limpando as lágrimas com um lenço.

— Estou indo — eu falei. Na verdade, eu não tinha a mínima ideia de qual seria a minha reação ao topar com o corpo sem vida de meu pai.

Sem ter para onde fugir, segui Diva. O interior do templo era bastante arejado e, como disse, o número de pessoas que ocupavam os bancos aumentava. Do lado de fora, o cheiro de chuva tornou-se mais intenso, sinal de que não tardaria a cair água.

Um senhor de bochechas bastante rosadas, vestido como ministro da eucaristia, ou algo assim, veio em direção a Diva. Cumprimentou-a e, depois, olhou para mim com curiosidade.

— Ele é o filho de Olaf — Diva disse.

— Ah, meus pêsames! — disse o senhor. — Realmente, um dia triste. Mas o Senhor sabe o que faz.

Concordei, balançando a cabeça positivamente.

— Ele está sendo velado no salão paroquial — prosseguiu o senhor. — Olha, foi complicado segurarmos o enterro. É véspera de Natal e a igreja estará cheia de fiéis e turistas. O padre Ambrósio concordou em esperar somente porque se trata de Olaf. Sabe, teu pai era um fiel bem assíduo em nossa igreja, jovem.

— Eu posso imaginar — eu disse.

— Mantivemos o... *corpo* — o homem pigarreou, constrangido em se referir a meu pai como "corpo" — aqui na igreja o tempo que pudemos. Mas, com a proximidade da missa, não houve jeito. Diva insistiu em que esperássemos e, então, padre Ambrósio determinou que usássemos o salão. Procuramos deixar o mais acolhedor possível.

— Eu agradeço o carinho — falei.

Despedimo-nos e Diva me conduziu até o salão paroquial, que era interligado à igreja. Bem no centro do amplo ambiente, estava o corpo do meu pai, repousando em um caixão de pinho coberto por flores brancas e amarelas. Junto de sua cabeça, uma coroa de flores com os dizeres: "Amigos da Irmandade de S. J. Operário". Ao lado do caixão, cinco pessoas, sendo quatro senhoras, rezavam.

— Quanta consideração dessas pessoas — eu disse para Diva, discretamente. — É Natal, elas deveriam estar com suas famílias. No entanto, estão aqui.

— Quando se tem fé, Hugo — disse Diva —, nossa família torna-se a família de Deus.

Não respondi nada. Contei mentalmente cada passo dado em direção ao corpo do meu pai. Cumprimentei discretamente as pessoas no interior do salão. Por fim, lá estava ele: meu pai, estendido, imóvel, como se dormisse. Sua pele acinzentada, mãos inchadas e dedos roxos despontavam dentre a camada de flores miúdas.

Parei ali, em pé, ao lado do caixão, sem saber o que fazer; se deveria estender a mão e tocar seu rosto sem vida, pegar sua mão, ou, simplesmente, fechar os olhos e chorar.

Diva encostou a mão na testa do meu pai e fechou os olhos, em oração. Depois, sentou-se em uma das cadeiras dispostas junto à parede.

Uma senhora alta e magra, que mantinha um terço de pedras brancas trançado entre os dedos, aproximou-se de mim e sussurrou ao meu ouvido:

— O padre Ambrósio disse que o enterro será logo após a missa. Espero que Deus conforte tua alma. Enterrar o pai no Natal é uma tristeza.

Sinceramente, eu estava ficando farto de ouvir a mesma ladainha. Pensei se não seria melhor contar àquelas pessoas quem, de fato, era Olaf Seemann: um homem que rejeitou esposa e filho, que viveu fechado em uma concha a vida toda, perdido em seus pensamentos, que o levavam para Deus; um pai ausente, cuja única devoção era Deus. Isto é, um total *estranho* para mim, de cuja vida pouco sabia, e nem me interessava. Pois bem, por mim, ele podia ficar perfeitamente bem ao lado de Deus agora. Eu nunca precisei dele, assim como ele nunca precisou de mim e de minha mãe.

A música tomou conta do ambiente e notei que a missa de Natal havia começado. Depois, vieram as intenções — entre elas, intenção pela alma de Olaf Seemann, que nos deixou ontem, dia 23 de dezembro.

Suspirei e, lentamente, me afastei do caixão, sentando-me longe de todos. Fingi rezar, mas, na verdade, desejava estar longe dali. Mentalizei Aruba, destino de minhas próximas férias. Praias brancas, martínis e mulheres bonitas.

Acho que perdi totalmente a noção do tempo ou adormeci sentado, porque, quando dei por mim, a celebração estava na comunhão. Novamente, músicas imbuídas do espírito natalino enchiam o ar.

"Feliz Natal, Hugo", pensei, ironicamente.

Vinte minutos depois, o salão paroquial começou a encher de gente. A missa havia terminado e muitos fiéis, possivelmente colegas e conhecidos do meu pai, se dirigiam para junto do caixão, dando-lhe o último adeus. Alguns faziam o sinal da cruz e iam embora; outros, poucos, permaneceram ali.

Um homem, que deduzi ser o padre Ambrósio, entrou no recinto. Tinha expressão cansada. Fiquei imaginando onde aquele homem de Deus iria cear. Provavelmente na casa de algum fiel abastado, onde peru e vinho colonial o aguardavam. Ele não sabia quem eu era e, tampouco, fez menção de me cumprimentar. Ali, eu era praticamente um ninguém, tal e qual meu pai havia me tratado a vida toda.

O padre dirigiu-se diretamente a Diva, quem, afinal, havia cuidado de tudo a pedido meu. Cochichou algo para ela, depois se dirigiu para junto do corpo de meu pai. Imediatamente, um coro iniciou, rezando pela alma de Olaf Seemann.

Já de pé, juntei-me às pessoas, mas me mantive um pouco afastado do grupo principal. Fui surpreendido quando o padre, sinalizando para mim, pediu que me aproximasse.

— Tu és o filho de Olaf — disse ele, mais como uma afirmação do que propriamente como uma pergunta. — Quer fazer uma última oração?

Recusei. Aquilo me deixava extremamente sem graça.

— Obrigado. Não sou muito bom para essas coisas. Desculpe-me — falei.

Ele concordou e, algumas orações depois, o caixão era lacrado. Olhei pela última vez para o rosto do meu pai: feições incisivas, maxilar forte, testa alta — algo que puxei dele. Cabelo liso e fino, porém, volumoso (outra característica que herdei de seu DNA). Não era possível ver seus olhos miúdos e azuis, mas, de qualquer modo, aquele olhar, ao mesmo tempo penetrante e distante, estava vivo na minha memória.

Lentamente, meu pai foi sumindo sob a tampa do caixão. Dois homens da empresa de serviços funerários lacraram a tampa. Padre Ambrósio me convidou para ajudar a carregar o caixão até o carro funerário, já estacionado em frente à igreja; sem ter como negar, tomei a dianteira.

Quando chegamos à calçada, reconheci o mesmo senhor gordo e careca que havia me abordado em frente à casa do meu pai, apresentando-se como Klaus. Ele observava tudo a distância. Tive, até, a impressão de ter notado um leve sorriso de canto de boca.

Mas não tive muito tempo para pensar no assunto. O caixão foi colocado no interior do carro, e, então, padre Ambrósio me puxou pelo braço, dizendo:

— Conforme a vontade do teu pai, ele será cremado — disse. — A Igreja não vê com bons olhos esse tipo de coisa, mas, enfim, era a vontade dele.

— Cremado? — perguntei, trocando olhares com Diva. — Não sabia disso.

— Tu pediu que eu cuidasse de tudo — ela falou. — Então, fiz como teu pai queria. Inclusive, ele registrou seu desejo em cartório. Não foi muito fácil, pois para esse tipo de coisa é ideal que se tenha um membro da família. Ainda bem que vivemos numa cidade pequena, e padre Ambrósio intercedeu.

E essa agora?! Cremado! De onde meu pai tirou essa ideia maluca?

Eu nunca havia assistido a uma cerimônia de cremação e, confesso, gradativamente a curiosidade foi tomando conta de mim. Quando chegamos ao crematório, uma chuva fina começou a cair. As pessoas que estavam no velório se dispersaram, voltando para suas casas. Éramos, naquele momento, somente eu e Diva.

Enquanto os funcionários preparavam o caixão na sala de cremação, eu e a bondosa mulher esperávamos na antessala. Eu tomava um café horrível, que me fora servido em copo plástico, e Diva perscrutava todo o lugar.

— Tu está bem, guri?

A pergunta me pegou de surpresa.

— Por que pergunta?

— Não chorou nem uma lágrima — ela continuou. — Li certa vez que não devemos reprimir nossos sentimentos. Isso nos faz um mal terrível.

— Não estou reprimindo meus sentimentos, Diva.

— Talvez. Mas, por favor, me ouça: sei que teu pai e tu não eram muito próximos. Aliás, nunca vi uma relação tão fria entre pai e filho. Mas, afinal, ele era teu pai, ora bolas!

— Entendo o que diz, Diva — eu disse. — Confesso que não gostaria de estar aqui. Mas é minha obrigação. Sou o único parente vivo que meu pai tem. Ou melhor, *tinha*.

Tomei fôlego (e coragem) para dizer o restante:

— Talvez não seja a situação apropriada, mas, apesar de meu pai parecer ser muito querido pelos moradores daqui, ele não foi um bom pai. Foi um péssimo pai, se posso dizer. Não se dignou nem a ir ao enterro de minha mãe. Não ligou, nada! Então, acho que tenho o direito de estar magoado e de não chorar só porque ele foi morar com o Deus de quem ele gostava tanto.

Diva se calou. Mordiscou os lábios e abaixou o olhar. Um senhor, que vestia um terno preto cujo manequim devia ser pelo menos duas vezes maior do que o dele, nos chamou para dentro da sala de cremação. A forma como o sujeito caminhava me fazia lembrar o Tropeço, mordomo da Família Addams, porém, com estatura bem menor e mais mirrado.

O caixão onde estava o corpo do meu pai fora disposto sobre uma plataforma móvel e, diante dele, havia um forno isolado por uma porta de ferro.

— Não sei se estão familiarizados com o sistema de cremação, por isso, vou lhes explicar. Este forno está a uma temperatura de aproximadamente 1000 graus — disse o homem, que tinha um aspecto tão cadavérico quanto o das pessoas que utilizavam os serviços daquele lugar. — O caixão será conduzido pela plataforma até o forno e levará cerca de duas horas para a cremação ser concluída. Depois, só sobrarão cinzas. Os ossos restantes serão triturados e tudo será colocado na urna, que já está incluída no orçamento.

— Orçamento? — indaguei.

— Isso. Assim que começar a cremação, o senhor pode me acompanhar até minha sala e lhe passo a nota fiscal. Aceitamos pagamento em cheque ou dinheiro.

— Ok. Tudo bem — concordei.

— Sabe, muitos não querem levar as cinzas. Conheci uma família que encomendou a pintura de um quadro com os restos de seu ente querido. As cinzas foram misturadas na tinta e, hoje, devem compor um belo quadro, pendurado em uma sala de estar qualquer por aí.

Aquilo tudo era tétrico demais para mim. O sujeito falava com uma naturalidade incrível.

— Meu nome é Sebastião Weber — ele disse, estendendo-me a mão.

— Hugo.

— Prazer, Hugo. Bom, fiquem à vontade. Lamento pela sua perda.

— Obrigado — agradeci.

— Feliz Natal, de qualquer modo — falou, antes de sair.

Um funcionário acionou o sistema e o caixão começou a deslizar em direção ao forno, cuja porta já estava aberta.

— Desculpe, mas não quero assistir a isso, Hugo. É doloroso demais para mim — disse Diva.

— Tudo bem. Se quiser, eu te levo para casa, depois retorno.

— Não, obrigada. Vou andando.

Despedi-me de Diva com um abraço e logo estava sozinho, pensando sobre o futuro daquela pobre mulher. Ela morava com meu pai havia anos e, até onde eu sabia, não tinha outro lugar para ir. A casa era alugada, e eu não tinha intenção de manter um imóvel em Nova Petrópolis.

Quando finalmente o caixão começava a ser consumido pelo fogo, deixei a sala e me dirigi ao escritório do tal Weber. O sujeito estava atrás de sua mesa, lendo um exemplar do *Zero Hora*. Mais especificamente, a página de Esportes.

— Pelo visto, o senhor também não passará o Natal em casa? — perguntei, esforçando-me para ser simpático.

— Ah, sim! — Um sorriso iluminou o rosto do homem. — Passarei, sim! Minha mulher e meus filhos estão me esperando. E os netinhos, também. Eles são nossa alegria. Digo, os netos!

— Imagino que sim.

— Irei para casa tão logo as coisas aqui terminem. Os clientes vêm em primeiro lugar, afinal.

Não soube ao certo a quem ele estava chamando de cliente, se a mim ou ao meu pai. Também achei melhor não perguntar.

Weber puxou uma folha de nota fiscal da gaveta e um talão.

— Aqui está o orçamento e as despesas. Tudo computado.

Quase caí de costas quando vi o valor.

— Três mil?!

— Podemos parcelar em três cheques, se o senhor preferir — disse o homem, com indiferença. — Fiz um desconto para a urna.

— Urna?

— A urna para armazenar as cinzas.

Suspirei. Com certeza, era a pior noite de Natal de minha vida. Muito pior do que a dos meus 7 anos, primeiro Natal que eu e minha mãe passamos sem o meu pai em casa.

Fiz o cheque, optando por pagar à vista. Depois, saí para caminhar. A cidade estava deserta. O interior das casas estava iluminado; imaginei as pessoas comemorando, recebendo os parentes, abraçando os filhos. Coisas que eu nunca tive, graças a meu pai.

— Seu grande filho da puta — disse para mim mesmo, engolindo o nó que se formara em minha garganta.

Capítulo 3

Voltei para o carro três horas depois, carregando sob o braço a urna em formato de vaso, que continha as cinzas do que, outrora, havia sido meu pai. Era estranho pensar que um ser humano poderia, ao final de sua vida, se reduzir àquilo: um punhado de cinzas metido num vaso.

Entrei no carro e dirigi pelas ruas vazias. As luzes acesas no interior das casas tornaram reais as luzes de Natal, que guiavam o espírito alegre das pessoas. Particularmente, nunca compreendi muito bem o porquê de tanta alegria natalina. Ano após ano, as pessoas se reúnem, se abraçam e fazem promessas vazias, que são esquecidas assim que o efeito do vinho desaparece.

Errei por duas vezes a entrada para a rua em que meu pai morava, andando em círculos e, inevitavelmente, caindo novamente na avenida de entrada da cidade. Sentindo-me um idiota por me perder em uma cidade pequena, fiz o retorno na avenida principal, contei as ruas e, finalmente, acertei a entrada. Ao meu lado, o vaso funerário com as cinzas do meu pai seguia sobre o banco do passageiro, preso pelo cinto.

— Pelo menos, não posso dizer que não tive o prazer de passear de carro com o senhor no final de sua vida, velho — eu disse, sem olhar para a urna.

Estacionei em frente à casa, apanhei o vaso e desci. Uma luz tímida brilhava no interior, sinal de que Diva ainda estava acordada.

Abri o portão. O chiado deve tê-la alertado, porque, em poucos segundos, ela abriu a porta.

— Deu tudo certo? — ela perguntou.

— Deu, sim — falei, erguendo o vaso na direção dos olhos dela.

— Meu Deus! Pobre Olaf! — Seus olhos marejaram novamente e pensei que não tinha sido uma boa ideia mostrar-lhe a urna.

— Entre, entre! Tu está com fome?

Caminhei para o interior da casa do meu pai e senti como se entrasse em um novo mundo. Um mundo estranho, o qual nunca deveria estar pisando. Tudo ali "era" Olaf Seemann: o ambiente de luz fraca, onde predominava a penumbra; móveis antigos, em madeira pesada, que pareciam ter saído diretamente do túnel do tempo, viajando da década de 1940 para o século XXI; pequenos quadros retangulares na parede, decorada com papel de estampas cafonas cheias de rosas. A sala acanhada dava acesso para a cozinha (bastavam poucos passos à frente para chegar à pequena cozinha de piso frio minimamente decorada) e para um estreito e escuro corredor, onde ficavam os dois quartos e o banheiro.

— Não tive ânimo para cozinhar, Hugo. Me desculpe — disse Diva. — Mas os quartos estão arrumados e tem pão de forma, leite e café frio. Posso passar outro fresquinho para ti.

— Não tem problema, não estou com fome — falei.

— Tu tens onde dormir? — Diva apagou a luz da cozinha e acendeu todas as luzes da sala. Foi então que observei o candelabro antigo sobre uma pequena bancada de madeira presa à parede, onde, além do próprio candelabro, havia alguns porta-retratos com fotos de paisagens alemãs.

— Para ser sincero, não. A correria foi tanta que não pensei em reservar algo. Além disso, com todos esses turistas, as pousadas devem estar lotadas.

— Sim, está sendo um bom ano para o turismo — concordou Diva. — Nesta época, a cidade fica infernal. De qualquer modo, acho que deveria ficar aqui. Afinal, é sua casa também.

— Não é minha casa, é a casa do meu pai. Aliás, ela é mais sua do que minha — disse, sentando-me na poltrona revestida de feltro vermelho. — Mas acho que aceitarei.

— Esse era o lugar preferido do teu pai — falou Diva, apontando para a poltrona.

— Eu deveria ficar *incomodado* por isso? — perguntei. Coloquei o vaso com as cinzas do velho Olaf sobre a mesinha de centro e esfreguei os olhos.

— Vou passar um café — disse Diva, arrastando os passos até a cozinha.

— Obrigado. Há algo forte para beber aqui?

— Forte? Tu diz *álcool*?

— Sim — respondi, já de pé e remexendo a cristaleira. — Não me diga que meu pai não bebia!

— Ele não estava bebendo havia algum tempo. Ordens médicas por causa do diabetes. — Diva revirava o armário da cozinha, colocando pó de café e coador sobre a pia. — Mas sei que ele mantinha uma garrafa de uísque por aí, para os amigos que viessem visitá-lo.

"Meu pai tinha amigos?", pensei. Eu havia encontrado o litro de uísque Ballantine's e pegado um copo da cristaleira. Assoprei para retirar a poeira e servi-me de uma dose generosa. Depois, voltei a me sentar na poltrona vermelha. A cor destoava de todo o restante, naquela sala cheia de móveis escuros e sóbrios.

Bebi um gole e recostei-me. Céus, como me sentia cansado! E, como não comera nada o dia todo, a bebida não tardou a fazer efeito. Um forte calor subiu pelo meu pescoço e fez as veias de minhas têmporas saltarem.

Apanhei o celular do bolso, abri o *flip* e disquei para Rosa. Havia deixado uma cópia da chave do apartamento com ela para que cuidasse de Sócrates. Somente na segunda tentativa, ela atendeu.

— Feliz Natal! — falou, sem me dar chance de dizer "alô".

— Para você também — eu disse, sem muito ânimo.

— Ah, desculpe, Hugo. Seu pai...

— Esquece. Estou ouvindo música alta aí. Vai me dizer que você e Laísa estão dando uma balada natalina?

— Não brinca, Hugo — a voz de Rosa era séria. — Só chamamos alguns amigos. E saiba que a Helô ficou tão feliz com os novos rumos da campanha, que decidiu nos dar uma trégua amanhã. Mas eu e a equipe saímos da agência depois de oito da noite. Muito trabalho, mas parece que as coisas estão andando.

— Fico feliz. E o Sócrates? Você conseguiu passar no meu apê?

— Cê tá brincando?! Quase que não consigo chegar em casa! O trânsito em São Paulo está infernal, parece que todo mundo decidiu sair de casa por causa do Natal. Mas juro que irei lá amanhã.

— Veja bem, hein? Eu te confiei a vida da minha tartaruga de estimação.

— E para onde ela poderia ir? Está no viveiro, e você me disse que sua empregada havia dado comida a ela. Então, relaxa e deixa o Sócrates comigo.

— Tá bom — suspirei. — Volto na segunda-feira e, se Deus quiser, até terça minha vida terá voltado aos eixos.

— Tá tudo bem por aí?

— Depende do que você chama de "bem" — respondi. — Terei que dormir na casa do meu pai, provavelmente, na *cama* dele; e, neste exato momento, estou olhando para as cinzas do velho Olaf, metidas num vaso que está bem diante de mim, na mesa de centro da sala. Isso não é emocionante?

— Cinzas? Ele foi cremado?

— Exatamente. Um mimo bem caro, te asseguro.

— Gostaria de assistir a uma cremação.

— Não perdeu muita coisa. É tão emocionante quanto assistir a um pacote de pipocas girar dentro do micro-ondas.

— Jesus, Hugo! É seu pai!

Agradeci a Rosa novamente e fiz menção de desligar.

— Mande um beijo para Laísa.

— Mandarei, com certeza — disse Rosa.

Fechei o *flip* e tomei mais um gole do uísque. Já me sentia mais relaxado. Diva voltou para a sala, trazendo uma bandeja com um bule e xícaras de café.

Ela se sentou em uma das cadeiras de braços de madeira e assento de palha. Não olhava para um lugar em especial, apenas mantinha os olhos tristes e vazios, fixos num ponto qualquer.

— Diva, me fala um pouco sobre ele — eu pedi, quebrando o silêncio.

Os olhos arregalados evidenciavam que Diva havia se surpreendido com meu repentino interesse.

— Pois é — eu complementei. — Tudo isso é muito estranho. Vim aqui pouquíssimas vezes, sempre porque minha mãe insistia em visitar o velho. Quando eu vinha, pouco passava daquela porta e, juro, já não lembrava como eram as coisas aqui dentro. E, de repente, cá estou eu no mundo do meu pai, uma pessoa que nunca conheci de verdade e que, também, nunca fez muita questão de me conhecer.

— Teu pai era uma boa pessoa, Hugo, não importa o que tu penses dele — Diva começou a falar. — Não preciso dizer que ele tinha um temperamento difícil, porque disso tu já sabe. Conviver com ele não era fácil por causa do mau gênio ou das coisas que ele fazia. Pelo contrário; era difícil porque, mesmo estando em casa, ele nunca estava. Aliás, Olaf tinha jeito: ele nunca parecia estar de corpo presente em lugar algum.

— E sobre o que vocês conversavam nesses anos todos? Desculpe perguntar, mas sempre tive curiosidade.

Diva riu.

— Trivialidades. Bobagens. Notícias da tevê ou dos jornais. Nada muito sério. Teu pai nunca se abria ou falava dele. O pouco que sei sobre Olaf me foi contado por tua mãe. Por exemplo, foi ela quem me disse que ele havia lutado na Segunda Guerra e que viera fugido da Alemanha. Obviamente, eu sabia que ele não era brasileiro por causa do sotaque carregado. Mas não imaginava que tivesse estado numa guerra.

— Você sabia que ele era nazista quando jovem? — perguntei, terminando o uísque e me servindo de mais uma dose.

— Eu *deduzi*. Mas não creio que Olaf tenha sido capaz de fazer mal a uma mosca. Talvez a guerra explique o jeito fechado que ele tinha. Porém...

— Guerra é guerra, Diva. As pessoas matam — eu disse, sentindo os dedos ficarem amortecidos. — Ainda que meu pai fosse pacífico e cristão, tinha que matar para não morrer. Além disso, não é raro encontrarmos ex-nazistas por aí, posando de bonzinhos. Muitos se casaram, tiveram filhos, netos, e vivem uma velhice confortável no Brasil, Estados Unidos, Austrália e Argentina.

— Pode ser. Mas, ainda assim, não imagino teu pai fazendo mal a outro ser humano.

Bebi o outro gole, que desceu queimando minha garganta.

— E como ele morreu? — perguntei.

— Como assim?

— Como ele morreu? — repeti. — Digo, ele chegou a ser internado, passou mal em casa, essas coisas...

— Encontrei ele morto — ela disse, novamente com os olhos marejados. Então tive a certeza de que aquela mulher realmente gostava muito do meu pai. — Eu tinha saído para comprar leite, pão e outras coisas. Voltei para casa perto das cinco. Entrei, chamei por ele, mas ninguém respondeu. Espiei no quarto e ele estava deitado na cama; parecia dormir. Fui fazer minhas coisas. Então, perto das sete, tive um pressentimento estranho. Voltei para o quarto e tentei acordá-lo. Ele não se mexeu. Tentei de novo, e nada. Seus lábios estavam pálidos. Fiquei desesperada e corri para procurar ajuda. Seu Gustavo, dono da farmácia, é quem veio me socorrer primeiro. Ele tem experiência, já é um senhor. Examinou seu pai e disse que ele estava morto. Morto!

Não comentei nada.

— Tentei te ligar umas três vezes, mas tu não atendeste. Logo a casa ficou cheia de gente. Vieram buscá-lo e o colocaram numa ambulância. Mas eu sabia que era tarde demais.

Diva havia tentado me ligar, mas eu não tinha atendido. Senti uma pontada de remorso. Possivelmente, fora em um daqueles momentos em que eu estivera absorto nas reuniões e projetos da Strongmen.

— E disseram do que ele morreu? — perguntei.

— Fizeram exames — Diva assoou o nariz. Falar do meu pai a fazia chorar. — Acham que foi complicação do diabetes, somada à idade. Olaf já tinha 82 anos, não era um menino.

— Ele vinha passando mal? Estava tomando a insulina direito? Pergunto isso porque o diabetes...

— A glicose dele estava mais difícil de ser controlada e a doença parecia estar consumindo seu corpo mais rápido. Porém, Olaf pouco se queixava — Diva interrompeu-me. — Mas, no último mês, senti que algo o *atormentava*, na verdade. Ele ficava irrequieto, andando de um lado pro outro da casa. Depois, saía para bater perna. E, como o médico sempre disse que ele deveria caminhar, eu não intervinha.

— Ele nunca disse o que o estava *grilando*?

Diva fez que não. Ela serviu-se de café e bebeu um gole.

— Na semana passada, ele me pediu para ir ao correio postar uma carta.

— Carta?

— Também achei estranho, mas quando perguntei, ele respondeu com um resmungo e preferi não insistir. Ainda estou com o recibo do correio e o papel onde ele anotou o endereço do destinatário.

Não dei muita bola. Pouco me importava se meu pai tinha correspondentes secretas ou algum filho bastardo perdido pelo mundo. Fosse com quem fosse que ele se correspondia, era passado, e eu não fazia parte daquilo.

— Ah, já ia me esquecendo! — Diva esticou o braço até sua bolsa a tiracolo, que estava sobre a cadeira ao lado. Abriu e pegou uma chave antiga. Depois, a estendeu em minha direção. — Olaf me pediu para te entregar isso da próxima vez que o visse.

— Como assim? — estranhei, pegando a chave, analisando-a com curiosidade. Parecia uma dessas chaves de guarda-roupas ou armários antigos.

— Estranho, né? Também achei. Parece que ele pressentia que ia morrer. Me pediu isso de um jeito meio esquisito, sombrio. Há uns cinco ou seis dias, me deu essa chave e me solicitou que a entregasse a ti quando te visse de novo. Confesso que fiquei incomodada, mas depois pensei que era coisa da minha cabeça. Vocês tinham algum tipo de segredo?

Eu ri da pergunta.

— Meu pai era *o* segredo para mim, Diva. Nunca o conheci, tampouco o compreendi. — Fechei a mão, segurando a chave, pressionada em minha palma. — E acho que não será agora que vou conhecê-lo, não é?

Terminei o uísque e servi-me do café. Estava bom; quente e forte.

— O que tu fará com essa... *coisa*? — Diva apontava para o vaso sobre a mesinha. Olhava para ele com certo asco.

— Ainda não sei. Meu pai não deixou instruções?

— Nunca me disse nada. Só me fez prometer que ele seria cremado. Ele mesmo se encarregou de lavrar isso no cartório.

— Acho que ficará bom sobre sua penteadeira, Diva. O que acha? — brinquei, terminando o café.

— Cruz-credo!!! — A mulher precipitou-se em fazer o sinal da cruz e, depois, disse: — Não brinque com essas coisas! Nem sei se ter as cinzas de um morto dentro de casa atrai coisas ruins. Padre Ambrósio não aprova nem a cremação, sabia?

— Acho que as cinzas não podem fazer mais mal do que uma pessoa viva faria — eu disse, pegando o vaso. — De qualquer modo, melhor isto ficar comigo por enquanto.

Diva me levou até o quarto do meu pai, cuja mobília limitava-se a uma cama de solteiro de madeira, um guarda-roupa antigo e uma cômoda. Mais impessoal, impossível.

Coloquei o vaso e a chave antiga sobre a cômoda e fui até o carro pegar minha mala. Enquanto isso, Diva providenciava roupas de cama limpas.

— Tome um banho. Trocamos o chuveiro no ano passado. O outro demorava a esquentar. Mas esse está novinho.

Agradeci e aceitei. Em poucos minutos, eu já estava de banho tomado e pronto para dormir. Antes de me deitar, abracei Diva demoradamente e a beijei no rosto.

— Obrigado por tudo o que fez pela gente nesses anos todos, Diva. Feliz Natal.

— Obrigada — ela disse, limpando as lágrimas. — Tu és um bom moço, Hugo. Só precisas perdoar o teu pai.

— Quem sabe um dia — falei, fechando a porta do quarto.

Assim que me deitei, o sono fugiu. Fiquei por muito tempo olhando o forro de madeira. Então me dei conta de que estava deitado exatamente na cama onde meu pai morrera, o que me deu mal-estar.

Apalpei os lençóis. Depois, os cheirei. Ainda que Diva tivesse trocado a roupa de cama, havia um odor peculiar naquele quarto. O cheiro do meu pai.

Lembrei-me do que Diva me pedira: perdoar ao meu pai.

— Sinto muito, mas não dá — murmurei, voltando a me deitar.

Capítulo 4

Dormi mal. Ainda por cima, acordei com uma baita dor de cabeça. Não eram nem seis da manhã quando pulei da cama e fiquei perambulando pela casa.

Na cozinha, esquentei o café da noite anterior e bebi uma xícara. Depois, voltei para o quarto. Não se ouvia qualquer som pela porta entreaberta do quarto de Diva.

Fechei-me no quarto do meu pai e detive-me diante do vaso, que continuava ali, imóvel, sobre a cômoda.

— Você não vai decidir me assombrar depois de morto, vai? — disse, sentindo-me um completo idiota. Aquelas haviam sido as palavras mais *generosas* que eu havia trocado com meu *pai* (ou com o que restara dele) nos últimos anos.

Tirei uma camiseta e uma bermuda da mala e, devidamente vestido, fui para a varanda. Tudo indicava que seria um dia de sol, e o azul do céu já começava a prevalecer entre as nuvens. Mas, como acontece em todo verão, não descartava a queda de um pé d'água a qualquer momento.

Sentei-me no primeiro degrau da escada de três pequenos lances e fiquei observando a rua deserta. Nova Petrópolis dormia. A água da chuva do dia anterior havia secado.

Será que o velho também se sentava ali, onde eu estava, e passava algum tempo olhando a rua? Ou ficava parado em frente ao portão, conversando com os polacos que iam e vinham? Sobre o que falavam? Lembranças da Alemanha? Em uma cidade na qual 90%

da população tinha sangue germânico, não seria difícil arrumar um assunto em comum.

Foram várias as vezes em que tive que trazer minha mãe de Porto Alegre a Nova Petrópolis. Ainda que meu pai tenha sido um completo filho da puta insensível, ela fazia questão de visitá-lo no seu aniversário. Talvez fosse um modo de tentar me aproximar dele também. Antes de eu me tornar um rapaz responsável de 18 anos, apto a votar e dirigir, pegávamos um ônibus e curtíamos o trajeto de serra. Isso perdurou por exatos nove anos.

Meu pai fazia aniversário em maio; portanto, era outono, e os dias começavam a ficar mais frios. Quando finalmente atingi a maioridade, alugávamos um carro e eu seguia guiando. Minha mãe olhava para mim com orgulho durante o caminho e não cansava de falar como, para ela, era um sonho ver seu filho barbado à frente de um volante. Se antes ela me levava no colo, agora, era a vez de eu levá-la para passear.

Fosse como fosse, a reação do meu pai era sempre a mesma: um sorriso discreto, o convite para um café e, depois, sem muita cerimônia, ele nos deixava sozinhos e sumia pelas ruas. Ao final, trancávamos a casa, deixando a chave sob o tapete e nos hospedávamos numa pousada. No dia seguinte, retornávamos.

Quando, aos 21 anos, já formado em Desenho Industrial, eu decidi deixar Porto Alegre e me aventurar em São Paulo, as visitas a Nova Petrópolis se tornaram mais escassas. Pelo que sei, minha mãe realizou a viagem sozinha várias vezes, de ônibus. Em alguns anos, eu conseguia planejar minhas férias para maio, de modo que pudesse viajar a Porto Alegre e acompanhá-la. Fazia isso por minha mãe, não pelo velho Olaf.

Fora minha a ideia de contratarmos uma cuidadora para meu pai. Meu salário havia melhorado e, além do aluguel, conseguia me manter com certa folga. Então Diva apareceu em nossas vidas, o que foi ótimo. Era ela quem nos fazia sala quando íamos a Nova Petrópolis, de modo que meu pai podia curtir sua vida de ermitão tranquilamente, indo e vindo, sem *dar muita bola* para nossa presença. Servia-nos café, bolo, às vezes nos presenteava com pequenos mimos: panos de prato artesanais, chocolate caseiro, pantufas (minha mãe amava pantufas, já que sentia muito frio nos pés).

Hoje, acho que Diva sempre foi a única pessoa que, de fato, compreendia meu pai — por isso, esforçava-se tanto para nos fazer sentir acolhidos, tirando esse peso dos ombros dele.

Dois anos antes da morte do meu pai, minha mãe fora diagnosticada com câncer linfático. Não havia muito a ser feito, apenas assistir à doença consumi-la e levá-la em dois meses. Viajei a Porto Alegre e cuidei de tudo pessoalmente. Aquela mulher forte que, desde que eu me mudara, sempre havia se virado bem sozinha, simplesmente desfaleceu, frágil e fraca como um passarinho recém-nascido. Fui eu quem ligou para meu pai, avisando-o da morte dela. Ele não se dignou a atender; foi Diva quem conversou longamente comigo. Ela o protegeu, dizendo que ele não estava. Mas que daria o recado; e que oraria pela minha mãe. Foram várias outras ligações sem qualquer retorno, até que, por fim, Diva me disse o que eu já pressentia: "Teu pai não quer falar contigo, Hugo. Eu sinto muito".

Aquele foi o pior golpe que recebi do velho Olaf. O desgraçado não se dignara a se despedir de minha mãe; negara-me seu ombro. A partir daquele dia, jurei que meu pai estava morto e que a única coisa que teria de mim seria ajuda com o salário de Diva. Era uma forma, achei, de fazê-lo sentir que, sem meu dinheiro, ele morreria à míngua.

Meu plano de vingança parece não ter funcionado a contento, uma vez que Olaf mantinha a mesma rotina indiferente a tudo — inclusive ao pagamento do aluguel, cujo dinheiro, com o tempo, passei a depositar na conta de Diva.

— Ah, aí está!

Virei-me, topando com os pés de Diva bem atrás de mim.

— Diacho, mulher! Quer me matar de susto?! — exclamei, num sobressalto. — Não vi você se aproximar.

Diva parou ao meu lado, mas manteve-se em pé. Eu a observava de baixo para cima, como um menino apegado à saia da mãe.

— No que tu estava a pensar, Hugo? Estava tão distante que parecia que tinhas ido à Lua!

— Na minha mãe — respondi. — Não sei como ela ficaria com a morte do meu pai.

— Dona Renata era uma boa pessoa — disse Diva. — E ela amou muito teu pai, Hugo. Sou mulher e entendo dessas coisas.

— Pode ser — falei, ficando em pé e limpando a parte de trás da bermuda com as mãos. — Só não sei o que ela viu num sujeito estranho como Olaf.

Diva abaixou o olhar, ao mesmo tempo que eu, atentado, torcia o pescoço na tentativa de encará-la.

— Ei, não me julgue, ok? Sei que gostava do velho — eu disse. — Também sei que está triste.

Lacei meu braço ao redor da cintura de Diva e beijei sua cabeça.

— Não sei o que teria sido daquele velho babaca sem você. Acho que nada do que eu te disser será agradecimento suficiente.

Mudos, entramos na casa e sentamo-nos à mesa da cozinha. Diva passou café fresco, enquanto me falava mais sobre meu pai: como era o dia a dia com ele (todos iguais e terrivelmente chatos, deduzi), a saudade que tinha dos filhos e do marido.

— Acredita que o pirralho do mais novo nem me ligou ontem? — ela comentou, ressentida. O nervosismo acentuava ainda mais seu sotaque gaúcho. — Por isso te digo, Hugo: os pais erram, mas são tudo o que temos. Depois que tudo termina, não adianta chorar.

— Quem sabe ele ligará hoje, Diva — falei, servindo-me de um pouco de café fresco. — Afinal, nem todos os países têm a tradição de comemorar o Natal na véspera.

— Conheço minha cria, oras! — Ela se sentou diante de mim e provou o café. — Aquele guri deve estar metido com mulherada ou viajando por Portugal, isso é o que eu acho.

— E o seu filho mais velho? Telefonou?

— Sim. — As bochechas de Diva tornaram-se rosadas, e seus olhos azuis brilharam como duas pedrinhas. — Está indo hoje para Laguna; por isso, ligou ontem. Ficou muito chateado quando contei do teu pai. Mandou os pêsames.

Bebi mais um gole de café. Enfim, era aquilo: eu e aquela jovem senhora, sentados um ao lado do outro, iniciando um dia de Natal nostálgico. Éramos ambos miseravelmente solitários, e a companhia um do outro era o melhor que podíamos nos oferecer.

— O que tu pretendes fazer com esta casa, Hugo? Acho que preciso começar a procurar um canto pra mim — disse Diva, apanhando uma bisnaguinha murcha no saco de pão.

— Olha, não vamos falar sobre isso agora, ok? Meu pai acabou de morrer e está sendo um dia péssimo para nós dois.

Ela ergueu o olhar e fitou-me como quem olha para um espécime exótico.

— O que estás dizendo? Não me venha com essa, Hugo! A morte de teu pai não te abalou nem um pouquinho.

— Pode ser — retruquei, contrariado. — Ainda assim, viajar para cá estava fora dos meus planos. Tive que deixar um projeto importante em São Paulo. Mesmo depois de morto, aquele velho idiota ainda me dá trabalho.

Suspirei fundo. Afinal, o que eu estava fazendo? Diva era uma boa pessoa e não merecia minha ingratidão.

— Bom, pelo menos — prossegui — pude te rever. Você é a melhor coisa neste lugar, Diva. Sempre foi.

— Ainda não respondeu a minha pergunta. — Ela passava manteiga no pão partido ao meio e olhava para mim de modo intimidador, fazendo-me sentir verdadeiramente constrangido.

— Não sei — disse. — Mas fique tranquila. Nunca te deixaria na rua. Até porque, de um jeito *torto*, você é a única parente viva que eu tenho. Vamos encontrar uma solução.

— E o que tu pretende fazer com aquela... *coisa*?

Entendi que Diva estava se referindo ao vaso que continha as cinzas do meu pai.

— Ainda não sei. Vou pensar em algo antes de ir embora amanhã. — Servi-me de um pedaço de pão e de mais café.

— Vai embora amanhã? Podia ficar mais.

— Tenho que ir.— Lembrar de todo o trabalho que eu havia deixado para trás na Royale fazia minha cabeça doer. — A coisa tá preta lá na agência e, se não entregarmos uma campanha, perderemos um cliente grande. Não quero nem pensar no que pode acontecer com meu emprego.

Terminei o pedaço de pão e me servi de outro — dessa vez, passando um pouco de manteiga.

— Por que não vamos dar uma volta? — sugeri. — Já que temos que ficar olhando um pro outro, podíamos, pelo menos, andar por aí.

— Acho bom. Deixa só eu terminar esta louça, trocar de roupa e vamos.

Uma vez de acordo, também fui até o quarto me trocar e penteei os cabelos. Abri a porta do guarda-roupa para me olhar no espelho. Podia ser impressão minha, mas eu estava ficando cada vez mais parecido com o velho Olaf.

Chacoalhei a cabeça, tentando espantar aquele pensamento. Demorei muitos anos para convencer minha mãe a parar de me dizer que eu lembrava o velho. Não queria pensar nisso agora.

Antes de fechar a porta do guarda-roupa, observei as roupas do meu pai penduradas em perfeita ordem. Havia poucas peças, em sua maioria, camisas de tecido leve e duas calças sociais.

Também reparei (como se fosse possível não reparar) no forte cheiro de naftalina.

Percorri os olhos por entre as roupas penduradas e sobre o armarinho onde estavam guardadas as ceroulas e meias. Não sabia exatamente o que procurava; talvez, alguma foto antiga em que Olaf estivesse comigo em seus braços, ou algum porta-retratos em que eu, ele e minha mãe estivéssemos juntos numa praia qualquer em Torres. Ou seria em outro lugar? Tanto fazia.

Mas não havia nada. Para qualquer pessoa que vasculhasse aquele quarto, meu pai era um velho solteirão, que havia passado pela vida sem ter esposa e filhos. Tive vontade de, num ímpeto, atirar as camisas dele no chão e pisoteá-las.

— Velho bastardo — resmunguei, empurrando a porta do guarda-roupa. Foi quando algo no reflexo do espelho me chamou a atenção. Algo bem no fundo do guarda-roupa, entre as camisas.

Agachei-me e, afastando as roupas, encontrei um baú que parecia tão velho quanto meu pai — ou mais! Não era um baú grande; tinha o tamanho de meu antebraço e sua altura dava a metade de minha canela. Pelo tamanho, e pelo local em que estava guardado, era fácil passar despercebido.

Suas pontas eram revestidas de metal já enferrujado, assim como sua fechadura e alças laterais. O revestimento era de uma cor rosa desbotada que, um dia, possivelmente fora um vermelho.

Não havia cadeado, mas sim uma fechadura que impedia que eu abrisse e verificasse o conteúdo. Era como somar um mais um. Para mim, ficava claro que aquele recipiente seria aberto com a chave que o velho Olaf havia me deixado, embora eu não compreendesse o porquê de não informar à Diva que ela serviria para aquilo; e também a discrição dela, de não ter mencionado o baú, mesmo tendo organizado aquelas roupas inúmeras vezes no armário.

Apanhei a chave sobre a cômoda e girei-a dentro da fechadura. Um leve *clique* indicou que o baú estava destravado.

— Abracadabra! — exclamei, erguendo a tampa.

Capítulo 5

𝒫laszow (𝒞racóvia), 𝒫olônia
25 de setembro de 1943

Tentei me aproximar daquela menina prisioneira várias vezes depois do ocorrido naquele dia. Mais do que obter uma explicação, eu queria saber sobre Mariele Goldberg, especialmente quem era e como havia feito aquilo.

A curiosidade sobre a cura miraculosa do meu pé não era apenas minha. Após o exame preliminar feito no posto médico do campo, uma junta médica de especialistas em ossos e fraturas me examinou — e todos não chegaram a conclusão alguma.

Diante do inexplicável, a solução mais simples foi atribuir o ocorrido a um exagero de minha parte, a despeito dos testemunhos dos outros soldados, inclusive de Heinz, que afirmaram, de modo unânime, terem visto a parte lateral da carroceria desprender-se e cair sobre meu pé.

Uma vez concluído o laudo oficial sobre meu pé, rapidamente tornei-me motivo de piada entre os soldados mais velhos e oficiais de patente mais baixa. Eu tentava fazer ouvidos moucos e, por dias, meu único foco era me aproximar do grupo de trabalho do qual Mariele Goldberg fazia parte.

No dia 25 de setembro, fazia um frio atípico para o início do outono. A umidade também era alta e os dias de aspecto ruim se sucediam. Eu mesmo já havia desistido de ver o sol brilhar. O rodízio da guarda me colocara, juntamente com outro soldado um pouco mais velho do que eu chamado Hans, na patrulha do grupo de trabalho feminino. As mulheres, perto dos 30 anos, carregavam pedras brutas até carrinhos de mão e os empurravam para o local onde homens as cortavam.

O Campo de Trabalhos Forçados de Plaszow operava a todo o vapor e eu me perguntava para onde ia todo aquele material que os trabalhadores produziam. Muitos comentavam que a economia de guerra drenava todos os recursos, e eu começava a acreditar firmemente nisso. Eu também temia que uma guerra longa demais exaurisse o poder da Alemanha — na época, eu ainda pensava estar do lado dos mocinhos.

Avistei Mariele Goldberg ao lado de outra jovem, segurando um grande bloco de pedra. Aproveitei que Hans havia se afastado do grupo e se dedicava a patrulhar a ala leste para caminhar apressadamente em direção a ela. Em vez de se surpreender ou se assustar, ela abriu um sorriso. Novamente, pude ver os dentes escuros e podres, que destoavam totalmente do olhar vívido, divino.

— Eu vim lhe agradecer — falei, percorrendo os olhos à volta. — Mas continue trabalhando para que não nos notem.

— Falar com prisioneiros judeus é algo digno de desonra para um soldado alemão, senhor Seemann — ela disse, arfando ao levantar outro bloco.

A menina que acompanhava Mariele Goldberg me lançou um olhar assustado mesmo sem erguer a cabeça.

— Diga à sua amiga para agir naturalmente, senão estaremos todos encrencados.

— Olhe à sua volta, senhor Seemann. Vê alguém agindo "naturalmente" por aqui? — Ela soltou um longo suspiro quando largou o bloco de pedra sobre o carrinho de mão e fez sinal para que a colega o levasse para ser cortado.

Observei seus dedos finos, que haviam adquirido uma aparência disforme em virtude do trabalho pesado. Praticamente não se conseguia identificar o que era unha ou carne. Olhei ao redor, observando a paisagem cinza. Acendi um cigarro e tentei agir naturalmente. Traguei, sentindo um forte *aperto no peito. Aquela menina judia tinha razão; não havia nada de "natural" em obrigar pessoas a trabalhar de modo forçado até suas forças praticamente se exaurirem.*

Eu vivia imerso naquela vida havia muitos anos, desde que optara por entrar para a Juventude Hitlerista com Heinz como forma de proteger minha mãe, católica fervorosa, professora de Poesia Medieval e crítica do Führer, *e minhas três irmãs. Apavoravam-me as histórias sobre mulheres que eram iscas fáceis para o prazer dos jovens soldados alemães. Muitos diziam, inclusive, que servir a esses soldados, ajudando-os a descarregar sua energia sexual, era uma forma de também servir ao* Führer. *O tempo passou, e o que era abominável tornou-se corriqueiro. Violência, pessoas sendo presas e levadas em bandos para campos de trabalho, o medo da delação; tudo havia se tornado tão parte da paisagem do país quanto o belo Reno, que corta Colônia, minha cidade natal.*

— Eu gostaria de me desculpar — *eu disse, sussurrando.*

— Por quê? — *Mariele Goldberg tinha um olhar inocente. Ela realmente não havia entendido meu pedido.*

— Como por quê?! — *disse.* — Por tudo. Por "isto".

— Você é parte disso, assim como eu sou, senhor Seemann. Apenas estamos em lados opostos.

Então, num ímpeto, desabotoei o colarinho do uniforme e enfiei os dedos indicador e médio, tateando entre os botões da camisa até fazer emergir um pequeno crucifixo de madeira, presente de minha mãe.

— Veja — *falei.* — Eu sou católico.

— Achei que fosse proibido no exército — *Mariele Goldberg conversava comigo sem desviar a atenção do seu trabalho com os blocos de pedra.* — Deve ter cuidado, senhor Seemann. Pode se meter em encrenca por usar isso. E, também, por estar falando comigo.

— Eu só quero entender — *eu disse, engolindo em seco* — como fez aquilo no outro dia.

— Aquilo? — *Ela continuava a trabalhar, erguendo com dificuldade um bloco de pedra um pouco menor.*

— *Naquele dia* — *prossegui* —, *você curou meu pé somente tocando nele. Como eu disse, eu sou católico. Cresci ouvindo sobre milagres, e acho que sei reconhecer um quando o vejo.*

Resignada, a jovem soltou o bloco de pedra e suspirou. Sua cabeça estava abaixada e o corpo, curvado, sustentado pelos braços apoiados nos joelhos.

— *O senhor é engraçado, senhor Seemann. Eu não fiz nada* — *ela disse, novamente me lançando um olhar vivo e alegre.* — *Se tivesse mesmo fé, saberia que os homens são impotentes diante da vontade de Deus. Sou apenas uma garota judia. Se há alguém que realiza grandes obras, senhor Seemann, é Nosso Senhor.*

Eu ia dizer algo, mas fui interrompido pelos gritos de alerta do vigilante da torre leste, que gesticulava para que eu me mexesse. Mais precisamente, ele gritava: "Mexa essa bunda e faça seu trabalho, soldado!".

Bati continência e obedeci. Sem nem mesmo notar, eu já havia guardado o crucifixo dentro do uniforme.

Rapidamente, Mariele Goldberg se afastou de mim, no mesmo instante em que Hans, apontando a arma para ela, corria em minha direção.

— *O que está fazendo, cadela judia?* — *ele berrava.* — *Como ousa se dirigir a um soldado alemão, judiazinha de merda? Está querendo se vender para salvar sua pele?*

Num gesto rápido, Hans acertou Mariele com a parte de trás da submetralhadora, jogando-a no chão. Um fio de sangue lhe escorria pelas têmporas.

— *Sempre soube que judias não passavam de vadias. Mas não imaginei que pudessem ter tal ousadia.*

— *Deixa ela, Hans* — *intervim, segurando seu braço. Logo percebi que havia cometido dois erros terríveis: colocara Mariele em perigo e atraíra o ódio daquele soldado para mim.*

— *O que há, Seemann? Quer vadiar com essa putinha judia? Não se contenta com as alemãs?* — *Ele cuspiu no chão, quase acertando a ponta de minha bota.* — *Trepar com uma cabrita ou com uma vaca para aliviar suas necessidades eu até entendo. Mas com uma judia?!*

— Cala boca. Não é nada disso. — Eu estava em maus lençóis. Um grupo de soldados havia se formado ao redor de nós. Entre eles, reconheci Heinz, que me puxou pelo braço.

— O que você está fazendo, Olaf? O que está acontecendo aqui? Se os oficiais souberem que está metido com judeus, você...

— Não estou metido com judeus, Heinz. Eu apenas...

Apesar de meus protestos, não havia explicação plausível para justificar o fato de eu estar conversando com uma menina judia, prisioneira em um campo de trabalhos forçados.

— Não está metido com judeus, hein? — perguntou Hans, rindo. Seu olhar não me indicava algo bom. — Então, não há problemas em eu fazer isto?

Ele golpeou novamente Mariele, que havia conseguido se levantar e estava ajoelhada. A pancada foi bem mais forte do que a primeira e outra vez arremessou a menina ao chão. Dessa vez, sua boca sangrava bastante.

Cerrei os punhos e desviei o olhar. O que eu podia fazer?

Os soldados riam enquanto as prisioneiras, assustadas, pararam suas atividades e assistiam a tudo, trêmulas.

— O que estão olhando? Voltem ao trabalho! — Os gritos, que vinham de nossas costas, pertenciam ao Untersturmführer[4] Norman Junker, que se aproximava da gente a passos apressados. Imediatamente, as mulheres retomaram seu trabalho, deixando Mariele caída, imóvel. Pelo menos, segundo eu havia observado, ela respirava.

— O que está havendo? — perguntou o tenente Junker, já em tom mais contido.

Hans precipitou-se a relatar que Mariele Goldberg estava conversando comigo, provavelmente pedindo comida ou oferecendo sexo. E que eu estava lhe dando trela.

O oficial coçou o queixo e, quando fiz menção de pedir a palavra, suspendeu a mão e me golpeou no rosto com sua mão enluvada.

— Você ficará um dia detido, sem comida. Quem sabe se sentindo como um judeu, vai entender por que é asqueroso manter qualquer tipo de contato

---

[4] Segundo tenente.

com esses vermes. — E, olhando para Mariele, sacou sua pistola Luger e apontou para ela, puxando o gatilho.

Dois soldados seguravam meus braços; sem que eu notasse, Heinz já havia pegado minha arma e me observava com espanto.

— Hora de ver esta cadelinha gritar — murmurou o Untersturmführer *Junker. Porém, quando eu já aguardava o estrondo do tiro, houve apenas silêncio. Erguendo os olhos, notei que a mão direita de Junker tremia. Seu semblante, antes confiante, havia adquirido uma característica de espanto. Era como se, lentamente, seus músculos relaxassem, tornando difícil apertar o gatilho.*

— Merda! — berrou o oficial, guardando a arma. — Você e você, ajudem sua companheira judia a ficar de pé. Quero ela de volta ao trabalho em um minuto. Caso contrário, não serei tão piedoso.

Duas mulheres rapidamente ergueram Mariele do chão e a sustentaram de pé. Por sua vez, o Untersturmführer *Junker, visivelmente desconcertado, olhava sua mão direita e, com a esquerda, limpava o suor da testa. Então, voltando-se a mim, e apontando-me o dedo, disse:*

— Suma da minha frente antes que eu o mate no lugar dela — foi a última coisa que disse. Afastou-se e desapareceu atrás do barracão das ferragens.

Os dois soldados que seguravam meus braços me conduziram até a detenção. Ao passar por Heinz, tentei falar algo, porém meu amigo desviou o olhar.

Mesmo com toda a vergonha de ter sido detido, eu só conseguia pensar em Mariele Goldberg e em quão miserável eu era por não ter conseguido ajudá-la. Acho que foi a primeira vez que eu me questionei se estava realmente do lado certo da "linha".

Capítulo 6

Nova Petrópolis,
Rio Grande do Sul, Brasil
25 de dezembro de 2006

Confesso que, no início, apesar da curiosidade idiota que havia tomado conta de mim, eu não esperava encontrar nada além de fotos antigas da Alemanha ou do *front*, medalhas de honra ao mérito ou, quem sabe, terços ou Bíblias antigas.

Meu pai nunca foi um sujeito dos mais surpreendentes, de modo que qualquer coisa que tivesse deixado para trás, após sua morte, devia ser tão ou mais desinteressante.

Mas eu estava redondamente enganado. O conteúdo daquele baú abriria uma nova porta para que eu de fato conhecesse o real Olaf Seemann, um homem que eu julgava distante de tudo e de todos, e o pai que nunca tivera.

Logo que levantei a tampa, saltou diante dos meus olhos o meu próprio nome, escrito em caligrafia bonita e tinta azul na parte da frente de um envelope, colocado sobre um caderno de capa de couro. Sob eles, havia um monte de cartas presas com elástico — contei onze — e fotos antigas em tom de sépia. Apanhei uma delas e conferi que se tratava de imagens do jovem Olaf ao lado de suas irmãs, isto é, as tias que nunca conheci e que, até onde sei, ainda vivem em algum lugar da Alemanha. Também reconheci minha avó; eu já havia visto uma foto dela, uma raridade que minha mãe tinha me mostrado num dia em que meu pai não estava em casa. "Veja, esta é a vovó Bertha", ela disse. Nunca mais me esqueci daquele rosto redondo, fisionomia austera, boca e olhos miúdos, trajando vestido preto como se fosse um enorme corvo.

Deixei as fotos de lado e peguei o envelope em que meu nome estava escrito — e que, portanto, era presumidamente endereçado a mim, de modo que eu poderia ler o conteúdo da carta sem qualquer dor na consciência.

Abri o envelope e retirei de dentro três folhas de papel pautado. Conferi a data: 10 de outubro de 2006. "Cacete!" Há pouco mais de dois meses, meu pai havia escrito aquilo. Por quê?

Peguei a carta e comecei a ler. Estava prestes a descobrir o que meu pai tinha de tão importante para me dizer — e que não poderia ter sido dito pessoalmente, ou, ainda, não me fora dito nos meus 39 anos de vida.

A carta começava como outra qualquer:

10 de outubro de 2006

Querido filho Hugo,

Nem comecei a escrever esta carta e já sinto, na primeira frase, o peso de ter lhe renegado meu carinho de pai.

"Grande coisa", pensei. "O velho filho da puta morreu com crise de consciência."

Prossegui a leitura:

Porém, peço a Deus (se é que tenho direito de Lhe pedir algo) que, após ler tudo o que deixo a você nesta carta e no caderno, você entenda quem, afinal, foi o seu pai: um homem contraditório, cheio de amarguras, que, há mais de sessenta anos, abandonou a humanidade ao cometer o mais vil dos pecados — pecado este que me acompanhará, eu sei, até meu túmulo.

Não tive a oportunidade de me despedir de sua mãe. Ouça, meu filho, sua mãe foi uma mulher maravilhosa. Uma das melhores pessoas que conheci. E, sim, eu sei que ela me amava. E, cada vez que ela me despejava seu amor, eu me sentia ainda pior. Pior por não a amar como ela merecia, pior por ter, diante de mim, uma mulher tão especial, condenada a amar alguém tão desprezível.

Vou lhe contar tudo. Não omitirei um só detalhe. Tudo o que precisa saber sobre mim está no caderno. Escrevi aquelas páginas por quase dois anos. Foi uma decisão relativamente fácil (digo, a de escrever). Quando, caminhando pela rua, dei de cara com a morte, rapidamente entendi que era a hora de colocar estas palavras no papel e revelar algo que, há 63 anos, mudou minha vida, e selou meu destino como soldado, alemão, homem e ser humano.

Leia com atenção, Hugo. É só o que lhe peço. E não me julgue antes de terminar sua leitura. Também não me julgue pelo meu ato final; aos 82 anos, depois de tudo o que vivi e fiz, não é uma decisão tão difícil acabar com tudo por vontade própria.

Que merda era aquela?! A que *morte* meu pai se referia? Quem ou o que ele havia encontrado na rua que o levara a escrever aquele monte de bobagens? E tinha mais: aquele último parágrafo estranho que havia acabado de ler. Meu pai havia cometido suicídio?

Tudo era repentinamente tão insólito que senti o mundo girar. Levantei-me do chão e me sentei na cama. Um forte calor tomou conta do meu corpo.

Não lhe deixo dinheiro, Hugo. Durante toda a minha vida no Brasil, trabalhei em empregos temporários e acumulei pouco. Foi sua mãe, com seu verdadeiro valor, quem sustentou você, lecionando em dois períodos enquanto nossa vizinha, Léia, ficava com você. Certamente, você se lembra disso.

Para um homem como eu, tudo o que há neste mundo perdeu o valor. Tudo se tornou tão pequeno depois que conheci aquela jovem menina... Eu era, então, um jovem soldado transferido da região do Reno para a Cracóvia. Eu tinha sonhos, planos. Mas tudo se foi. E, de algum modo, você e sua mãe foram afetados pela minha desventura.

Mas, como eu disse, se não posso lhe deixar bens, deixo dois pedidos, que, imploro, você realize por mim:

1 — Eu gostaria de ser cremado. Já informei isso à bondosa Diva. Pessoalmente, cuidei de tudo no cartório local. A cremação é um processo burocrático e quero lhe poupar aborrecimentos. O que peço é que minhas cinzas sejam jogadas no rio Reno, em Colônia. É a cidade em que nasci e onde ainda mora parte de mim. Desde que cheguei ao Brasil, pouco soube de minhas irmãs. A última carta que troquei com elas foi quando me avisaram da morte de minha querida mãe. Depois disso, não havia mais nada a ser dito. Contudo, foi em Colônia, às margens do Reno, que eu nasci e lá gostaria de descansar eternamente, Hugo.

2 — O segundo pedido é mais difícil, e, para que consiga realizá-lo, terá que ler todo o material que lhe deixo. Depois que jogar minhas cinzas no Reno, quero que procure uma pessoa para mim. O nome dela é Mariele Goldberg, mas é possível que ela use outro nome hoje. Essa mulher mudou minha vida de modo indelével e eu preciso que você entregue a ela uma última carta. Você saberá qual é: é a mais antiga que consta no maço de cartas. Ela está endereçada a Mariele Goldberg e data de 1974. Enviei essa carta inúmeras vezes, contudo, ela sempre retornou, constando endereço errado ou inexistente. Por anos, décadas, pesquisei o paradeiro de Mariele com a ajuda de um conhecido de ascendência turco-portuguesa de Colônia. Assim que chegar lá, procure por Mesut na Tabakladen Kadife. Ele saberá guiá-lo para que obtenha maior sucesso do que eu. Por muitos anos, planejei viajar à Alemanha para encontrar Mariele Goldberg. Porém, desisti quando me conformei que ela não me responderia. Também tive muito medo de que ela não me recebesse.

Você pode estar se perguntando: Quem é essa mulher? Depois de tanto tempo, como sei que ela está viva?

Você saberá quem é Mariele Goldberg ao ler os escritos que deixei. Quanto à segunda pergunta, não sei como explicar; mas, simplesmente, sei que Mariele está viva. Digo isso com a mesma certeza de que, sei, eu sentiria se ela tivesse morrido. Sentiria com toda a força de minha alma.

Acho que, depois de ler tudo isso, você saberá mais da minha vida do que tive a oportunidade de lhe dizer quando estava vivo. Você saberá ainda mais sobre mim, tenha certeza.

Hugo, antes de me despedir e deixá-lo com meus escritos, eu lhe imploro novamente: realize o que peço. É o único que pode cumprir a missão que deixei inacabada. Acima de tudo, haja o que houver, encontre Mariele e lhe entregue a carta. A última carta que escrevi a ela.

Por fim, tome cuidado, filho. Acredito que ninguém saiba que você está de posse dessas informações, contudo, não fale sobre isto a ninguém. Há apenas uma pessoa em quem você poderá confiar, além de Mesut. Eu espero que a conheça. Não confie em mais ninguém.

Eu amo você, filho. Perdão por nunca lhe ter dito. Eu amo você, assim como amei sua mãe, mesmo não tendo o direito de amá-los.

Seu pai.

Senti meus olhos marejados e, antes que alguma lágrima caísse, limpei-os com as costas da mão. Procurei, no maço de cartas, aquela a que meu pai se referia. Não foi difícil encontrá-la; ela estava em um envelope amarelado que havia lutado contra o tempo para não desmanchar.

O envelope, ainda lacrado, continha, escrito no campo dedicado ao destinatário: *Mein lieber Mariele Goldberg. Blumenstrasse, Köln, Deutschland.*

Apesar de minha ascendência, pouco aprendi sobre a língua alemã, mas reconheci o nome de Mariele Goldberg. "Minha querida Mariele Goldberg." Também sabia que *Köln* se referia a Colônia e *Deutschland* era o nome nativo para Alemanha. A carta estava em alemão e consistia em uma única folha. Os vários carimbos postais indicavam o número de vezes que a correspondência fora e voltara. No remetente, meu pai havia utilizado o endereço de uma caixa postal do correio de Porto Alegre. Isso significava que ele havia escrito a essa tal Mariele Goldberg enquanto ainda morava comigo e com minha mãe.

Ao que tudo indicava, aquela mulher tinha sido a única pessoa a quem meu pai amara na vida — alguma paixão inesquecível deixada para trás quando ele emigrou para o Brasil.

Separei a carta das demais e peguei o caderno de capa de couro. O que havia ali, segundo o velho Olaf, explicava tudo o que eu precisava saber sobre ele e sobre aquela mulher, Mariele Goldberg. Então, era simples. Tudo o que eu tinha que fazer era passar os olhos sobre o que meu pai escrevera e, depois, esquecer tudo aquilo. Eu podia perfeitamente jogar as cinzas dele em algum rio das serras e queimar toda aquela baboseira de fotos e cartas. Porém, algo grande, muito maior do que minha vontade de deixar tudo para trás, me impelia a seguir em frente; a viajar à Alemanha e procurar pela *talzinha* que havia virado a cabeça do velho Olaf a ponto de ele perder o juízo.

— O que estás fazendo? — Diva estava parada à porta do quarto e me olhava com espanto. — Estás remexendo nas coisas do teu pai?

— Não é nada disso — resmunguei. — Lembra-se da chave? Pois é. Ela era deste baú.

Apontei para o baú colocado no chão, junto a meus pés.

— Eu já o vi trancado. O que tem de tão importante nele?

Pensei em dizer. Aliás, eu já havia dito uma ou duas palavras, quando, então, me detive.

— Fotos. E algumas cartas velhas que meu pai escreveu do *front*. Ou seja, só merda de museu.

— Não fala assim do teu pai, Hugo! — Diva me repreendeu, o que indicava que havia caído em minha farsa. Senti-me mal por mentir para aquela pobre mulher, mas meu pai havia sido claro: não devia comentar sobre aquilo com ninguém e, fosse pelo que fosse, eu estava levando as palavras dele a sério, por mais insano que parecesse.

— Ah, também descobri o que ele quer que eu faça com as cinzas. Na verdade, acho que foi por isso que ele deixou a chave: para que eu abrisse o baú e encontrasse sua carta — menti, erguendo a folha de papel manuscrita e prossegui: — Ele quer que eu jogue as cinzas dele no rio Reno.

— Rio Reno?

— Sim. Na Alemanha.

— E ele não podia, simplesmente, ter me entregado a carta, em vez de fazer esse mistério todo? — Diva parecia verdadeiramente brava. Possivelmente, se sentia traída.

— Sei lá. — Dei de ombros. — Acho que ele não confiava nas pessoas.

— Isso me deixa muito magoada. — Os olhos de Diva marejaram novamente. Ela estava prestes a chorar, quando, em um salto, pulei para o lado dela e a abracei.

— Deixa disso. Estou brincando. Vai saber o que se passava na cabeça daquele velho *chucrute*? — eu disse. — E então, vamos dar uma volta ou não?

Diva concordou, ainda que relutante, e eu pedi um minuto para terminar de me trocar. Fechei o baú e passei a chave, deixando-o sobre a cama. Queria dar uma olhada melhor nele mais tarde. Apanhei a carta destinada a Mariele Goldberg e coloquei-a dentro do caderno de capa de couro. Guardei ambos em minha mala e fechei o zíper. Não queria correr o risco de que Diva visse aquilo.

Por fim, meti a chave do baú no bolso da bermuda e caminhei até a janela para fechá-la. Detive-me quando, do outro lado da rua, reconheci o velho gordo Klaus parado, olhando de modo estranho para a casa. Digo de modo estranho porque seu olhar não tinha vida; ele parecia nem respirar, olhando fixamente para a casa como se quisesse derrubá-la com o poder da mente.

— Acho que estou ficando paranoico — murmurei. Acenei para o velho, que, no entanto, pareceu não ter me visto. Girando sobre os calcanhares, o velho Klaus começou a caminhar e sumiu do meu campo de visão.

Fechei a janela e, acompanhado por Diva, saí. O dia estava quente e abafado, e os turistas já começavam a ganhar as ruas. Na calçada, olhei para cima e para baixo, e não vi o velho.

— Estás procurando alguém? — Diva perguntou.

— Não, ninguém — despistei.

— Tu estás estranho, Hugo. O que há? — Os olhos ligeiros de Diva me vasculhavam de cima a baixo, procurando algo nas entrelinhas.

— Acho que estou só cansado — suspirei.

O fato era que odiava esconder coisas das pessoas, sobretudo, de alguém que havia sido tão companheira de meu pai quanto Diva.

— E, também, estou precisando de um legítimo *cappuccino* serrano — completei, piscando para Diva, que, aparentemente, ficou mais calma.

Então caminhamos em direção ao centro.

Capítulo 7

Sei que a frase que vou dizer soa como saída da boca de alguém bastante religioso como meu pai, e não de um agnóstico como eu. Porém, não encontro outra expressão que se encaixe melhor para descrever o momento que se seguiu, enquanto eu e Diva caminhávamos, como mãe e filho — ou como irmão mais novo e irmã mais velha, não sei — em direção ao centro de Nova Petrópolis, àquela hora, lotado de turistas ansiosos por um café colonial ou, simplesmente, de partida com as excursões intermináveis para Gramado e Canela.

Enfim, o que queria dizer é que tudo o que aconteceu naquele dia "foi por Deus". Isso mesmo, por Ele! Atribuo a algo totalmente divino o fato de eu ter apalpado o bolso de minha bermuda e notado que havia esquecido minha carteira na casa de meu pai.

— Deixa pra lá — disse Diva, diante de minha expressão sem jeito. — Eu pago o *cappuccino*. Posso te fazer esse *gosto*, não posso?

— Fica para outra vez — eu falei. — Não consigo andar sem carteira. É mais fácil eu sair pelado de casa do que sem meus documentos, Diva.

— Acho que a cidade grande te fez mal, guri. Estás falando como um neurótico — ela disse, contrariada.

Mas eu insisti em voltar para pegar a carteira, e ela acabou concordando. Então pedi que me esperasse. Havíamos caminhado três quarteirões e dobrado a esquina em direção à Aldeia dos Imigrantes, ou seja, se eu corresse, iria e voltaria em cinco minutos.

Era o que eu imaginava quando, chegando ao quarteirão de pequenas casas de estilo germânico, onde meu pai morava, notei que a porta da frente estava aberta. Imediatamente, algo ruim me ocorreu: estávamos sendo assaltados.

Roubos e outros atos de vandalismo não eram coisas a que os colonos das cidades pequenas da Serra Gaúcha estavam habituados, mas, enfim, um dia o *modus operandi* do Brasil chegaria a todos os cantos do país, mesmo os mais distantes — e Nova Petrópolis não seria exceção. Contudo, o problema das cidades desabituadas com a violência urbana é que nunca se acha uma viatura de polícia quando se precisa de uma.

Incerto quanto ao que fazer, lembrei-me do baú e do vaso onde estavam as cinzas do velho Olaf. A sensação ruim se tornou ainda mais alarmante.

— Puta que pariu! — blasfemei, abrindo o portão. O rangido estridente do portão enferrujado certamente alardeou o sujeito que estava, naquele mesmo instante, no interior da casa. Isso porque, no mesmo momento em que eu me preparava para entrar — sem refletir que o homem poderia estar armado — alguém, segurando o vaso de cinzas do meu pai sob um braço, irrompeu pela porta, lançando-me os três lances de escada abaixo.

Ainda zonzo, vi o sujeito passar pelo portão e ganhar a calçada.

— Fomos roubados! Alguém pare esse cara! — gritei, sem saber ao certo para quem, já que não havia uma vivalma nas proximidades.

Eu não tinha outra alternativa. De pé e sem saber se havia me machucado, corri o mais rápido que pude, desencadeando, então, uma cena digna dos filmes de Hollywood.

Para minha sorte, o homem que fugia com as cinzas do meu pai não estava num dia muito feliz. Apesar da compleição física mais avantajada do que a minha, com facilidade, encurtei a distância entre nós para meio quarteirão. O sujeito virou à esquerda, seguindo em direção ao centro — exatamente o lugar em que Diva me aguardava.

— Pega ladrão! — insisti, gritando para dois senhores que caminhavam de modo despreocupado, e que quase foram derrubados pelo homem em fuga. Assustados, eles não tiveram tempo de reagir.

Acelerei, e a distância entre mim e o larápio diminuiu ainda mais. De onde eu estava, pude enxergar Diva, parada, certamente me aguardando. Ela arregalou os olhos quando me viu em disparada, correndo do outro lado da rua, na calçada oposta.

— Hugo! — ela gritou, aparentemente, sem notar o sujeito que, segundos antes, passara por ela. — O que está havendo?!

— Aquele homem! — gritei. — Está fugindo com meu pai debaixo dos braços!

Eu estava me referindo ao que *havia sobrado* do velho Olaf, mas não me importei em corrigir. Fosse como fosse, eu estava tomado por um repentino sentimento filial, que me levava a correr como o Papa-Léguas atrás daquele desgraçado, que atravessou a avenida principal, saltando sobre um Hyundai, que quase o levou ao chão.

Estávamos em um trecho de grande movimento, o que tornava mais difícil a fuga, mas, também, a perseguição. Estreitei a visão, focando unicamente o sujeito que saracoteava por entre as pessoas. Ele estava subindo a avenida em direção à praça onde ficava o Labirinto Verde.

— Que porra! — praguejei. Desisti de correr na calçada e fui para a rua, disputando espaço com os veículos. Era mais fácil desviar dos carros do que dos pedestres.

Novamente, eu havia conseguido diminuir a distância entre nós para meio quarteirão. Eu podia até mesmo sentir o cheiro de suor daquele desgraçado, de tão perto que estávamos. Notei também que o sujeito parecia assustado — certamente, não contava em ser surpreendido — e falava ao celular enquanto corria.

"Que merda! Deve estar avisando alguém", pensei, imaginando a única possibilidade que me veio à cabeça quando, ao chegar à praça, o homem empurrou um casal de jovens que conversava diante da entrada do Labirinto Verde e sumiu em meio às folhagens.

Não tive tempo de ajudar a moça, que proferia uma série de xingamentos e ainda estava sentada no chão, enquanto o namorado a ajudava a se levantar. Entrei no labirinto de arbustos com uma única coisa em mente: se eu me distanciasse do cara, era certo que o perderia. Portanto, minha única chance era alcançá-lo ali.

O ladrãozinho parecia ter se atrapalhado com o caminho estreito e com os arbustos e diminuíra bastante o ritmo, deixando-me a um braço de distância.

— Me devolve esse vaso! — gritei, esticando o braço o máximo que pude e segurando a gola de sua camiseta.

O solavanco provocado pela diminuição repentina da corrida fez nossos corpos colidirem e, como ato contínuo, eu e ele fomos ao chão.

Rápido como um gato — ou como todo larápio que se preze —, o sujeito se levantou, girando o corpo na tentativa de se livrar de mim. Antes que isso acontecesse, consegui trançar meu braço ao redor do dele, trazendo-o de volta ao chão graças à força da gravidade — e ao peso de nossos corpos.

Por fim, ele soltou o vaso, que rolou no chão. Então pude ver o rosto do sujeito claramente: era bastante jovem, não mais do que 18 ou 20 anos. Moreno e pele branca bastante clara, que, obviamente, estava vermelha como um pimentão devido à corrida. Ainda se notavam cicatrizes em seu rosto do que, possivelmente havia pouco tempo, deveriam ter sido espinhas.

— Seu merdinha — eu disse. Acho que estava tão certo e vangloriado de minha perseguição bem-sucedida que não notei a aproximação do comparsa que, com um chute bem dado em meu peito, me derrubou, fazendo com que eu perdesse todo o ar.

Por mais que eu lutasse, a dor era intensa e minha visão começava a enegrecer. Contudo, antes de *apagar*, vi diante de mim um homem bastante alto, loiro, de feições estrangeiras. Não era muito velho, porém, certamente tinha mais idade do que o rapaz que roubara o vaso. Também me chamaram a atenção suas sobrancelhas loiras, quase brancas, e seu olhar gélido, que estava fixo em mim como se admirasse nada mais, nada menos, algo que se podia eliminar com um simples pisão.

— Quem é você? — perguntei, abraçado ao vaso.

Sem fazer qualquer menção de responder, o loiro sacou um canivete retrátil do bolso e exibiu a lâmina para mim.

Quem sabe eu estaria morto se não fosse a chegada de dois guardas municipais, que haviam sido alertados pela população.

Sentindo que meus sentidos se esvaíam, vi o loiro e o outro rapaz sumirem por entre os arbustos. Na confusão, e contando com a falta de ação dos guardas, que ainda tentavam entender o que estava acontecendo, eles haviam conseguido escapar.

Depois, tudo ficou escuro e silencioso.

Acordei visualizando, bem diante de meu nariz, as tarjas de identificação dos guardas municipais Ribeiro e Guedes, este último, uma mulher de pele jambo e físico massudo, a qual eu não gostaria de enfrentar em um ringue de luta-livre.

Foi a guarda Guedes que, justamente, me fez a primeira pergunta quando, finalmente, eu recobrei os sentidos. Estava sentado no interior da viatura, com um copo de água na mão. No banco da frente, enxerguei o vaso com as cinzas do velho Olaf e suspirei aliviado.

— Está melhor, senhor? — perguntou a guarda Guedes.

— Para ser sincero, não sei — eu respondi, apenas interrompendo para beber a água. — Como é que eu deveria me sentir depois de quase ter os pulmões arrancados por um chute?

Diante do meu comentário, os dois guardas trocaram olhares. Depois, o outro, Ribeiro (um homem de traços germânicos e com mãos enormes) perguntou se eu gostaria de beber mais um copo d'água.

— Obrigado — eu falei. — Só quero entender o que aconteceu.

— Nós também, senhor — disse a guarda Guedes. — As testemunhas disseram que o senhor estava perseguindo outro guri e que chegaram a brigar. Pode nos esclarecer o que houve?

Contei, com o máximo de detalhes que pude, tudo o que havia acontecido, desde que flagrei o sujeito roubando o vaso com as cinzas do meu pai até a perseguição, quando entramos no Labirinto Verde e fui golpeado por um alemão com cara de assassino de aluguel.

— Vocês conseguiram pegar os caras? — perguntei, por fim.

— Estamos à procura, senhor — respondeu o guarda Ribeiro. — Encontramos este celular no chão, é do senhor? — O policial ergueu o celular do ladrãozinho que tentara levar as cinzas do velho Olaf.

— Não. O ladrão estava usando isso — falei.

— Ok. — O guarda voltou a guardar o celular no porta-luvas do carro, enquanto a guarda Guedes prosseguia com o interrogatório:

— O senhor está dizendo que essa... urna, ou vaso, guarda as cinzas do teu pai, que morreu anteontem? E que o ladrão a estava roubando quando o senhor o pegou em flagrante?

— Exatamente.

— Algo mais foi roubado, senhor?

— Não sei dizer. Como expliquei, quando cheguei à casa do meu pai, praticamente trombei com o sujeito. Quando vi que ele estava levando o vaso, corri atrás dele sem pensar em mais nada.

O passo seguinte foi acompanhar os guardas até a casa do meu pai. Seguimos na viatura, que estacionou em frente à velha casa onde um aglomerado de gente se reunia. Entre as pessoas, reconheci Diva, que correu ao meu encontro e me abraçou tão logo desci do veículo.

— Hugo! Graças a Deus! — ela disse.

Expliquei, diante do olhar curioso de Guedes (Ribeiro se ocupava em dispersar as pessoas) que Diva era a senhora que cuidara do meu pai por vários anos, até sua morte havia dois dias.

— Entendi — disse a guarda, de modo reticente. — A senhora notou algo faltando na residência?

Diva também não sabia o que responder e, então, eu, ela e os dois guardas dedicamo-nos a verificar se algo mais havia sido roubado. Minha carteira, ponto de partida para toda a encrenca daquela manhã, estava exatamente onde eu a havia deixado: sobre a cômoda. Também fiquei bastante aliviado quando vi que a carta de despedida do meu pai permanecia dentro do caderno com capa de couro, e este permanecia seguro dentro de minha mala.

— Quer dizer, então, que o assaltante visava somente ao vaso? — perguntou o guarda Ribeiro, fazendo suas anotações em um bloco.

— Não sei o que dizer, mas parece que sim. Tudo de valor parece estar exatamente como deixamos — eu disse.

— Entendido. — Ele balançou a cabeça positivamente e, depois, disse: — O senhor terá que nos acompanhar até a delegacia e registrar um boletim de ocorrência para que possamos abrir uma investigação.

Concordei, sabendo que não haveria outra alternativa. Pedi que Diva ficasse em casa e não abrisse a porta para ninguém.

— Não se preocupe, senhor — confortou-me o guarda Ribeiro. — A guarda Guedes ficará aqui com a senhora, por precaução. Exceto pelos turistas, não costumamos ter dias agitados com ocorrências desse tipo por aqui, de modo que não haverá problemas em minha colega fazer companhia à senhora por algumas horas.

"Algumas horas?" Isso era indicativo de que eu estava mais enrolado do que imaginava.

Segui com o guarda Ribeiro até a delegacia da polícia civil de Nova Petrópolis na rua Frederico Michaelsen. A central ficava em um prédio que parecia ter saído de uma loja de bonecas, como tudo naquela cidade. A frente, ajardinada, era decorada por três mastros, nos quais tremulavam as bandeiras de Nova Petrópolis, do Rio Grande do Sul e do Brasil.

Agradeci a companhia do guarda e esperei pelo delegado Schaumann, conforme orientação dele, enquanto tomava um cafezinho servido em copo plástico por uma linda jovem loira, que desfilava aqui e ali, levando papéis e pastas para as salas.

— Senhor Seemann, Feliz Natal! Vamos entrar — a voz estridente do delegado Schaumann invadiu o ambiente no momento em que, saindo de sua sala, aquele homem enorme chamou pelo meu nome e me estendeu sua mão gigantesca.

Cumprimentei o delegado, cuidando para que minha mão não fosse esmagada. Depois, sentei-me diante dele — cada um em seu respectivo lado da mesa abarrotada de papéis. Na parede, havia um grande retrato do delegado Schaumann em um barco, suspendendo um peixe ainda preso ao anzol e exibindo-o para a foto.

— O senhor gosta de pescaria?

O delegado virou-se para a foto e abriu um largo sorriso.

— Ah, sim! Pelo menos duas vezes por ano, eu e um amigo vamos ao Paraguai pescar. É um dos maiores prazeres que um homem pode ter, o senhor sabia? Na pesca, somos somente nós, o rio e uma imensidão de peixes esperando para serem fisgados.

Concordei e calei-me. Não tinha a menor prática com pescarias, e, além do mais, a conversa estava me fazendo lembrar minhas férias em Aruba, as quais seriam totalmente inviabilizadas caso eu não conseguisse resolver todo aquele rolo com as cinzas do meu pai, retornar para São Paulo e concluir o projeto da Strongmen.

— Li o relatório do guarda Ribeiro, senhor Seemann — disse o delegado Schaumann, passando a mão pelo topo da cabeça, que já apresentava cabelos ralos. — Ao que tudo indica, foi uma tentativa de assalto. O senhor deu sorte, sabia? Não é recomendado abordar ladrões como o senhor fez. Se o homem estivesse armado, a coisa com certeza não acabaria bem.

— O sujeito que roubou o vaso com as cinzas do meu pai não estava armado, mas o companheiro dele, sim. Vocês conseguiram localizar os dois?

O delegado balançou a cabeça negativamente.

— Não. Parece que sumiram no ar, senhor Seemann. E é isso o que me intriga.

Franzi o cenho. Então, o delegado continuou:

— Felizmente, roubos a residências ainda não são comuns aqui nesta cidade. Pelo que entendi, e pelo que o senhor disse em seu depoimento preliminar, os sujeitos desapareceram muito rapidamente, o que também denota um mínimo de planejamento. Ou seja, eles não escolheram a casa do senhor ao acaso, e estavam preparados caso alguma coisa desse errado. Por fim, havia coisas de valor na casa... coisas que chamariam a atenção de qualquer ladrãozinho. Mas o senhor informou que nada foi roubado, exceto o vaso em questão, que contém as cinzas do senhor seu pai.

— Concordo com o senhor — eu disse. E, realmente, eu concordava. Era estranho que alguém estivesse atrás das cinzas do meu pai. Outra hipótese era a de que não fossem exatamente as cinzas, o alvo do ladrão, e sim algo mais. Talvez, o caderno ou a carta na qual meu pai pedia que eu não comentasse nada, com ninguém, e que também tomasse cuidado.

Foi então que algo me ocorreu.

— O senhor conhece um sujeito chamado Klaus Schneider, delegado?

O delegado Schaumann ergueu as sobrancelhas, surpreso.

— Senhor Seemann, quase todo mundo aqui tem o sobrenome Schneider — brincou. — E Klaus é um nome um tanto comum para uma comunidade alemã. Pode ser mais específico?

— Também não o conheço, na verdade — expliquei. — Eu o encontrei ontem, quando cheguei aqui. Ele se apresentou como amigo do meu pai, mas eu o achei estranho. Meu pai não era um cara de ter... *amigos*... Depois, eu o vi olhando para mim de um jeito meio esquisito após o velório e, também, hoje cedo.

— Jeito esquisito?

Tentei ser mais específico:

— Digo esquisito porque o cara tem um olhar estranho. Parecia estar me vigiando. Bom, foi assim que me senti hoje cedo. Abri a janela do quarto e topei de novo com o sujeito olhando a casa do meu pai, do outro lado da rua.

— E como ele é?

— Idoso. Mas parece bastante bem de saúde. Ah, e também disse que todo mundo o conhece. Mora próximo à Igreja Presbiteriana daqui, creio.

O delegado jogou os braços para trás e depois levou a mão à testa.

— Já sei de quem está falando! — disse. — Daquele velho alemão safado, Klaus Schneider!

Em seguida, desandou a rir, deixando-me totalmente perdido.

— O velho Klaus realmente é um sujeito estranho. Alemão da gema, vindo de sei lá onde da Alemanha. Chegou aqui no Brasil logo após a guerra. Pelo que me lembro, morou em Porto Alegre. Mudou-se há alguns anos para Nova Petrópolis e abriu uma marcenaria. Trabalha na garagem da casa e faz peças belíssimas!

— E por que o senhor diz que ele é estranho?

— Ah, isso?! Porque ninguém rouba numa partida de pôquer como o velho safado do Klaus. Por isso. — Novamente, a risada estrondosa do delegado Schaumann tomou conta da sala, tornando tudo aquilo ainda mais insólito. — Sabe, costumávamos nos reunir às sextas para uma jogatina. Tudo dentro da lei. Mas tinha muita cerveja e petiscos. Não apostávamos alto, mas o Klaus ganhava bastante. Ele dizia que era graças ao jeito alemão dele.

— Jeito alemão?

— Sim. — O delegado passou novamente a mão pela cabeça calva, como se procurasse pelos fios de cabelo que se iam. — Ele diz que os alemães pensam muito mais rápido do que os brasileiros. E, por isso, têm tempo de planejar o próximo passo friamente e, então, agir. Num jogo, ter frieza é fundamental para se analisar o adversário e prever o próximo lance. Tipo... como estratégia militar, o senhor compreende? Contudo, não creio que o velho Klaus seja capaz de fazer mal a alguém, a não ser que tu pretendas jogar pôquer contra ele, senhor Seemann.

Não, eu não pretendia. Mas, com certeza, eu gostaria muito de conversar com o "velho Klaus" pessoalmente.

— O senhor conhecia meu pai, delegado?

— Não, senhor. Aqui no relatório diz que teu pai se chamava Olaf. Olaf Seemann. Nascido na Alemanha, hein?

— Sim — concordei. Se o delegado não conhecia meu pai, isso significava que o velho não participava das rodadas de pôquer com o tal Klaus. Diva também afirmara que os dois não eram amigos. E, excetuando a Igreja e a fé católica, eu não via outra ligação possível entre eles.

O passo seguinte foi assinar meu depoimento e abrir oficialmente um boletim de ocorrência por roubo e agressão. O delegado também me prometeu que os dois ladrões seriam apanhados e queixou-se do aumento da violência nas épocas de alta temporada.

— Só lhe peço, senhor Seemann — disse o delegado, estendendo-me novamente a sua mão gigantesca —, que, da próxima vez, não brinque de bandido e mocinho, como naquele seriado antigo... como era mesmo o nome? *Miami Vice*. É arriscado, e o senhor pode se machucar. E não digo isso apenas pelo *espírito natalino*.

— Não pretendo *brincar*, delegado. Pode ter certeza — afirmei, despedindo-me. O guarda Ribeiro se ofereceu para me levar na viatura, mas eu recusei, afirmando que preferia ir caminhando. Ele insistiu, dizendo que teria que ir até a casa do meu pai de qualquer modo para pegar sua colega. Recusei novamente e, por fim, ele cedeu e me deixou em paz.

Já de volta às ruas, entrei na primeira galeria que enxerguei e peguei um fôlder turístico. Encostado em um poste, abri o fôlder e vasculhei o mapa de Nova Petrópolis com os olhos. Lá estava: Igreja Presbiteriana marcada com um círculo vermelho e o número 12. Percorri a lista de pontos turísticos assinalados com números no infográfico até chegar ao número 12 correspondente e verificar o endereço.

Fechei o fôlder e enfiei-o no bolso de trás da bermuda. Estava na hora de fazer uma visita ao ateliê de carpintaria do alemão Klaus Schneider.

Capítulo 8

Para: Martha Fischer
De: Olaf Seemann
Nova Petrópolis, 10 de outubro de 2006

M*artha, você deve estar uma mulher agora. Os anos se passaram; não, voaram. Separamos-nos há muito e talvez eu seja apenas uma lembrança desbotada em sua memória. Afinal, faz exatos sessenta anos que deixei você aos cuidados de uma família de amigos em Pomerânia e parti (para não dizer, fugi) rumo a Porto Alegre. Você tinha 6 meses apenas; era linda. Gostaria tanto de vê-la mulher, adulta, possivelmente mãe e avó, quem sabe!*

Mas não sei se a vida me dará esse presente. Tampouco sei se sou merecedor. Fiz muitas coisas erradas, Martha, e foram justamente essas coisas erradas que me fizeram deixá-la para trás, em segurança, e seguir meu destino. Mas nunca me esqueci de você, sobretudo, porque é a lembrança mais viva que tenho de sua mãe. Sim, sei que não a conheceu. Mas eu a conheci enquanto servia meu país na Cracóvia.

Martha, várias coisas aconteceram nos últimos dias e me fizeram tomar a decisão de, finalmente, unir os pontos soltos de minha história e pôr um fim em algo que começou no outono de 1943, quando você ainda nem tinha nascido.

Preciso que, ao receber esta carta, viaje para Nova Petrópolis no endereço que especificarei. Lá, você encontrará uma pessoa muito especial para mim, alguém que, como você, abandonei pelo caminho justamente por não me sentir digno de tê-lo como presente de Deus.

Essa pessoa estará de posse de uma carta, escrita por mim, de próprio punho. Então, vocês dois saberão o que fazer.

Uma última coisa: se você está lendo isto, é porque, possivelmente, minha vida já chegou ao fim. Prefiro a morte digna à vida imersa em amargura. Mas ofereço a você, através da minha morte, a chance de reencontrar seu passado e, se Deus assim permitir, saldar de uma vez por todas uma grande dívida que contraí com a pessoa que mais amei na vida: sua mãe, Martha. Sua mãe.

Olaf Seemann

Capítulo 9

*Nova Petrópolis,
Rio Grande do Sul, Brasil*
25 de dezembro de 2006

Após exatos doze minutos de caminhada, eu havia chegado à casa do tal Klaus Schneider. Eu não conhecia o sujeito e, caso ele de fato tivesse algum envolvimento na tentativa de roubo de horas atrás, poderia me pôr em perigo.

Ainda assim, confesso que eu não estava raciocinando muito claramente naquele dia de Natal e, afirmo, tudo por que passara até então era apenas a ponta do *iceberg* do que aquele dia me guardava.

Mas lá estava eu em frente à casa simples, com cerca baixa de madeira pintada de marrom bem escuro, jardim florido e fachada repleta de enfeites natalinos.

A garagem ficava em anexo à casa e, como logo percebi, era lá que funcionava o ateliê de marcenaria do tal Klaus. Sobre a porta da garagem, uma placa rebuscada, feita em tora de madeira, indicava: *Schneider Holzhandwerk*. E, abaixo, a tradução: *Schneider — Artesanato em Madeira*.

Já se aproximava do meio-dia e não havia sinal de que o ateliê abriria. Tampouco algo indicava que, no interior da casa, a família Schneider estivesse celebrando ao redor da mesa, numa típica cena de almoço natalino.

— O senhor está procurando o senhor Klaus? — perguntou-me uma voz feminina, quase me fazendo desmaiar de susto. Só então eu percebi claramente quão tenso eu estava.

— S... sim... — respondi, olhando para minha interlocutora, uma senhorinha miúda, de cabelos bem brancos, presos num coque sobre o topo da cabeça. A típica senhorinha que qualquer um gostaria de levar para casa e chamar de vó. — Ele não está, pelo jeito.

— Deve ter ido passar o Natal com a filha em Porto Alegre. Ele veio de lá, se não me engano. Moro na casa ao lado. — A senhora apontou para a casa vizinha, bem mais antiga e malcuidada do que a do tal Klaus.

— Bem, acho que ele não foi viajar, não — eu afirmei. — Encontrei-o hoje cedo aqui na cidade. Gostaria de trocar umas palavrinhas com ele.

— O senhor encomendou alguma peça em madeira?

Pensei no que responder. Optei por mentir.

— Sim, sim. Foi isso. Encomendei um belo elefante entalhado em madeira, e ele me prometeu entregar hoje.

— No Natal?

Aquela velhinha começava a me deixar encabulado. Eu era péssimo em mentir e, ao que tudo indicava, ela era excelente em farejar mentirosos.

— Pois é — insisti. — Minha mãe ama elefantes. Morou no Quênia.

Aquilo estava se tornando vexatório; então, preferi encerrar a conversa.

— Se a senhora souber onde encontrá-lo, por favor, diga que Hugo Seemann veio procurá-lo. Ele sabe quem sou.

— Claro. Aviso, sim — ela concordou, abrindo um largo sorriso.

Eu agradeci e deixei a senhorinha tão rapidamente quanto pude.

Estava caminhando com pressa para a casa do meu pai quando meu celular tocou. O número de Rosa apareceu no visor.

— Fala, Rosa — atendi.

— Feliz Natal! Não tem educação, não? — ralhou ela, do outro lado da linha. — Como anda tudo por aí?

— Uma merda — falei. — Fui assaltado hoje cedo e passei parte da manhã na delegacia, conversando com um delegado com mãos de gorila.

— Assaltado? Você está bem?

— Sim, sim. Depois eu conto melhor. Como está o Sócrates?

— Como uma tartaruga estaria num dia de Natal. Ou seja, na mesma — disse Rosa, com o máximo de ironia que pôde. — Você volta amanhã?

— Com certeza. Temos reunião com a turma da Strongmen no dia 27, esqueceu? Por falar nisso, como anda o projeto?

— O Estêvão está deitando e rolando na sua ausência, Hugo. Estive na agência com a equipe hoje pela manhã, finalizando os projetos da Strongmen. O cara está nadando de braçada em cima de você. Ele pegou seu *layout* e coordenou todo o trabalho de produção das mídias, até do PDV[5]. Infelizmente, devo alertá-lo de que ele se saiu muito bem, querido. A Helô teve um orgasmo com a nova campanha e está certa de que o cliente também vai adorar.

Praguejei. Estêvão era muito bom no que fazia. Eu sabia disso, e, para meu azar, Heloísa também. Com as coisas entornando e os prazos para a campanha da Strongmen apertadíssimos devido às nossas falhas em satisfazer o cliente, o fato de ele ter se saído bem na minha ausência e coordenado a equipe de criação da campanha me colocava numa posição difícil.

---

[5] Sigla para ponto de venda. Trata-se de objetos publicitários utilizados para sinalização ou promoção de produtos colocados nos locais de vendas, como lojas e gôndolas.

— Isso é ruim! A porra da ideia foi minha! — esbravejei. — De qualquer modo, amanhã estou voltando e recoloco as coisas nos prumos.

— Contamos com isso — disse Rosa. — Para mim, você será meu eterno chefe.

— Alguma chance de minha cabeça rolar, Rosa?

— Não creio. Mas também não posso negar que Estêvão vem se saindo muito bem nos últimos trabalhos. A Helô comentou que pretende, inclusive, inscrever o *case* da campanha de celulares no próximo Prêmio Comunicação.[6]

— Puta merda. Isso é pior do que eu imaginava.

— Quer que eu dê um jeitinho de envenenar o peru de Natal do Estêvão? Sabe que eu faria isso por você — brincou Rosa.

— Nem brinque... Para mim, chega de casos policiais — suspirei.

— Bom, vou desligar. Meu voo sai amanhã. Dependendo de como as coisas correrem, nos vemos na agência.

— Se cuida.

— Ah, mande um Feliz Natal para a Laísa. E beijos para você.

Desliguei e guardei o celular no bolso da bermuda. Faltavam seis dias para o ano terminar, e eu sentia que, mesmo com o prazo curto para coisas ruins ocorrerem, a chance de meu 2006 fechar como um verdadeiro fracasso era enorme.

Realizei o restante do percurso colocando as ideias em ordem e refletindo sobre tudo o que acontecera. A morte do meu pai, a cremação, a carta que me pedia para viajar para a Alemanha e jogar as cinzas no Reno e, por fim, aquela história toda sobre uma mulher chamada Mariele Goldberg, com quem, aparentemente, o velho Olaf havia tido um caso nos tempos de Juventude Hitlerista. Ainda por cima, eu estava ansioso para ler o que meu pai deixara escrito no caderno de capa de couro e, na mesma medida, desesperado para

---

[6] Premiação organizada pela ABP — Associação Brasileira de Propaganda — desde 1979 e consagrada como uma das principais do país no setor.

retornar a São Paulo e mostrar a Estêvão quem é que mandava na equipe de criação da Royale.

No caminho até a casa do meu pai, três transeuntes me cumprimentaram, acenando com a cabeça e desejando Feliz Natal. Eu retribuí, ainda que começasse a odiar de verdade a data.

Quando cheguei, Diva me aguardava com o almoço pronto. O cheiro estava delicioso, e pude ver, sobre a mesa, uma travessa com macarronada, arroz de forno e, para acompanhar, uma garrafa de vinho colonial.

— Sei que não é o momento de termos um almoço festivo — ela disse —, mas já que tu vai embora amanhã e nosso passeio não deu certo, pensei em preparar algo para ti.

— Nossa, parece bom! — falei, aproximando o nariz da travessa com arroz de forno.

— Não tínhamos vinho, mas pedi para um amigo aqui da rua uma garrafa. Senta então pra comer! Vai esfriar.

Obedeci e me servi de um prato generoso. Com as taças cheias, brindamos, e Diva me desejou o Feliz Natal mais sincero que eu havia ouvido até então. Depois, explodiu em um choro sentido, reclamando a ausência do meu pai.

— Sabe, acho que o velho Olaf deve ter morrido feliz — eu disse. — Afinal, ele tinha alguém como você se preocupando com ele de verdade. Tem gente que passa a vida toda sem ter isso e aquele velho patife conseguiu, mesmo sendo um tremendo filho da mãe.

— Como já te falei, Hugo, teu pai era uma boa pessoa. Entendo teu ressentimento, mas deve haver um motivo para tudo o que houve e para o fato de ele ter sido um pai ruim — disse Diva, mais calma.

Enchi a boca com macarrão e acenei positivamente com a cabeça. Pretendia descobrir todos os porquês mais tarde, quando me dedicasse a ler aquele caderno.

— E a conversa com a guarda? Foi tudo bem? — indaguei.

— Tudo, sim. Ela foi muito amável. Perguntou sobre teu pai, vasculhou se não faltavam mais coisas na casa. E também elogiou meu café.

— Com certeza deve ser melhor do que o café que eles servem na delegacia — eu disse.

O almoço transcorreu em um clima surpreendentemente familiar, apesar de eu e Diva não termos o mesmo sangue. Exagerei no vinho e, quando estava prestes a terminar a terceira taça, renunciei a repetir mais um prato e preferi ir me deitar.

— Vou dar um jeito nesta louça — disse Diva. — Mais tarde, se quiser, podemos dar aquele passeio.

Concordei e fui para o quarto, onde o caderno com os escritos do meu pai me esperava. Antes de me deitar, olhei para o vaso, devidamente recolocado sobre a cômoda.

Com a cabeça sobre o travesseiro, abri o caderno e iniciei a leitura. No início, meu pai descrevia um pouco a Alemanha na época da guerra e o cotidiano de sua vida com minha avó e tias em Colônia, sua cidade natal. Dedicava umas quatro páginas manuscritas a isso e à sua entrada na Juventude Hitlerista.

Lembro-me de minha mãe ter comentado sobre isso também. Minha avó Bertha era católica fervorosa, ainda que os católicos não fossem maioria na Alemanha da época — e ainda não o são.

Foi dela que meu pai recebeu uma educação religiosa rígida, já que meu avô, Egon, um comerciante, falecera cedo, quando meu pai e minhas três tias ainda eram muito crianças. Talvez tenha sido justamente pela viuvez precoce e pelos rebentos tão novos que minha avó tenha se apegado à religião. Era apenas uma hipótese que eu havia formulado enquanto lia o restante do manuscrito.

Quando o Partido Nazista ascendeu como força concreta no país e a ameaça de um conflito com seus vizinhos deixou de ser uma possibilidade para se tornar real a partir da invasão da Polônia e da Áustria, os padres católicos começaram a sofrer perseguição; inicialmente, branda e, depois, mais austera. De início, apesar dos sucessivos casos de desmandos, o clima era de relativo otimismo, já que todos os sacerdotes alemães contavam com o possível apoio do Vaticano e dos papas Pio XI e Pio XII. Contudo, diante do silêncio do Santo Papa em face às arbitrariedades de Hitler, a coisa piorou.

Meu pai descrevera esse cenário em poucos parágrafos e com uma concisão surpreendente. Eu desconhecia esse seu dom para a escrita.

Fora mediante os conselhos de um amigo da família que meu pai, juntamente com um amigo de infância chamado Heinz Gröner, ingressou para a Juventude Hitlerista em 1940, aos 16 anos.

A família de Heinz, os Gröner, era composta por industriais do ramo siderúrgico e tinha negócios em toda a Alemanha e na Itália, fato que tornava minha amizade com ele uma espécie de lastro de segurança para que minha mãe e irmãs tivessem uma vida de certo modo segura naqueles tempos negros.

Até ali, o texto apenas confirmava, com mais detalhes, o que eu já sabia sobre meu pai. Ele tinha sido um filho da puta de um nazista e, possivelmente, matara judeus como se matam moscas.

Contudo, logo adiante, meu pai dava mais detalhes sobre o que pensava do clima que imperava entre os jovens de sua época.

Os jovens que conviviam comigo nas fileiras de treinamento viviam claramente duas realidades: primeira, a do medo, o que indicava que, apesar de envergarem aquele uniforme, apenas seguiam a onda a favor da maré. E os ventos indicavam que era mais seguro estar do lado dos mais fortes. Uma segunda corrente bastante difundida entre os garotos do meu tempo era aquela composta pelos que de fato acreditavam no ideal de Hitler. Afinal, tratava-se de filhos de alemães que cresceram no país humilhado pela Primeira Guerra Mundial e, como seus pais, ansiavam pelo ressurgimento de uma Alemanha forte. E era exatamente esse o sonho que Hitler vendia — e vendia muito bem.

Prossegui. Lá pela décima página, meu pai contava que vários jovens de seu grupo, incluindo ele e seu amigo Heinz Gröner, tinham sido enviados ao Campo de Trabalhos Forçados de Plaszow, na Cracóvia.

Era um tipo de batismo de fogo, creio. De algum modo, na época julguei, que éramos felizardos. Cuidar de trabalhadores era melhor do que matar inimigos da Alemanha nas trincheiras leste, onde muitos companheiros morriam diante das armas do exército soviético.

E tinha mais. O texto datava de 12 de setembro de 1943. Olaf relatava que ele e seu amigo Heinz haviam sido transferidos para o Campo de Trabalhos Forçados de Plaszow, na Polônia. Escrevera sobre o trabalho de judeus cadavéricos e que fora questionado pelo mesmo Heinz se seria capaz de matar um deles. Em seguida, ao retirar um ferrolho da carroceria do caminhão, a guarnição de madeira veio abaixo, despencando e caindo sobre seu pé, provavelmente o quebrando. E que havia sido auxiliado por uma jovem debilitada, mas de olhos vivos e penetrantes.

―――※―――

Mariele Goldberg. Quem era aquela menina? E o que houve entre ela e meu pai? Se eu queria saber as respostas, elas com certeza estariam naquele caderno.

Meus olhos percorriam com avidez o texto manuscrito. Ao que tudo indicava, por um tipo de milagre, a jovem judia havia curado o pé do meu pai. E isso, de algum modo, selara o destino de ambos.

Obviamente, era impensável a aproximação de um soldado nazista e uma prisioneira judia. Meu pai também deixara isso bastante claro em seu texto, descrevendo as punições que tanto ele quanto a menina sofreram.

Minha leitura foi de súbito interrompida por batidas na porta do quarto.

— Pode entrar! — gritei, e Diva surgiu pela porta com uma expressão estranha. — O que houve?

— Tem alguém aí procurando pelo teu pai, Hugo.

— Como assim?! — exclamei. Para ser franco, eu estava tão absorto na leitura que nem tinha ouvido a campainha tocar.

— Também estranhei. É uma moça. Disse que se chama Valesca. Quer falar com teu pai ou com alguém que o conheça. Expliquei que, lamentavelmente, o senhor Olaf faleceu anteontem, mas ela insiste dizendo que recebeu uma carta dele pedindo que procurasse alguém aqui, nesta casa.

Deixei o caderno de lado. Diva tinha, enfim, toda a minha atenção naquele momento.

— Eu falo com ela — eu disse, certo de que havia algo maior por trás daquela visita repentina.

Saí do quarto sem me preocupar em arrumar os cabelos ou desamassar a camiseta (amarrotada pela uma hora e meia que eu passara deitado). Quando cheguei à varanda, vi a tal Valesca e, de imediato, me arrependi de não estar bem apresentável.

A moça, de cabelos longos castanho-claros, ligeiramente ondulados, rosto oval e olhos caramelo, era a mulher mais bonita que eu tinha visto nos últimos meses. Nem acima do peso, nem muito magra, tinha um corpo ideal, metido em uma calça jeans justa. Usava uma camiseta branca com os dizeres *I Love NYC* e trazia uma bolsa a tiracolo de estilo hippie. O batom rosa claro destacava seus lábios carnudos, sem, contudo, fazê-la parecer vulgar.

Ela estava parada diante de um Corolla prata, estacionado em frente à casa — o qual devia pertencer a ela. Facilmente atraía olhares masculinos e eu não era exceção.

— Pois não? — perguntei com educação.

Ela abriu um largo sorriso e aproximou-se do portão.

— Que bom! Acho que alguém aqui pode, finalmente, me explicar do que se trata a porra desta carta.

Foi como se a visão de um belo anjo se despedaçasse em mil pedacinhos. Digo isso não somente pela vulgaridade e pelo jeito petulante da moça, mas também, e sobretudo, pela carta que ela suspendia no ar, ao que tudo indicava, escrita com a mesma caligrafia do meu pai.

Sem saber o que responder, pedi que ela entrasse.

Ela se apresentou como Valesca Proença e, naquele instante, sentada à minha frente na poltrona de estofado vermelho, olhava para mim de modo desafiador.

Eu li por três vezes a carta que ela havia trazido para me certificar de que tudo aquilo era real.

— Quem é Martha Fischer? — perguntei, por fim, referindo-me à destinatária da carta que eu tinha em mãos.

— Minha mãe. Morreu no início do ano. Fischer era o nome de solteira dela — ela disse, jogando o cabelo para trás da orelha e expondo um brinco enorme, de formato circular, no qual três peças se entrelaçavam. — Proença era o sobrenome do meu pai, que continua vivo e forte, morando em Floripa.

Diva surgiu da cozinha trazendo uma bandeja com xícaras e um bule de café fresco.

— E tu pode me explicar quem é esse Olaf Seemann e o que ele tem a ver com a minha mãe? — prosseguiu Valesca, pegando uma xícara sem ao menos agradecer à Diva.

— Ele é meu pai. Bem, *era* meu pai. Morreu anteontem devido ao diabetes — eu falei. — Meu nome é Hugo e, caso possa lhe interessar, também não moro aqui e estou tão confuso quanto você com toda essa história.

— Eu imaginei que ele estivesse mesmo morto. Até porque a carta deixa isso bem *claro* — ela disse ainda em tom arrogante e bebericou um gole de café. — Tu pode perguntar por que, então, eu estou aqui, já que não conhecia teu pai e, muito menos, a ti. Vim de Novo Hamburgo para cá só pela curiosidade. Confesso que a carta me deixou intrigada. Como morava com minha mãe e permaneci na casa depois de sua morte, obviamente recebi a carta e achei bastante estranho. Quando li o conteúdo, tudo ficou mais estranho ainda, é lógico. Ela nunca me falou de nenhum Olaf e muito menos sobre mistérios em seu passado ou no passado de minha avó, como teu pai sugere no texto. Além disso... — ela terminou o café e deixou a xícara na bandeja — ... vivo sozinha, tenho poucos amigos e, os que tenho estão viajando ou comemorando o Natal. E eu detesto Natal. Então pensei que seria uma boa ideia passear pela serra.

— Olha, se eu estivesse no seu lugar, também ficaria intrigado — eu disse, depois de limpar a garganta e escolher as palavras. — Mas eu não tenho respostas para te dar, infelizmente. Eu...

Então, como se um raio me acertasse, algo em minha mente se tornou tão claro e, ao mesmo tempo, assombroso. Chamei Diva, que havia ido para seu quarto e se entretinha lendo um livro, e perguntei:

— Diva, foi realizado algum tipo de exame no corpo do meu pai?

— Como assim, Hugo? — Ela parecia assustada.

— Autópsia. Ou algo que determinasse a causa da morte.

Ela ficou bastante agitada e se sentou. Limpou os lábios e então disse:

— Não, não foi feito nada, Hugo. Veja, teu pai estava bastante doente e sua saúde decaíra muito nos últimos meses. Ele quase não saía mais, passava boa parte dos dias deitado. Quando ia à missa, voltava rápido. Parecia perturbado com algo, como já te disse. Mas ele tomava os medicamentos à risca, disso te asseguro, porque eu mesma me encarregava de perguntar a ele o tempo todo. Ele até brigava comigo por causa disso.

Ela suspirou antes de prosseguir.

— Quando ele... *faleceu*... sua morte foi considerada mais do que natural. Por que está me perguntando isso tudo, menino de Deus?!

— Onde ele guardava a insulina, Diva? — perguntei, já de pé.

— No banheiro. Dentro do armário, há uma caixa. Ele deixava lá. E ainda deve estar lá, Hugo.

— Alguém pode me explicar do que vocês estão falando? — Valesca trocou olhares nervosos comigo e com Diva.

Corri para o banheiro e abri a porta do armário. Valesca permaneceu na sala, ainda perdida. Facilmente encontrei a caixa que continha os frascos de insulina.

— Diva, quantos frascos havia nesta caixa?

Ela coçou o queixo e pensou antes de responder.

— Trinta, Hugo. Sempre fazíamos isso. Comprávamos as aplicações diárias, ou seja, trinta frascos. Foi assim desde que os medicamentos deixaram de fazer efeito e o médico decidiu recorrer ao tratamento direto com insulina. Por quê?

Notei que os lábios de Diva tremiam, como se já previsse o que eu estava pensando.

— Aqui tem apenas um frasco. Meu pai morreu no dia 23; isso significa que deveria haver sete nesta caixa. Estou correto?

Diva apoiou-se na pia e levou a mão à testa. Minhas mãos também tremiam e, de repente, uma vontade desesperadora de abraçar o velho Olaf eclodiu.

— Diva, a carta que meu pai enviou para a moça que está sentada na sala afirmava que ele possivelmente estaria morto quando a correspondência chegasse. No bilhete que ele me deixou, havia algo semelhante. Quando li, não atentei para isso, mas agora está bastante claro. Ele dizia que sentia medo, havia algo estranho acontecendo, e que estava na hora de pagar pelos pecados dele. Não imaginei... — perdi o fôlego antes de conseguir concluir a frase. — Não imaginei que ele tivesse cometido *suicídio*.

Capítulo 10

O ar petulante da moça que, repentinamente, surgira na porta da casa de meu pai, se foi quando ela tomou conhecimento do que estava de fato acontecendo.

Meu pai havia se suicidado com uma overdose de insulina. Pelo menos, era o que tudo indicava. Não havia outra explicação para os seis frascos que estavam faltando, caso estivesse correto o que Diva havia me dito.

Já era tarde para precisarmos se ele havia tomado essa dose mortal aos poucos, no decorrer de seus últimos dias de vida, ou tudo de uma vez. Também pouco importava. O que me intrigava era o motivo. E, caso tudo fosse uma terrível verdade, eu desejava, mais do que nunca, conhecer o que estava por trás da história daquele homem, meu pai, que eu de fato nunca conhecera, e como tudo aquilo se encaixava com Mariele Goldberg, a menina judia de Plaszow, e com Valesca Proença, a linda e desbocada mulher, que viera de Novo Hamburgo e que estava sentada no sofá ansiando por tantas explicações quanto eu.

Quando os ânimos se acalmaram e, finalmente, Diva parou de chorar, servi-me de um uísque e ofereci uma dose para Valesca, que prontamente aceitou.

— Não tenho como recusar uma bebida forte diante de tudo o que está acontecendo — ela disse, virando um gole.

Depois de alguns segundos em silêncio, ela continuou:

— Gente, peço que me desculpem pelo transtorno que acabei causando. Confesso que fiquei um pouco irritada com essa história de carta e esse mistério sobre o passado de minha mãe e meus avós. Meu avô morreu muito cedo e não o conheci, mas, de novo, afirmo que conheci muito bem minha avó e sei que passaram quase a vida toda em Novo Hamburgo. E que nunca mencionaram o nome de Olaf Seemann.

— Não foi culpa tua. Esses dias estão sendo terríveis — disse Diva, bastante abatida, jogada sobre o sofá.

Eu ainda tentava me recuperar do choque. Passavam milhões de coisas pela minha cabeça. Uma série de peças soltas que não se encaixavam.

— Talvez — eu disse —, um bom começo fosse nos apresentarmos direito. Se há algo que pode explicar toda essa *zona*, certamente está no passado. No do meu pai, no seu passado e no meu também. E você está certa, Valesca; você não me conhece e tampouco eu te conheço. Mas essa carta aí indica que meu pai conheceu sua mãe, Martha Fischer, e que, por algum motivo, queria que ela me encontrasse também.

Fui até o quarto e peguei a carta que meu pai me havia escrito antes de sua morte. De volta à sala, entreguei-a para Valesca.

— O que é isto?

— Meu pai me deixou essa carta antes de morrer. Fala mais ou menos a mesma coisa que naquela que endereçou à sua mãe, exceto pela relação de desejos, que incluem jogar suas cinzas no rio Reno.

Valesca leu o conteúdo com curiosidade e falou:

— Quem é essa Mariele Goldberg, afinal?

— Também não sei. Mas estou descobrindo — eu disse. — Meu pai também me deixou um caderno repleto de anotações sobre sua vida, muito em especial, sobre a relação dele com essa tal Goldberg.

Virei-me para Diva, que me olhava com espanto.

— Desculpe, Diva. Eu não ia te contar sobre isso, uma vez que meu pai havia me dito que guardasse segredo porque se tratava de algo perigoso, apesar de eu não imaginar o motivo.

— Teu pai me escondeu essas coisas todos esses anos?! — perguntou Diva, como uma legítima esposa traída.

— Parece que ele escondeu *muita* coisa de *todo mundo* esses anos todos — eu disse.

— E o que minha mãe tem a ver com isso tudo? Qual a relação dela com essa Mariele?

— Tem que haver alguma relação — falei. — O sobrenome de sua mãe, Fischer, é alemão.

— Mas ela nasceu aqui. Numa cidadezinha chamada Nova Pomerânia, para onde meus avós vieram quando chegaram da Alemanha — disse Valesca. — Na verdade, pelo que minha avó Greta me contou, meu avô morreu logo depois que chegaram ao Brasil. O sobrenome dele era Fischer; o da minha avó, Vessel. Quando minha mãe tinha 5 anos, minha avó mudou-se para Novo Hamburgo.

Terminei o uísque. Eram apenas quatro horas da tarde, e eu já havia bebido vinho e uísque demais.

— Se há respostas a serem encontradas, elas estão no caderno que estou lendo — eu disse. — Valesca, mais uma vez me desculpo por tudo. E, estou certo, haverá uma explicação lógica para essa *zona* toda. E serei o primeiro a te contar caso eu descubra.

Valesca abriu a bolsa hippie e tirou um cartão de visitas. Nele estava escrito *Valesca Proença, artista plástica*. Também havia um número de telefone e de celular, bem como e-mail.

— São meus contatos. Espero mesmo que me ligue. — E, de pé, continuou: — Preciso ir. Já causei confusão demais. Será que encontro alguma pousada para me hospedar por aqui? Está ficando tarde e já viajei bastante.

Diva balançou a cabeça negativamente. Eu disse:

— É Natal, e a cidade está abarrotada de turistas. Mas pode ficar aqui, se quiser.

Diva me olhou com surpresa e eu encolhi os ombros. O que mais eu poderia fazer? Deixar aquele mulherão dormir na rua, dentro do carro?

— *Bah!* Imagine, não quero incomodar.

— A casa tem só dois quartos, mas eu posso dormir no sofá — eu disse. — Além disso, estou devendo um passeio a Diva e, se estiver disposta, podemos ir juntos. Toda essa confusão deixou um mal-estar bem grande; acho que um passeio e um sorvete cairiam bem.

Ela soltou a bolsa sobre o sofá e suspirou. Era o típico charme de quem já tinha aceitado a proposta (mesmo porque sabia que, do contrário, teria que dirigir à noite) e estava se fazendo de difícil.

— Eu pago alguma coisa para comermos, então — Valesca falou. — Faz anos que não venho para a serra. Acho que vai ser bom arejar. Mas tu vai me prometer que me contará tudo sobre teu pai e sobre o que já leu na porra desse caderno de que fala tanto.

Pronto! Os palavrões haviam voltado. Mas, pensando bem, eles combinavam com Valesca.

Em uma hora estávamos os dois caminhando pelo centro de Nova Petrópolis. Diva rejeitou o passeio, ainda abalada por tudo o que havíamos descoberto.

Ela então ficou em casa, e eu, por precaução, deixei o caderno fechado em minha mala e a porta do quarto trancada à chave. Apesar de, depois de tudo o que havia acontecido pela manhã, eu duvidar de que alguém tentaria alguma coisa.

E também não era o momento para um passeio trivial pelas ruas de uma cidadezinha turística. Eu havia recém-descoberto a possibilidade de meu pai ter cometido suicídio — ainda que eu não fizesse ideia do porquê. Porém, mais do que qualquer coisa, eu desejava sair daquela casa. Meu pai e eu não éramos próximos, tampouco éramos conhecidos. Sabe aquela pessoa que você aprende, com o passar dos anos, a enxergar como pai e repetir inúmeras vezes esse nome (*p-a-i*) sem sentir absolutamente nada? Pois é. Era isso que Olaf Seemann sempre significara para mim até aquele fatídico mês de dezembro de 2006, quando tudo mudou. *Nada*. Pior do que nada; eu o odiava por ter abandonado minha mãe e não ter estado presente nem no seu velório para um último adeus.

E se tudo não passasse do delírio de um velho, cuja saúde estava debilitada pelo diabetes? E se não houvesse ameaça alguma, tampouco uma Mariele Goldberg, com quem ele havia se correspondido por anos e que ainda estava viva em algum lugar na Alemanha? E se o suicídio não fosse, nada mais, nada menos, do que o ato final de arrependimento por uma vida miserável, cujo único legado tivesse sido destruir tudo à sua volta?

Confesso, tudo isso me passou pela cabeça e me deu forças para mexer minhas pernas e dar o fora daquela casa por, pelo menos, algumas horas.

No caminho, me refiz do cansaço e contei a Valesca tudo o que sabia sobre meu pai e sobre o seu passado. Caminhar e conversar me ajudavam a pôr as ideias em ordem. Ela, por sua vez, me disse que trabalhava fazendo esculturas e quadros, e que suas peças já haviam sido expostas em Porto Alegre, São Paulo e Rio de Janeiro.

Escolhemos uma lanchonete no interior de uma grande galeria e nos sentamos.

— Acho bem estranha essa história de haver algum tipo de perigo por trás do passado do teu pai — ela disse, sujando a ponta do nariz com sorvete de morango. — Algo tenebroso demais; chega a me dar arrepios pensar nisso.

— Eu também nunca imaginei algo do tipo. Mas, se não houvesse algo estranho, por que tentariam roubar o vaso com as cinzas do velho? Havia outras coisas de valor na casa, incluindo minha carteira. Acho que o ladrão estava mesmo atrás do caderno e pegou o vaso por outro motivo que desconheço. Tem algo, sim. Algo que assustou meu pai a ponto de levá-lo a cometer suicídio.

Engoli em seco após pronunciar suicídio. O mal-estar retornou e tive que respirar fundo.

— E como tu sabes que eu não estou mentindo e que também estou atrás desse... *segredo*? — Valesca piscou para mim de um jeito que me deixou sem graça.

— Você tem razão. Não deveria confiar em você — eu disse.

— Mas você tem um jeito sincero de dizer as coisas que, de algum modo, me inspira confiança. Além disso, também me pareceu assustada com tudo.

— "Jeito sincero de dizer as coisas"?! Tu tá dizendo que sou *bocuda*, é isso?

— Mais ou menos — brinquei.

— Na verdade, falo o que penso e também gosto de pessoas assim. E, já que falo o que penso, tu não me parece alguém muito sincero. Acho que escondes uma *pá* de coisas aí dentro — falou, apontando para minha cabeça.

— Sempre fui um cara solitário. Gosto disso, na verdade. Não estou acostumado a dividir o que penso com os outros.

— Falar a verdade também afasta os outros. — Valesca mordeu a casquinha do sorvete. — Falo por experiência própria. Tenho bons amigos, mas poucos. E todos eles casados, com filhos lindos e que têm mais o que fazer do que passar os feriados com a amiga solteirona.

— Quantos anos você tem?

— Trinta e um. Fiz no mês passado. Foi difícil passar o aniversário sem minha mãe.

— Perdi minha mãe há dois anos. Também foi difícil. Ainda é, na verdade.

— Tu fala com carinho de tua mãe, mas com indiferença do teu pai.

A observação dela me atingiu como um cruzado de esquerda.

— Meu pai e eu nunca nos conhecemos bem, na verdade — eu disse, mexendo o *cappuccino* na xícara. — Então, não sei exatamente o que sinto em relação a ele. Descobrir que ele pode ter se matado mexeu comigo. Mas não consigo me sentir de luto ou algo do tipo. A realidade é que Olaf era um estranho, a quem odiava por ter abandonado minha mãe e me deixado para trás também.

Bebi o *cappuccino* e ergui a mão, chamando a garçonete e pedindo a conta.

— Retorno a São Paulo amanhã, Valesca — eu disse. — Mas reafirmo o que prometi: assim que tiver novidades, eu te ligo.

— Também tenho que voltar a Novo Hamburgo. Mas confesso que gostei deste Natal. Foi... *diferente*!

Rimos e sugeri que fôssemos até o Parque do Imigrante. Eu não queria voltar para a casa do meu pai, encontrar Diva triste e respirar aquele ar de morte que havia se instalado ali.

— *Puta que pariu!* Faz anos que não vou lá! — soltou Valesca, animada. — E me desculpa pelo palavrão.

Rimos novamente e colocamo-nos em marcha rumo ao Parque do Imigrante.

Enfim, um dia que começou desastroso se encaminhava para terminar bem, de um modo totalmente impensado. Então, um calafrio me percorreu a espinha. Eu poderia estar enganado, mas não estava. Entre a multidão, vi, ainda que a meia distância, a cabeleira loira, quase albina, do meu agressor.

Nossos olhares se cruzaram. Antes de sumir novamente, ele esboçou um sorriso tímido e mergulhou em meio a um grupo de turistas que se aglomerava em frente à bilheteria do parque.

— O que foi? Viu um fantasma, Hugo? — perguntou Valesca.

— É... — murmurei. — O pior de tudo é que acho que *vi*.

Capítulo 11

Depois de ter topado com o alemão que me agredira pela manhã, fui tomado por um impulso de retornar à casa de meu pai e verificar se Diva estava bem. Inventei que havia sentido um mal-estar súbito (o que, de fato, era só meia mentira) e convenci Valesca a deixar o Parque do Imigrante para outro dia, quando retornasse a Nova Petrópolis.

Caminhamos calados. Parecia que o entusiasmo de antes havia sido drenado. Senti-me mais aliviado quando constatei que Diva estava bem e que assistia a um programa na tevê. O tema, é óbvio, eram as compras de Natal.

Chamei Valesca e mostrei o quarto a ela. Depois, abri a mala e retirei o caderno com os textos manuscritos do meu pai.

— Ler isto será meu passatempo esta noite, com certeza — falei.

— Acho que nem eu conseguirei dormir com essa história — ela disse, colocando a mão atrás do pescoço e mexendo a cabeça para os lados. — Mas estou *pregada*.

— Tome um banho. Pedirei toalha limpa para Diva. Enquanto isso, eu tiro minhas coisas do quarto e vou para a sala para que fique à vontade.

De um modo estranho, um tom formal havia entrado em nossa conversa. Se antes parecíamos íntimos apesar de termos nos conhecido havia poucas horas, naquele instante nos tratávamos como os desconhecidos que, de fato, éramos.

Fiz conforme o prometido. Ajeitei minha mala ao lado do sofá, peguei o lençol e arrumei o lugar como se fosse uma cama perfeita. Enquanto isso, Diva providenciava roupas de cama e de banho limpas para Valesca.

Tomei cuidado para conferir (pela enésima vez, aliás) se o baú estava intacto. Ainda por precaução, escondi a chave do baú em um dos compartimentos de minha mala. Não que não confiasse em Valesca, mas "seguro morreu de velho".

Deitei-me no sofá e voltei a folhear o caderno. Lá fora, o sol já tinha se posto, dando lugar a uma noite incrivelmente fresca e atípica para dezembro.

Plaszow (Cracóvia), Polônia
25 de setembro de 1943

Passei dois dias confinado em uma das celas destinadas aos soldados que apresentavam algum desvio de conduta. Ainda que minha ração diária fosse infinitamente melhor do que a que recebiam os prisioneiros judeus, ela não tinha um aspecto apetitoso e se limitava a uma sopa rala de ervilha, pão e água.

Porém, estar preso naquele lugar não era pior do que a aflição que me consumia. Eu desejava, ou melhor, precisava saber se Mariele estava bem.

No final do segundo dia, Heinz apareceu na cela. Abriu a porta e, sem esboçar qualquer sentimento amistoso, disse:

— Saia, Olaf. Você está livre. Os oficiais mandaram soltar você.

Depressa, vesti a blusa do uniforme e passei as mãos pelos cabelos. Estava feliz por rever meu amigo e, também, pretendia saber dele tudo o que fosse possível sobre o que fora feito de Mariele.

Contudo, mal tinha me aproximado da saída da cela e Heinz me segurou pelos colarinhos, empurrando-me de volta para dentro. Desequilibrado, caí de costas sobre a cama, formada por um suporte de madeira preso à parede e com um colchão fino.

— O que está fazendo, Heinz? — perguntei, ainda atônito.

Ele fechou a porta da cela e, colocando o joelho sobre meu peito, me suspendeu pelo colarinho. Eu podia sentir seu hálito de cigarro penetrando em minhas narinas.

— Que merda você anda fazendo, Olaf? Me diga, o que você pensa da merda da sua vida? O que deu em você para se meter com uma putinha judia?

— Eu não me meti com ninguém! — eu disse, tentando me soltar das mãos de Heinz, porém, em vão.

— Não?! — Heinz empurrou meu peito de modo que eu tornasse a cair sobre a cama. — Então me explique por que estava conversando com aquela menina na hora de sua ronda?

Não sabia o que responder a Heinz, mesmo porque, nem mesmo eu entendia ao certo o motivo de não conseguir parar de pensar naquela garota. O sentimento que crescia em mim ia além do fato ou da curiosidade pelo milagre que Mariele havia feito em meu pé. Era mais. Eu estava fascinado por algo oculto, invisível a meus olhos, mas que me deixava prostrado diante daquela menina-mulher de olhar doce, angelical.

Cansado dos desaforos de Heinz, empurrei-o e me levantei. Afastei-me do meu amigo, indo para o outro canto da cela. Eu estava preparado para, se fosse preciso, partir para uma briga corpo a corpo. Era o primeiro desentendimento que tínhamos em mais de dez anos de amizade.

— Você pode me escutar, Heinz? — gritei.

Minha voz ecoou por alguns segundos e, depois, tudo ficou em silêncio. Eu arfava e encarava Heinz nos olhos.

— Foi ela... foi aquela menina, Mariele Goldberg, quem curou meu pé — eu disse. Conforme falava, um peso enorme ia saindo do meu peito, deixando-me mais leve: — Se não fosse por ela, provavelmente eu estaria de muletas agora.

— Como assim "ela te curou"? — Heinz utilizava um tom irônico.

— Eu também não sei, Heinz. Também não sei. O que sei é que ela tocou meu pé e, de algum modo, os ossos quebrados se curaram.

— Que merda está dizendo, Olaf? — agora, a voz de Heinz tinha um tom quase de clamor, como o de uma mãe ou pai que alerta o filho sobre os perigos da vida e das decisões erradas.

— Vocês viram, Heinz. Você viu — disse. — Todos vocês estavam comigo quando aquela peça caiu do caminhão e esmagou meu pé. E, agora, estão me vendo bem, caminhando como se nada tivesse acontecido. Se o que aquela garota fez não foi um milagre, então, me explique o que foi.

Heinz me olhava com perplexidade. Por fim, soltou um longo suspiro e deixou os ombros caírem.

— Acho que tenho que contar a você. Mesmo porque ficará sabendo de qualquer forma — ele disse, encostando-se na grade da cela. — Logo depois do ocorrido, quando você foi trazido para a prisão, a garota judia foi levada para a ala dos oficiais de patente superior. Um deles, o Sturmbannführer[7] Franz Hummels, havia ficado sabendo do fato através de Junker. Resumindo... — Heinz olhava agora para a ponta de sua bota — ... parece que o que aquela menina fez com você não é um fato isolado. Segundo fiquei sabendo, o Sturmbannführer Hummels já tinha ouvido boatos que relatavam alguns... supostos milagres atribuídos a uma jovem prisioneira de sobrenome Goldberg. Investigando mais a fundo, o major e outros soldados descobriram que não apenas prisioneiras aqui de Plaszow foram aparentemente curadas, mas também que a fama da garota data de algum tempo.

— Como assim? Não estou entendendo, Heinz. O que...?

---

[7] Equivalente ao posto de major.

— Algumas prisioneiras foram interrogadas, Olaf. Inclusive, aquelas que, ao que tudo indica, foram curadas pela garota.

Heinz acendeu um cigarro e deixou a fumaça infestar o ambiente da cela.

— De acordo com as informações, a família da menina morreu na Cracóvia. Ela é a única sobrevivente. Na verdade, é um milagre que esteja viva. Hummels ficou intrigado e, por fim, decidiu interrogar a judiazinha.

Heinz me ofereceu um cigarro, o qual aceitei de imediato.

— O Sturmbannführer Hummels ordenou que todas as prisioneiras que a menina Goldberg tivesse curado fossem imediatamente fuziladas, Olaf. Ao que parece, a garota teria o mesmo destino. Contudo...

Ele deu mais uma longa tragada e deixou a fumaça sair pelas narinas. Minhas mãos tremiam, nervosas.

— Contudo — prosseguiu Heinz —, o Sturmbannführer Hummels não foi capaz de encostar um dedo nela. Veja, são boatos. Mas o que se fala é que Hummels não conseguia mexer os braços e, por fim, ficou tão assustado com a força da menina que decidiu liberá-la, ordenando que voltasse no mesmo instante aos trabalhos forçados, com ração reduzida.

— Então, você acredita em mim, Heinz?

— Só quero... — ele esmagou o cigarro com a bota e tornou a abrir a porta da cela — ...que você prometa que ficará longe daquela judia, Olaf. Se eu te pegar conversando com ela, ou mesmo olhando para ela, juro que eu trato de dar um fim na cadelinha judia. Pessoalmente.

Virando-me as costas, Heinz deixou a cela e foi embora. Terminei o cigarro e apaguei a brasa da bituca na parede.

Minha mãe dizia que os maiores milagres acontecem nos lugares e momentos mais improváveis. Assim como a mais bonita das rosas, que desabrocha em meio à aridez ou às pedras. Caminhei lentamente pelo corredor que ligava a ala das celas ao barracão que dava acesso à parte externa do campo de prisioneiros. A noite caía impiedosa e fazia frio naquele lugar desolado, esquecido por Deus. O ar gelado se tornava um fio de fumaça branca ao sair de minha boca.

Mamãe tinha razão. Se havia um local para que Deus se manifestasse em seus milagres, Plaszow era o lugar certo.

~~~

Plaszow (Cracóvia), Polônia
29 de setembro de 1943

Nos dias seguintes à minha saída da prisão, tentei agir com a máxima discrição possível. Todos os meus companheiros, incluindo Heinz, passaram a me tratar com indiferença. Na verdade, eu sentia que, se pudessem, muitos deles me meteriam uma bala. Talvez só esperassem a oportunidade ou o pretexto ideal para isso.

Por outro lado, o tempo hostil havia dado uma brecha e, naquele dia, fazia sol. A temperatura também havia subido um pouco, tornando o cenário mais agradável.

Eu estava terminantemente proibido de entrar na ala das prisioneiras e passava os dias patrulhando os prisioneiros homens ou na torre de vigia. Foram dias terríveis, porque minha angústia por não poder encontrar e falar com Mariele só aumentava.

Foi então que uma possível saída me veio à mente. Era um risco, mas eu estava disposto a corrê-lo.

Conforme descobri um tanto cedo, Plaszow não era apenas um campo destinado a confinar prisioneiros judeus. Havia prisioneiros de outras origens e países ali, detidos pelos mais variados motivos. Um deles, talvez o mais articulado, chamava-se Joseph Guinle. Era um prisioneiro alemão que trabalhara como professor de Física em Varsóvia. Fora detido por, supostamente, ter ideias comunistas. Era um sujeito bastante articulado e culto, na maioria das vezes espirituoso, que acabara por ganhar a simpatia de muitos soldados alemães, os quais, vez ou outra, o poupavam do trabalho pesado, designando-o para a cozinha ou para a limpeza dos banheiros.

Os soldados do meu turno estavam em horário de almoço e, naquele dia, Guinle estava trabalhando na cozinha e entretinha, com alguma piada suja e infame, um grupo de jovens soldados. Tão logo ele se afastou da rodinha de garotos fardados, tratei de aproximar-me dele com o pretexto de pedir algo especial para comer.

— Guinle, preciso de um favor seu — eu disse, sem delonga.

O homem, de baixa estatura e que usava óculos de aros redondos e finos que lhe conferiam a aparência de um castor, olhou-me com um misto de curiosidade e preocupação.

— Tive muitos alunos em meus quase 25 anos de profissão em salas de aula, meu jovem — ele disse. — E aprendi a reconhecer um bom moço quando vejo um. E, neste momento, estou diante de um belo exemplar de espécime humano. Em que posso ajudar, senhor...?

— Olaf. Olaf Seemann — eu me apresentei. — Quero que entregue isto à prisioneira Mariele Goldberg.

Com agilidade, coloquei sob o uniforme listrado de Guinle um pequeno bilhete.

— Ouvi boatos — ele falou, arrumando os óculos sobre o nariz — sobre um jovem soldado que quase teve o pé arrancado, mas que foi curado pela menina prisioneira Goldberg. Seria você, meu jovem?

Não respondi. Apenas pedi mais uma vez que me fizesse o favor de entregar o bilhete a Mariele, reforçando que era importante.

— Ouvi que o senhor tem facilidade para entrar em diferentes... círculos de relacionamento neste campo de trabalhos. Acho que, se tentar, pode chegar até a prisioneira Goldberg e lhe entregar isto. Eu lhe imploro.

— Minha formação acadêmico-científica me impede de acreditar em besteiras metafísicas, como milagres — Guinle disse, colocando uma porção generosa de purê de batatas em meu prato. — Porém, já ouvi muitas histórias sobre a garota Mariele Goldberg e seus feitos. E, de fato, não consigo, como homem da ciência, explicar. Fique tranquilo, jovem, eu entregarei seu bilhete a ela.

Rapidamente, Joseph Guinle ergueu os olhos em direção a outro jovem soldado que se aproximava com seu prato, dando-me a clara dica que era o momento de eu cair fora dali e tomar cuidado.

—Ei, amigo, só vim te dar boa-noite. — Valesca puxou o caderno que dormia, assim como eu, sobre meu peito. Cochichou aquelas palavras bem junto à minha orelha, de modo que eu pude sentir seu hálito limpo de quem acabara de escovar os dentes.

— Nossa! — exclamei, percebendo, então, que eu havia dormido profundamente. — Caí no sono. Me desculpe!

— Está desculpado — ela disse, sorrindo. — Deve estar cansado. Eu também preciso dormir. Tenho alguns quilômetros para percorrer amanhã, e tu tens que pegar o avião.

Sentei-me no sofá, afastando a coberta fina que estava sobre mim. Só então percebi que Valesca usava uma camisola branca com o desenho da *Pucca* estampado na frente. Suas pernas, extremamente bem torneadas, estavam cobertas por uma bermuda de *lycra* rosa. Havia retirado a maquiagem, mas, ainda assim, continuava linda; porém, agora, com feições de menina e não de mulher.

— O que tá olhando? — Ela franziu a testa e lançou um olhar de reprovação para mim. — Nunca viu uma mulher de pijama, não?

— Ah-ahn! — gaguejei. — Desculpe. Ainda estou acordando.

— Puta merda, guri! Tu precisa mesmo de uma namorada — Valesca disse, rindo, e saiu saracoteando pela sala até o corredor. Disse um "boa noite" insosso e, por fim, fechou a porta do quarto.

Soltei o corpo no sofá e fiquei olhando para a capa do caderno. Perguntava-me, àquelas alturas, quantos quilos de surpresa a mais a vida me reservava. De repente, senti um medo absurdo de descobrir a resposta exata.

Capítulo 12

São Paulo, Brasil
26 de dezembro de 2006

Todos me receberam de modo amistoso na Royale. Fora os contratempos com a segurança do Aeroporto Salgado Filho e, depois, de Congonhas, por causa do vaso com as cinzas do meu pai, a viagem transcorreu tranquilamente. Dirigi o carro alugado até Porto Alegre e consegui chegar duas horas antes da saída do meu voo.

Valesca saiu mais cedo do que eu. Quando acordei, ela já estava vestida, falando sem parar a respeito de como dormir e acordar respirando o ar puro das serras era reconfortante. Depois, tagarelou sobre uma nova exposição de que faria parte no Rio de Janeiro e, antes de entrar no carro, ainda soltou um "Caralho, me cansa só de pensar no tempo que tenho de estrada até Novo Hamburgo". Deu-me um beijo carinhoso no rosto, disse que havia sido um prazer me conhecer, apesar das circunstâncias, e partiu.

Ao olhar o carro dela ir embora, fiquei imaginando como era amplo o portfólio de palavrões que havia naquela cabeça. Mas, de algum modo estranho, eles combinavam com o jeitão de Valesca.

Minha segunda e última tarefa em Nova Petrópolis foi garantir a Diva que tudo ficaria bem. Ela havia me dito que não se sentia confortável em ficar naquela casa — com a morte do velho Olaf, não havia mais motivos para que eu bancasse o aluguel. Porém, eu a tranquilizei, falando (ou, melhor, jurando) que, por ora, eu não tinha a intenção de me desfazer da casa e que ela poderia ficar ali tomando conta do lugar.

Do aeroporto, apanhei um táxi e fui diretamente para a agência. Entrei na recepção puxando minha mala de rodinhas, com o vaso de cinzas sob meu braço. Cumprimentei Mirela com um discreto aceno de cabeça — sem ignorar, no entanto, o olhar esquisito da moça ao observar o estranho objeto sob meu braço — e caminhei diretamente para a grande sala da produção.

A primeira a me cumprimentar foi uma estagiária da criação. Depois, vieram os dois rapazes que trabalhavam em minha equipe. Rosa estava ao telefone e não havia sinal de Estêvão.

Acomodei-me em minha mesa e senti-me imediatamente em casa diante da tela de 21 polegadas de meu Mac.

— Hugo! — disse Rosa, assim que colocou o telefone no gancho. — Venha me dar um abraço e um Feliz Natal de verdade.

Abracei minha amiga e, então, percebi quanto eu sentia falta daquela *designer* maluca.

— Tome, um presente. É meu e de Laísa — disse ela, entregando-me um pequeno embrulho.

— Puxa, eu não te trouxe nada do Sul — falei, constrangido. — Tantas coisas aconteceram que eu...

— Você me recompensa com um almoço um dia desses — disse Rosa.

Abri o embrulho e retirei da caixa uma miniatura do Michelangelo, personagem das Tartarugas Ninjas.

— Achei que era a sua cara — disse Rosa, encolhendo os ombros. — Laísa também achou. Afinal, você é o único sujeito que eu conheço que tem um cágado de estimação no apartamento.

— Obrigado — agradeci. — Sócrates está bem?

— Melhor do que você. Está com uma cara horrível.

Suspirei. Havia dormido toda a viagem e nem encostara no caderno do meu pai. Ainda assim, me sentia bastante cansado — o suficiente para pegar no sono e dormir umas oito horas seguidas.

— Como estão as coisas por aqui? — perguntei, mudando de assunto. — Quero um relatório completo.

— Até agora, sem novidades — disse ela, conferindo as horas no relógio de pulso. — Estêvão e Helô passaram em reunião quase a manhã toda. Todo mundo está com os nervos à flor da pele por causa da campanha da Strongmen, ainda que a coisa tenha andado. Trabalhamos no dia 24, na manhã do dia 25, e hoje cedo todos estavam aqui de novo.

Liguei o Mac, e a imagem da areia branca e do mar azul de Aruba saltou na tela.

— Se a campanha está andando, é um bom sinal, não é?

— Sim e não — cochichou Rosa, observando o movimento de ida e vinda dos funcionários. — Na verdade, o fato de Estêvão ter cantado de galo na sua ausência gerou desconforto em todo mundo. Você sabe, *você* é o nosso chefe. Estêvão tem a equipe de criação dele. Contudo, Helô parece estar satisfeita e já planeja uma grande apresentação para o pessoal da cervejaria amanhã.

— Ela disse algo sobre mim?

— Não. Mas está unha e carne com Estêvão.

Rosa observou o vaso funerário sobre minha mesa e perguntou:

— Que droga é essa?

— Meu pai — eu respondi. — Quero dizer, as *cinzas* dele. Ainda não sei o que farei com isto.

— Ué? Você não disse que ele pediu que as cinzas fossem jogadas não sei onde na Alemanha? — perguntou Rosa, sem mostrar estranhamento pelo fato de eu estar perambulando por São Paulo com os restos de meu falecido pai.

— Pois é. Esse é o problema. Viajar para a Alemanha definitivamente não está nos meus planos. Ainda mais com toda essa incerteza por aqui.

Como um furacão, Estêvão cruzou a sala de criação e abriu os braços, caminhando em minha direção. Seu perfume deixava um rastro em todo o ambiente.

— Hugo! Como você está? — perguntou, me abraçando. Olhando sobre seus ombros, lancei um olhar interrogativo para Rosa. Ela encolheu os ombros. — Você deve ter passado uma verdadeira *barra* nesses dias, não é? Mas fique tranquilo, está tudo bem com a campanha da Strongmen. Eu e o pessoal demos um jeito.

— Tenho certeza de que sim — falei. — E o que é isso na tua orelha? Brinco novo?

Estêvão exibia um pequeno brinco brilhante na orelha esquerda. Ele sempre havia usado brincos, mas costumava ser mais discreto.

— O brilhante? Ajuda a atrair as garotas, cara. Você deveria tentar também, está precisando de uma mulher — ele disse, me soltando e caminhando pela sala como se fosse dono do lugar.

Abriu a gaveta de sua mesa e espirrou mais um pouco de seu CKBe. Tornou a guardar o perfume e soltou-se sobre a cadeira giratória, estendendo os braços para o alto. Aquele bom humor, tudo era um terrível mau presságio, eu pensei.

— A Helô sabe que você chegou? Ela está querendo falar contigo, Hugo.

— Pensei em dar um pulo na sala dela mesmo — eu disse, mentindo. Na verdade, tinha medo de confrontá-la. — Só estava ligando o computador e conversando com a Rosa.

— Ele ganhou um presente — disse Rosa, apontando para o Michelangelo sobre a minha mesa.

— Tartarugas Ninjas? Sua cara, Hugo! — Estêvão disse, sorrindo. — E esse vaso? Lembrança do Sul?

— São as cinzas do pai dele — disse Rosa.

— Cê tá brincando, né?

— Não, ela não está — falei. — É uma longa história, depois te explico. Vou até a sala da Helô. Como está o humor dela?

— Ótimo! — disse Estêvão. Então, ele passou a se concentrar nos e-mails, enquanto eu me dirigia para a sala da minha chefe.

———※———

Heloísa me recebeu com simpatia. De fato, estava com um bom humor atípico, o que me deixava ainda mais preocupado.

— Senta, Hugo. Imagino que esteja cansado. Devia ter ficado em casa hoje.

— Não, nem pensar — eu respondi. — Preciso me colocar a par da campanha e preparar a apresentação de amanhã.

— Não se preocupe com isso — Heloísa disse, bebericando um pouco de sua xícara de chá. — Estêvão, Rosa e os outros estão cuidando de tudo. A apresentação de amanhã está maravilhosa. Não há como o cliente não gostar!

Eu esperava algum tipo de agradecimento. Afinal, a ideia da campanha havia sido minha. Era certo que eu tinha falhado outras duas vezes, mas, fosse como fosse, eu que havia dado os rumos para esse terceiro projeto e, a meu ver, merecia os louros por isso. Mas Heloísa estava totalmente absorta, falando sobre como a nova campanha era estupenda e, para me dar náuseas, elogiando a capacidade de liderança de Estêvão.

— Bom, já que está aqui — ela prosseguiu —, ficará para a apresentação preliminar da Strongmen. Quero que toda a equipe de criação da agência participe. E isso envolve você, claro.

— Bem... sobre isso... — pigarreei, ganhando tempo para escolher as palavras certas. — Helô, estou mesmo preocupado. Preciso me inteirar do *status* da campanha quanto antes. Afinal, estive ausente e quero estourar a boca do balão amanhã quando o cliente vier. Se você puder, gostaria de começar agora a repassar os pontos e ver o *layout* das peças preliminares para...

Heloísa ergueu a mão espalmada em minha direção e abriu um sorriso terno. Terminou o chá e deixou a xícara sobre o pires.

— Não se preocupe tanto, Hugo.

Agora, era ela quem parecia escolher as palavras certas.

— Sabe, prefiro deixar a configuração da campanha como está. Ou seja, com Estêvão liderando a equipe. Ele fez um belo trabalho na campanha do celular e acho que poderá nos trazer excelentes resultados com a Strongmen também. Além disso, ele já está a par de tudo, passou o feriado de Natal aqui, coordenando a criação das peças. Não acho justo deixá-lo de lado agora. Você não concorda?

A pergunta fora feita de modo a não me deixar outra opção, senão responder "Claro, eu concordo". Engoli em seco, sentindo o estômago embrulhar. Meu pior pesadelo estava se tornando realidade e eu não sabia o que fazer.

— Não leve a mal, Hugo. Você é um grande profissional. Um dos melhores da equipe. — Heloísa entrelaçou os dedos e repousou as mãos sobre a mesa. — Mas não temos como negar que Estêvão vem se saindo bem nos últimos meses. Ou, melhor dizendo, se superando. E superando você. Não há um jeito confortável de dizer isso. Sou a chefe desta agência, e minha função é tomar decisões. Claro, sempre decido pensando nos clientes.

Meneei a cabeça positivamente. O que eu poderia dizer?! Sentia-me como um condenado no corredor da morte, a quem se pergunta, nos minutos finais, se era seu desejo fazer uma última oração. Decerto eu desejava uma última oração! E mais: queria estar longe dali.

— Como você decidir, Helô — eu disse, por fim. — Ainda assim, quero participar da apresentação.

— Mas é claro que você vai! — O rosto de minha chefe se iluminou. — Você não ficará de fora desta campanha, Hugo. É parte fundamental da minha equipe.

Equipe *dela*?! Desde quando?! Até onde era do meu conhecimento, *eu* era o chefe de criação, responsável pela coordenação de todas as campanhas criativas da Royale. Não era porque Estêvão havia se saído bem na campanha do celular, e porque a equipe havia sido dividida por conta do excesso de trabalho com a Strongmen, que eu merecia perder meu posto!

Deixei a sala de Heloísa profundamente abatido. Do lado de fora, Rosa me aguardava com uma xícara de café.

— A coisa foi ruim lá dentro? — ela perguntou, colocando a mão sobre meu ombro.

— Péssima. — Eu imaginava alguns dos piores palavrões que poderiam passar pela cabeça de Valesca e queria soltar todos no mesmo instante. — Estêvão é nosso novo chefe na campanha da Strongmen. Você tinha razão, Rosa.

— Não acredito que ele te passou a perna! Aquele filho...

— Não foi ele — eu disse. — Estêvão é um filho da mãe, mas não foi ele. Na verdade, toda a culpa é da porra do meu pai! Aquele infeliz nunca me deu nada, nem atenção. E, por causa dele, eu me *ferrei* com a Helô. Essa é a questão.

— E o que você vai fazer?

— A única coisa que posso fazer — eu disse. — Assistir ao triunfo do Estêvão amanhã — falei, soltando o corpo sobre a cadeira.

Olhei para o vaso com as cinzas do velho sobre minha mesa e meu primeiro pensamento foi de jogá-lo pela janela, deixando que as cinzas se perdessem no ar poluído de São Paulo. Era isso o que ele merecia.

Como era de se esperar, a campanha da Strongmen estava maravilhosa. Toda a equipe criativa da Royale estava na sala de reuniões, assistindo à apresentação que o Estêvão fazia, *slide* por *slide*, da proposta do projeto e do conceito que envolvia a arte de cada peça: os cartazes, *layout* para decoração dos freezers, os materiais para PDV e o roteiro para 15 segundos de comercial.

— É possível que os caras invistam em Rede Globo, no horário da novela — interrompeu Heloísa. — Não sei se será horário nobre, mas, de qualquer maneira, eles apostarão alto.

E, dirigindo-se para Estêvão, continuou:

— Como chefe dessa campanha, quero que já se antecipe e entre em contato com nossa parceira para produção de vídeo. Quero que eles analisem o roteiro assim que o cliente der seu ok amanhã e já comecem a preparar as peças. Lógico, você acompanhará tudo, Estêvão.

Ele se limitou a concordar, meneando a cabeça. Enquanto isso, eu sentia enjoo por assistir à toda aquela *babação* de ovo.

A apresentação durou uma hora e quinze no total. Saí da sala zonzo, e conferi o horário. Eram seis e meia, e a equipe já começava a se dispersar.

— Quer beber algo? É por minha conta — perguntou Rosa, enquanto guardava suas coisas.

— Acho que vou aceitar. Pelo menos, termino minha noite de forma digna — eu disse. — Quem sabe no caminho jogo isto no rio Tietê — falei, segurando o vaso com as cinzas do meu pai.

— Eu nunca deixaria você fazer isso, Gaúcho. — Rosa riu. — Quer saber? Vamos fazer melhor. Vamos para sua casa. Ligo para a Laísa, peço para ela ir para lá. De metrô é rapidinho. Te dou uma carona, pedimos uma pizza e tomamos umas *brejas*. O que acha? Ela está com saudade de você também.

— Por mim, fechado — concordei. Ainda que eu não estivesse com muita vontade de socializar, ficar sozinho seria pior.

Desliguei meu Mac e acompanhei Rosa até o estacionamento. De lá, seguimos no carro dela até meu apartamento. O trânsito estava péssimo, mas Rosa amenizou o tédio de ficar parado num engarrafamento infernal na Marginal, colocando Bryan Adams para tocar no CD player.

A boa música pareceu tocar meu espírito e logo eu me sentia mais relaxado. Cheguei até mesmo a cochilar. Acordei quando Rosa estacionou diante do meu prédio. Sinalizei ao porteiro, que me reconheceu. Ele abriu o portão automático e Rosa estacionou em uma das duas vagas a que eu tinha direito — eu costumava alugar uma das minhas vagas para um antigo morador, que se mudara havia seis meses. Desde então, ela ficava vazia.

Subimos de elevador e saímos quando ele parou no meu andar.

Rosa ligou para Laísa, que informou estar a caminho. Peguei a chave no bolso e enfiei na fechadura. Porém, não tive tempo de girá-la, e a porta se abriu sozinha.

— Mas que droga... — murmurei.

— Tenho certeza de que tranquei ontem à noite, Hugo — disse Rosa, preocupada. — Acho melhor não entrarmos. Vamos chamar a...

Sem deixar que ela terminasse de falar, pus de lado minha mala e o vaso com as cinzas de meu pai e empurrei a porta. Então, tive minha primeira visão do inferno.

Capítulo 13

São Paulo, Brasil
Caixa de Pandora

O que vi revirou meu estômago e tive que me controlar para não vomitar sobre o assoalho na entrada do meu apartamento. Minha sala, outrora confortável e aconchegante, o sonho de qualquer homem solteiro que beira a meia-idade, estava totalmente revirada.

Os dois sofás de três lugares haviam sido arrastados para um canto; o pufe, lançado para junto da porta de entrada. A luminária, peça pela qual eu tinha grande estima e que havia comprado por uma pechincha em Ouro Preto, estava destruída.

— Hugo, pelo amor de Deus! Não entra! — disse Rosa, segurando a manga de minha camisa. — Quem fez isso ainda pode estar aí dentro e...

Sem dar ouvidos à minha amiga, corri para o interior do apartamento, cruzando a sala e me dirigindo ao quarto que utilizava como um pequeno estúdio e, também, onde ficava o viveiro de Sócrates.

Toquei o interruptor e senti algo pegajoso nos dedos. Com o cômodo já iluminado, conferi que o "algo pegajoso" era sangue. Então tive que me apoiar no batente para não desmaiar. Os vidros do viveiro de Sócrates estavam cobertos por sangue. Havia gotas no chão também e, conforme eu já havia constatado, no interruptor. Provavelmente, quem tinha feito aquilo não se preocupara em não deixar vestígios.

Caminhei até o viveiro e espiei seu interior. O que restara de minha tartaruga de estimação estava ali. Alguém havia decepado a cabeça do pequeno animal e manchado todo o cômodo com o sangue dela.

Na parede, junto ao viveiro, havia algo escrito em vermelho (o que deduzi também ser sangue) em letras bastante disformes: *Büchse der Pandora nicht öffnen.*

Um alerta, sem dúvida alguma. Algo escrito em alemão ou algum outro idioma germânico.

— Santo Deus! — gritou Rosa, que estava parada bem atrás de mim.

Abracei-a e a conduzi para fora do quarto. Sentei-me no sofá e permaneci olhando toda a bagunça. Meu apartamento, meu porto seguro, estava destruído. Rosa andava de um lado para o outro, apertando freneticamente as teclas de seu celular. Por fim, Laísa atendeu e, com a voz trêmula, ela explicou rapidamente o que estava ocorrendo.

— Ligue para a polícia, por favor — foi tudo o que consegui dizer assim que Rosa desligou o celular.

~~~

Sócrates, minha tartaruga de estimação, havia sido brutalmente morta, porém, os dois policiais que se entreolhavam, em pé, no meio da minha sala, não pareciam estar preocupados. A poucos passos deles, o inspetor de polícia que se identificara como Machado passava os olhos por todo o local, enquanto esfregava o bigode volumoso. Era um homem negro, alto e bastante forte; tudo em suas atitudes lembravam um policial experiente e *cascudo*, calejado pelos anos de Polícia Civil.

Os dois policiais me fizeram as perguntas de praxe: "Mexeram em algo?", "Falta algo de valor?", "Alguém mais tem a chave? Talvez, uma faxineira ou doméstica?", "O senhor recebeu ameaça?". Depois, dedicaram-se a conversar entre si, pedindo que não tocássemos em nada.

Cansado de toda aquela balela, limitei-me a observar os dois policiais trabalharem (ou seja, quase não fazerem nada) enquanto Laísa, que chegara pouco depois dos homens da lei, envolvia Rosa em seus braços, na tentativa de consolá-la.

Então, os dois policiais me conduziram aos cômodos do apartamento e me fizeram repetir, de trás para a frente, o que havia acontecido desde que eu pisara no local. Eu me sentia exausto. Uma espécie de corrente elétrica, um misto de sensação de impotência, angústia e ódio pelo que tinham feito a Sócrates me consumia.

Estava imaginando o que eu seria capaz de fazer caso pusesse minhas mãos naquele assassino de répteis quando o inspetor Machado parou diante de mim.

— Senhor Seemann, sei que já falou com meus inspetores, mas gostaria de repassar a história com o senhor.

— Como quiser — respondi, com indiferença. Arrastei o traseiro, liberando uma almofada para que o inspetor se sentasse ao meu lado.

— Obrigado — ele se sentou. Notei que segurava um bloco de notas. — Vamos começar pelo início, ok? Preciso repassar o ocorrido com o senhor. Isso será essencial para descobrirmos quem fez isto.

— Se eu puder ajudar...

— Ótimo! Por favor, senhor Seemann, conte-me o que aconteceu, desde o momento em que chegou, até você e sua namorada acionarem a polícia.

— Ela não é minha namorada — corrigi, referindo-me a Rosa. Se a situação não fosse trágica, seria mesmo engraçado pensar em Rosa como minha companheira.

— Desculpe — falou o policial. — De todo modo, conte o que aconteceu.

— Passei o feriado de Natal no Rio Grande do Sul em virtude da morte de meu pai. Retornei hoje. Eu trabalho numa agência de publicidade chamada Royale e, como as coisas estão corridas por lá, fui de Congonhas diretamente para o trabalho.

— O que o senhor faz na agência?

— Sou chefe de criação — cogitei usar o verbo no passado, mas o orgulho me impediu. Minha batalha contra Estêvão estava só começando, e eu só abriria mão do posto que era meu por direito e mérito depois de muita resistência.

— Ok — concordou o inspetor, aparentemente sem entender o que eu de fato fazia. — E depois?

— Trabalhei o dia todo. Minha amiga, Rosa, veio aqui todos os dias em que estive ausente para cuidar de Sócrates.

— Sócrates?

— Minha tartaruga de estimação.

— Ah, entendo...

— Olha, detetive, as coisas estão ruins no trabalho. O dia foi péssimo, e Rosa me convidou para comer uma pizza. Viemos para cá e, quando cheguei, o apartamento estava assim. E o Sócrates...

— Entendo. O senhor só queria relaxar e encontrou o apartamento revirado.

Não compreendi exatamente o que Machado quis dizer com *relaxar*. Talvez não tivesse comprado a ideia de que eu e Rosa não éramos namorados, e que, como dois pombinhos, teríamos uma relaxante noite de sexo e vinho.

— Notou falta de algo? — perguntou o inspetor, enquanto anotava.

— Não. Não verifiquei com apuro, mas parece que está tudo ok, tirando o que foi quebrado.

— O senhor tem ideia do porquê alguém invadiria o seu apartamento e faria esta bagunça, sem, no entanto, roubar nada?

— Os outros dois policiais já me perguntaram isso... — suspirei. Depois, resignado, respondi: — Deviam estar atrás de *algo* — eu disse, como se pensasse em voz alta.

De fato, eu acreditava nisso. Quem tinha feito aquilo com meu apartamento e decapitado Sócrates estava à procura de algo. Ou *me* procurando. Como não me encontrou, ou não encontrou o que queria, fez aquela zona no meu apartamento e matou minha tartaruga.

— E o que seria?

— Não sei — falei.

Juro que pensei em contar sobre as anotações do meu pai, seu possível suicídio e toda aquela história insólita sobre uma menina judia que fazia milagres num campo de concentração na Polônia. Mas algo me deteve. Algo que, misteriosamente, gritava dentro de mim, cobrando-me que aquele era um problema que eu deveria resolver sozinho.

— Sobre a frase escrita na parede do quarto, senhor Seemann — o inspetor conferiu suas anotações —, *"Büchse der Pandora nicht öffnen"*. Sabe o que significa? É estrangeiro?

— É alemão, suponho — eu disse. — Contudo, não sei o que significa. Meu pai era alemão, mas nunca me ensinou a falar seu idioma. Também nunca tive interesse. Aliás, eu tinha pouco interesse nas coisas que faziam menção ao meu pai.

— Problemas entre pai e filho, senhor Seemann?

— Sim. Uma longa história — respondi.

— Entendo. De qualquer modo — o inspetor Machado levantou-se, guardando o caderninho no bolso da camisa — iremos contatar um tradutor e descobrir o significado. Talvez isso ajude bastante. Afinal, quem escreveu aquilo, queria deixar um recado.

Antes de se afastar de mim, o inspetor me deu tapinhas no ombro e virou-se para uma última pergunta:

— O senhor mora sozinho aqui?

— Sim. Moro sozinho aqui há bastante tempo, detetive. Nunca aconteceu isso em nenhum dos apartamentos. Nunca ouvi falar de assaltos aqui.

— Muito bom. De qualquer modo, vamos averiguar — falou o grande homem negro, enquanto se misturava com os profissionais da polícia técnica, que iam e vinham fuçando em tudo.

— Você está melhor? — Rosa perguntou, sentando-se ao meu lado. — Não aguento mais falar com os tiras.

— Nem eu — disse. — Mas estou rezando para pôr minhas mãos no desgraçado que fez isto.

— A conversa com o detetive foi amigável?

— Foi sim — encarei Rosa, que me olhava com curiosidade. — O mais difícil foi convencê-lo de que não viemos aqui transar.

Eu ri, e ela fez cara de nojo.

— Cruz-credo!

— Obrigado. Saiba que penso o mesmo de você — eu disse, colocando o braço ao redor do pescoço de Rosa e beijando-lhe a testa.

Enquanto tentávamos descontrair, mentalmente eu unia as peças: o velho Klaus Schneider, o assalto à casa do meu pai, seu possível suicídio, a carta que ele havia me deixado e, também, a que enviara a alguém com o nome de Martha Fischer, já morta, e que resultou em meu encontro (para não dizer colisão) com Valesca, uma artista plástica com um repertório bastante amplo de palavrões. Ligando tudo, parecia estar a jovem Mariele Goldberg.

Não havia como tirar a ideia da cabeça. Desde que eu descobrira a existência do caderno de anotações do meu pai e a história sobre a tal Mariele Goldberg, minha vida tinha virado de pernas para o ar.

Naquele dia, para encerrar tudo com chave de ouro, eu estava cercado de policiais, porém, sem coragem de lhes contar a verdade sobre o legado de meu pai — ainda que eu tivesse certeza de que tanto o roubo como a invasão do meu apartamento fossem fatos correlacionados, e tinham a ver com algo que estava em meu poder — o caderno com as anotações, as cinzas ou qualquer outra merda, que eu ainda não havia descoberto.

Só tinha uma certeza: tudo aquilo era grave o suficiente para levar meu velho pai ao descontrole e a uma *overdose* de insulina como forma de fugir de *algo*. Mas *do quê*? Meu pai havia pedido que eu mantivesse segredo e discrição, pois, se aquela história "vazasse", eu correria perigo; que comentasse o que sabia apenas com a tal Martha Fischer, que já passara desta para melhor. Ou seja, eu estava sozinho. Eu não sabia, àquela altura, se eu podia confiar em Valesca.

Eram quase duas da manhã e a polícia ainda estava em meu apartamento. Fui orientado a não arrumar, limpar ou mexer em nada. Rosa e Laísa me convidaram para que dormisse no apartamento delas, porém, recusei o convite. Não sabia até onde ia, realmente, o perigo que eu podia estar correndo, e não queria envolvê-las nisso.

Enquanto os peritos trabalhavam, passei um pouco de café na cafeteira elétrica. O aroma fez os policiais virem até a cozinha pedir uma xícara. Logo, não sobrou uma gota sequer, e tive que passar um novo café.

Estava me servindo de uma caneca com uma porção generosa, acompanhada de uma aspirina (minha cabeça latejava) quando o inspetor Machado se aproximou. Tinha os ombros largos caídos e uma expressão cansada.

— Quer um pouco, detetive?

— Café? Aceito, sim — disse, sentando-se à mesa redonda da cozinha. Coloquei uma xícara diante dele, e assisti ao policial beber tudo num gole só. — Conversamos com o porteiro do turno da noite. E também falamos com o rapaz que deixou o posto às duas da tarde. Eles afirmaram não terem visto nada além do fluxo normal: entregadores, correio, técnicos disso ou daquilo. Claro que, depois de uma boa prensa, a memória do porteiro da noite, senhor Osvaldo, ficou melhor.

O inspetor folheava seu caderninho com uma das mãos, enquanto mantinha a outra apoiada na testa, como se estivesse profundamente pensativo.

— O senhor tem um primo, senhor Seemann?

— Primo? — indaguei, interrompendo o gesto de levar a caneca de café à boca. — Não que eu saiba. Andei descobrindo muitas coisas sobre minha vida nestes últimos dias, detetive, mas nada envolve um primo perdido por aí. Por quê?

— Pois é. Então, de fato o caldo entorna — disse o policial. — Segundo o registro do porteiro, senhor Osvaldo, um primo seu, de nome Alex Goldberg, veio visitá-lo por volta das quatro. Mais especificamente, às quatro e dez, segundo as anotações de nosso amigo da portaria.

— Você disse *Goldberg*?!

— Sim. Goldberg. Diz algo ao senhor? Com exceção da portaria, este prédio não tem câmeras de monitoramento, o que é uma pena e, ao mesmo tempo, uma falha terrível do projeto de segurança. De qualquer modo, já requisitamos as imagens da portaria e logo teremos uma ideia de como esse seu... *primo*... é.

"Goldberg?", minha mente gritava esse sobrenome. Teria algo a ver com Mariele Goldberg? Não, eu duvidava. Contudo, esse cara, quem quer que fosse, não hesitara em se expor, dando um sobrenome falso que, sem dúvida, eu relacionaria com a menina de quem meu pai tanto falava. Ou seja, ele queria que eu entendesse o recado.

— Não conheço esse sujeito — afirmei. — Não sei quem era, mas não era meu primo. Eu nem tenho primos! Muito menos um com esse sobrenome.

— Hum... sem irmãos, sem primos — disse o inspetor, rindo. — Deve ser *foda* ser um cara solitário, senhor Seemann.

— A gente se acostuma — falei. — E eu não sou tão solitário assim. Tenho amigos, e *tinha* minha tartaruga. Isso até alguém decidir arrancar a cabeça da coitadinha.

— Também é estranho um marmanjo como o senhor ter um cágado de estimação. — O detetive Machado voltava a folhear seu caderninho de notas. — E sabe o que é mais estranho, senhor

Seemann? Que o senhor não tenha me contado que foi assaltado em Nova Petrópolis na manhã de ontem.

— Como...? — Eu estava atônito. Como aquele homem sabia daquilo?

— A polícia tem seus contatos. Afinal, também utilizamos computadores. O senhor fez um B.O., e seu nome entrou no sistema. Simples assim. Então, foi só ligar para meu colega no Sul para saber mais — disse o policial.

Ponto para ele! Eu sabia que a polícia descobriria o episódio de Nova Petrópolis cedo ou tarde. Só não esperava que fosse tão cedo.

— Não achei que fosse relevante — eu disse. — Não moramos num país em que se possa ter orgulho da segurança pública.

— Bom, disso o senhor está certo. Mas o que me intriga — o policial limpou os lábios com os dedos grossos — é que ou o senhor é mesmo muito *azarado* para sofrer duas tentativas de assalto em dois dias, ou está escondendo algo.

Mordisquei o lábio. O que eu poderia dizer? Claro, eu poderia contar toda a verdade. Mas, se meu pai estivesse certo, a coisa pioraria. Então, só restava resolver tudo por mim mesmo, e isso envolvia terminar de ler o caderno do velho Olaf e seguir a pista da tal Mariele Goldberg.

O inspetor Machado levantou-se e deu um longo suspiro.

— Terá que nos acompanhar até a delegacia, senhor Seemann. Acho que já sabe disso, né? A nossa noite será longa — sua voz tinha um tom de ironia. — Nesse meio-tempo, o senhor pode resolver se quer nos contar o que está havendo ou não. Afinal, não é todo dia que alguém tem o apartamento virado ao avesso após receber a visita de um primo que não existe.

Em alguns minutos, eu estava dentro de uma viatura de polícia a caminho da delegacia para prestar depoimento e abrir um novo boletim de ocorrência. É lógico que fiquei aflito por deixar o vaso com as cinzas do meu pai e minha bagagem (dentro da qual estava o caderno com as anotações) em casa, mas não havia outro remédio. O inspetor

Machado havia ordenado que dois policiais ficassem no apartamento até que eu voltasse e, de algum modo, isso me servia de alento.

No DP, repeti a história pela enésima vez a uma jovem policial de pele mulata e proporções bastante avantajadas. Passava das quatro da manhã quando assinei os papéis e fui dispensado.

— É provável que amanhã tenhamos a imagem do seu primo impostor, senhor Seemann — a voz do inspetor Machado interrompeu meu percurso. — Nosso café não é tão bom quanto o seu, mas acho que serve.

Estendeu-me um copo plástico com café quente. Ele me interpelara quando eu já me dirigia para fora da delegacia a fim de encontrar o policial que me daria carona de volta para casa.

Agradeci e bebi. O café estava fresco, porém doce demais. Também tinha gosto de garrafa térmica velha.

— Antes de ir, quero que saiba que descobrimos o que significa aquela frase estranha em alemão.

— Sério? E o que é?

Ele consultou o seu inseparável caderninho novamente.

— Aqui está! *Büchse der Pandora nicht öffnen.* "Não abra a caixa de Pandora." Sem dúvida, um aviso bastante claro para você, senhor Seemann. Aliás, para mim, isso parece uma *ameaça*.

— Não sei por que algum maluco me escreveria algo assim — menti.

O inspetor suspirou. Ele sabia que eu estava mentindo. E também *sabia* que *eu sabia* disso. Colocou a mão no bolso da camisa e me estendeu um cartão.

— Meus contatos, caso resolva me contar o que está escondendo, senhor.

Agradeci mais uma vez, esboçando um sorriso sem graça, e guardei o cartão. Quando me virei e saí, senti claramente os olhos daquele policial astuto cravados em minha nuca. Talvez ele soubesse mais do que na verdade havia me dito.

Capítulo 14

Plaszow (Cracóvia), Polônia
1º de outubro de 1943

Os minutos, as horas e os dias passavam com uma lentidão enervante. Dentro da frieza e sobriedade de meu uniforme da SS, eu tinha que mostrar um autocontrole sobre-humano. Contudo, meu coração e meu espírito estavam em chamas, ansiosos por poder rever Mariele.

Guinle havia me confirmado que entregara meu bilhete a ela. Também me dera notícias boas, afirmando que Mariele estava bem e que já tinha retornado aos trabalhos — hoje, não sei ao certo se retornar aos trabalhos em Plaszow era algo bom ou ruim.

Aquele dia 1º de outubro se iniciou do mesmo modo que os demais dias — eu, ansioso por um retorno de Guinle e de uma resposta afirmativa de Mariele, dizendo quando e onde poderíamos nos encontrar. Porém o dia, que começara com grande expectativa para mim, se tornou muito tenso na hora do almoço.

Depois de dois dias de sol, o cenário da Cracóvia voltou a se tornar cinza e frio. Estávamos eu, Heinz e outros rapazes igualmente jovens sentados à mesa. Éramos em cinco ou seis.

Fora um deles, de cujo nome não me lembro, mas que tinha a cabeça quase toda raspada, sobrando-lhe somente uma franja loira e lisa que lhe caía sobre a testa, quem disse algo bastante alarmante.

— *Ouvi dizer que fuzilaram vários prisioneiros na ala oeste do campo ontem no final do dia* — ele disse com a boca cheia de purê de batata. — *Alguns dizem que foi ordem do comandante Herr Göth. Mas ouvi dizer também que a ordem veio de Berlim.*

— *E o que isso importa?* — perguntou outro jovem, enquanto bebia água. — *Meter bala em alguns judeus não é algo que me fará perder o sono.*

— *O que o nosso amigo está querendo dizer* — interveio Heinz — *é que é uma ação que foge do padrão deste lugar. Também ouvi histórias desse tipo. Alguns soldados mais velhos, aqui na Cracóvia, afirmam que a execução sumária de prisioneiros, sem aparente justificativa, está aumentando.*

Aqueles comentários me davam náusea. Eles falavam sobre vida e morte, sobre extermínio, como se conversassem a respeito de uma partida de futebol entre dois times. Além disso, executar alguém sem um mínimo argumento plausível, que não fosse o de se estar em lados opostos na trincheira, numa situação de matar ou morrer, parecia algo bastante distante para mim.

— *Não acredito* — por fim, me manifestei. — *Eu não ouvi nada sobre isso, Heinz. Por que matariam trabalhadores se precisamos deles?*

— *Aí é que está* — disse o garoto da franja. — *Mais e mais caminhões com prisioneiros estão chegando. Parece que vêm de vários lugares da Polônia, da Alemanha, da Hungria e da Romênia. Todos judeus.*

— *Talvez eles estejam querendo fazer uma limpeza e renovar a mão de obra* — brincou Heinz, esbanjando um sorriso cínico.

Todos riram, menos eu. Eu sabia que era perigoso não rir de certos tipos de piada que envolviam absurdos com judeus. Também sabia que estava sendo visado depois do episódio com Mariele, inclusive por Heinz. Meu melhor amigo havia mudado comigo. Não, ele havia, simplesmente, mudado. E ponto final. Em certos momentos eu não reconhecia mais o garoto inteligente e astuto, com um brilho cativante nos olhos. Um carisma enorme, que ele mesmo desconhecia. Heinz parecia contaminado; impregnado da atmosfera de Plaszow, possuído pelo uniforme que envergávamos e pela causa por que lutávamos.

— *Nunca mais viu sua amiguinha judia, Seemann?* — perguntou outro jovem soldado, cujo nome era Marcus. Marcus Bauer. Eu tenho motivos *especiais para me recordar dele e de seu nome. Motivos que, no entanto, eu não gostaria de ter guardados em minha memória.*

— Olaf me prometeu que não chegaria mais perto da vaca judia — disse Heinz, terminando seu prato. — Não é, Olaf?

O tom de voz de meu amigo era de desdém. Como se eu estivesse doente, ou demente. Ou ambos.

— Fala a verdade, Seemann. Você fodeu com ela? — *o rapaz da franja falava novamente.* — Como é trepar com uma judia? Elas devem gemer como porcos. Ou seria como ovelhas? Ouvi dizer que judeus adoram ovelhas... É histórico. Beeeeeeeh! — *Mais uma vez, risadas explodiram no ar.*
— Foi assim que ela fez quando experimentou um homem alemão?

De novo, risadas. Risadas histéricas, desumanas.

— Ela é uma menina — *respondi, engolindo em seco.* — E uma prisioneira. Por que eu teria qualquer relação com ela?

— Teria coragem de meter uma bala na cabeça dela? — *Marcus suspendeu sua pistola e a envergava, orgulhoso, bem diante dos meus olhos.* — Se estão executando ratos judeus, provavelmente logo ela estará no paredão de fuzilamento também, Seemann. E, daí, como será?

Acendi um cigarro. Não queria responder. Não queria pensar nessa possibilidade. Amaldiçoei Guinle por não me trazer uma resposta positiva de Mariele.

Um oficial entrou no refeitório, berrando em voz de comando para que todos se alinhassem e se apresentassem de imediato no pátio principal.

Em movimentos que pareciam sincronizados, todos nós, soldados, arrumamos nossos uniformes, colocamos nossas armas no coldre, e os capacetes, na cabeça.

Dirigimo-nos até o pátio e logo colocamo-nos em fileiras. O Sturmbannführer *Hummels ordenou que ficássemos em posição de sentido. Cruzando o pátio, três caminhões estacionaram à nossa frente. Como se fossem carga, centenas de homens desmilinguidos desceram das carrocerias. Havia algumas mulheres e crianças também, mas eram minoria.*

Nossos soldados empurravam aquelas sombras humanas para o centro do pátio. Alguns, mais duros, acertavam os prisioneiros com os rifles.

O Sturmbannführer *Hummels deu novo comando, ordenando que nos alinhássemos. Junto de alguns oficiais de alta patente, o comandante do campo de Plaszow,* Herr Amon Göth *em pessoa, caminhava lentamente em nossa direção. Andava como um lorde. Boatos diziam que Göth era, ao mesmo tempo, um sujeito de gestos nobres, da mais fina estirpe ariana e, também, um sádico sanguinário. De qualquer modo, sua postura gélida me dava o ímpeto de me prostrar, de joelhos, rendido. Havia algo muito, mas muito estranho no comandante; nunca desejei estar com ele frente a frente.*

O comandante parou ao lado do Sturmbannführer *Hummels e acendeu um cigarro longo. Tragou e, então, perguntou, em um tom suficientemente alto para que fosse ouvido por todos:*

— Já informou a novidade aos homens, Sturmbannführer *Hummels?*

— Não, senhor comandante. Estava aguardando o senhor para dar as boas-novas aos soldados — respondeu o Sturmbannführer *Hummels, em posição de continência. E, virando-se para nós, disse: — Soldados, estes prisioneiros que estão diante de vocês são mais judeus que chegaram da Baixa por ordem do Reich e do* Führer, *judeus dos campos próximos estão sendo trazidos a Plaszow, o que coloca muito mais responsabilidade sobre nossos ombros.*

Um leve murmurinho fez-se ouvir na tropa.

— Como também já devem ter escutado, a propaganda dos inimigos nos ataca diretamente, afirmando que choramos por nossas baixas nas fronteiras leste e oeste, o que é uma mentira deslavada. Segundo o próprio Führer *afirmou a* Herr Comandante Göth, *nossos soldados estão dando exemplo de perseverança e talento na guerra contra os inimigos que nos atacam pelo flanco ocidental e, também, pelo lado soviético. Por isso, só temos mais e mais motivos para mantermos nosso moral elevado. E é justamente com base nesse moral que a Alemanha precisa que cumpram com esmero seu dever. E a ordem imediata é que acomodem esses novos prisioneiros nos alojamentos e que, para que mantenhamos a ordem, selecionem homens e mulheres feridos, doentes ou que se enquadrem em situação de problema, agrupem-nos e levem-nos para a ala oeste. Quero que informem de imediato a seus*

superiores qualquer tipo de resistência. E quero que seus superiores me informem caso haja problemas.

O comandante Göth apagou o cigarro, pisoteando-o com a bota. Então falou, pronunciando cada palavra com uma calma assustadora:

— O que o caro Sturmbannführer Hummels *quer dizer, soldados, é que devemos receber mais e mais prisioneiros nos próximos dias. E é urgente que separemos o que presta do que não presta. Essa é nossa missão neste campo; essa é a missão a mim incumbida pelo* Führer; *e a missão que vocês cumprirão com esmero, como legítimos soldados alemães. Fui claro?*

Todos respondemos um "Sim, senhor" em uníssono e, em seguida, gritamos "Heil, Hitler" com toda a força de nossos pulmões. Então, puxados pelos comandantes dos pelotões, colocamo-nos em marcha. Parte do grupo ficou responsável por agrupar os novos prisioneiros. Observei que vários estavam em estado lastimável; esses eram agrupados em separado dos demais.

Um segundo grupo partiu para reunir os prisioneiros que se encontravam no campo de trabalhos.

Outros soldados, incluindo eu, dirigiram-se aos alojamentos. Lá, os grupos foram outra vez divididos e enxerguei a oportunidade de reencontrar Mariele. Desse modo, juntei-me aos que se dirigiam aos alojamentos femininos.

Cheios de energia, meus colegas colocavam todos os prisioneiros para fora. Meus olhos percorriam todos os lugares, procurando freneticamente por Mariele. No entanto, só consegui enxergar velhas doentes ou mulheres extenuadas. Todas eram empurradas para fora e reunidas como gado. Eu procurava não pensar em toda aquela violência; queria apenas me confundir na corrente de ações que se desenrolava e encontrar a garota judia.

Pouco à frente de mim, um soldado espancava um prisioneiro e desferia vários palavrões contra ele. Eu conhecia a vítima; jovem, baixo e mirrado, contudo, conhecido como um verdadeiro problema. Havia tentado atacar um soldado inexperiente certa vez. Apanhara tanto, que quase morreu. Naquele instante, estava levando outra surra. Quase sem sentidos, foi arrastado pelo braço para junto dos demais.

— Ajudem este verme! — ordenou o soldado a um bando de mulheres velhas.

Alguém puxou a manga de meu uniforme. Meu coração pulou; Mariele. Virei-me e me deparei com Guinle.

— O que está havendo? Para onde estão levando eles?

— Foram ordens. Só sei isso — eu respondi. — Saia daqui antes que arrume encrenca.

— Vi sua jovem judia. Ela foi levada com outras mulheres. Falaram que Göth queria vê-las – cochichou Guinle antes de desaparecer.

Minhas pernas tremeram. Por que o comandante desejaria ver Mariele? O que poderia querer com ela?

— Anda, Seemann. Leve esse grupo para o pátio, garoto — ordenou um dos oficiais, tirando-me do transe.

O grupo a que meu superior se referia era de homens doentes e feridos. A maioria, jovens, talvez um pouco mais velhos do que eu. Porém, não eram todos que conseguiam resistir ao trabalho e à péssima alimentação.

— Para lá! Para lá! — ordenou outro soldado, mais velho, apontando-me a direção para onde eu deveria conduzir o grupo. Notei que os rapazes, magros e pálidos, caminhavam como mortos-vivos; trombavam uns nos outros descoordenadamente. Aparentavam mover-se apenas por instinto, já que nada de humano parecia ter sobrado neles.

Durante o percurso, vi um caminhão com vários prisioneiros e prisioneiras dirigindo-se para a ala oeste do campo. O que fariam com eles, afinal? Lembrei-me do que Marcus e os outros disseram: que prisioneiros estavam sendo executados.

Tudo estava acontecendo rápido demais e eu só tinha tempo para agir e cumprir ordens. Conduzi meu grupo de prisioneiros até a carroceria de outro caminhão; alguns, fui obrigado a ajudar para que conseguissem subir. Era estranho. Eles me olhavam com gratidão, como se fosse algo do outro mundo um soldado alemão lhes oferecer ajuda. Acho que nunca esquecerei aqueles olhares.

— Sobe, garoto. Sobe! — ordenou um **Scharführer***, de cujo nome não me lembro, que acompanhava o caminhão. — Hoje é dia de vocês, jovens, perderem a virgindade. Anda!*

Sem compreender, obedeci. Conforme o caminhão se deslocava pelo percurso de terra, eu procurava por Mariele entre os grupos de prisioneiros que estavam sendo reunidos.

Paramos diante do muro oeste e os prisioneiros foram obrigados a descer. Havia outros grupos ali, tanto de homens como mulheres. Todos recebiam ordens para que se enfileirassem. Avistei Heinz e, assim que o caminhão ficou vazio, caminhei em sua direção.

— Heinz, o que está havendo?

Ele fumava um cigarro e me ofereceu outro. Aceitei e acendi.

— Já ouviu falar em pelotão de fuzilamento, Olaf? — ele me perguntou aquilo com uma indiferença assustadora.

Voltei os olhos para o que acontecia à minha frente e então percebi. Grupos de doze, quinze ou vinte prisioneiros estavam sendo alinhados junto ao muro. À frente deles, grupos de soldados (vários deles jovens que haviam chegado a Plaszow comigo) apontavam seus rifles em sua direção.

— Hora de saborear o orgulho alemão, rapazes — disse o oficial que, pelo jeito, estava no comando. — Sentido! Preparar...

As armas foram engatilhadas.

— Apontar...

Todos os prisioneiros estavam na alça de mira.

— Fogo!

Após o estrondo, os corpos caíram. O oficial ordenou que um dos jovens soldados verificasse se havia alguém vivo. Então, acenou para que eu, Heinz e outros soldados nos aproximássemos.

— Hora de treinar tiro ao alvo, garotos — disse o oficial.

Apaguei o cigarro e segurei o rifle. Não sabia o que fazer. Nunca havia matado uma pessoa. Tudo aquilo era insano demais. Era como se, de repente, alguém puxasse as cortinas, e eu pudesse enxergar, claramente, o palco tenebroso que estava à minha frente. Onde eu havia estado aquele tempo todo? Ou, pior: em que eu preferira acreditar durante todos aqueles anos? Não fora Heinz que havia mudado; desde sempre, ele compreendera o que significava ser um jovem seguidor do Führer. Era eu que estava cego. Convenientemente cego.

Recebemos ordem para engatilhar nossas armas assim que um novo grupo de doze prisioneiras, mulheres, se alinhou junto ao muro.

— Apontar!... — era uma nova ordem.

Coloquei uma senhora em minha alça de mira. Parecia ser a mais velha do grupo. Seus lábios tremiam freneticamente. Notei que várias tinham as calças molhadas de urina. Eu estava presenciando o pavor puro.

Ao terceiro comando, atiramos. Fui o último a disparar. Por segundos, pensei que não seria capaz de puxar o gatilho. Contudo, se não o fizesse, eu estaria morto. A munição era conferida após as sessões de fuzilamento e, se notassem que minha arma não tinha disparado, sem dúvida eu estaria no próximo grupo de mortos.

Hoje, no final de minha vida, penso que não deveria ter disparado. Aceitar a morte com honradez é infinitamente melhor do que se apegar à vida com vergonha. Mas eu era jovem e pensava em Mariele. E era ela que estava em minha mente quando, por fim, percebi que todos os prisioneiros diante do meu pelotão estavam caídos. No final, eu havia matado alguém.

— Ei, você! Vai verificar se estão todos mortos — ordenou-me o oficial.

Coloquei o rifle a tiracolo. Minhas mãos ainda tremiam, assim como minhas pernas. Uma por uma, verifiquei a respiração das prisioneiras. Uma mulher de meia-idade, que tinha o corpo coberto por pústulas, tremia em espasmos. Um fio de sangue e saliva escorria por sua boca.

— Ela está viva, senhor — eu disse.

— Então acabe com o sofrimento dela, garoto — mandou o oficial, rindo com ironia.

Saquei a pistola e mirei. A distância era curta, e eu não erraria. Fechei os olhos e ouvi a voz de Heinz atrás de mim.

— Atira logo, Olaf — ele mandou.

Atirei. Quando abri novamente os olhos, a mulher já não se mexia. Os espasmos haviam cessado.

Capítulo 15

São Paulo, Brasil
27 de dezembro de 2006

Às nove e meia, com algum tempo de atraso, a reunião entre nossa equipe e o time de Marketing da Strongmen iniciou.

Assumi meu posto de mero espectador ao lado de Rosa e, juntos, assistimos a Estêvão dar um show de competência ao explicar sobre a campanha utilizando recursos de animação do PowerPoint para, depois, mostrar o conceito, peça por peça, da ideia que *eu* havia concebido.

Heloísa sentou-se à ponta da mesa oval, junto das três pessoas do marketing do cliente — dois homens e uma mulher, que parecia ser a mandachuva. Ao final, todos os três aplaudiram a apresentação, acompanhados por Heloísa que, no intervalo das palmas, olhava para nós como se implorasse para fazermos o mesmo e aplaudirmos freneticamente o espetáculo solo de Estêvão.

— De fato, vocês estão de parabéns — disse a mulher, com forte sotaque do Rio e cujo nome escrito no cartão era Ana Rúbia. — Acho que desta vez vocês captaram perfeitamente o mote de nosso produto.

E, virando-se para Heloísa, emendou:

— Confesso que fiquei preocupada — disse. — Cheguei a pensar que havíamos errado em escolher a Royale como nossa agência para este trabalho. Mas, agora, sou obrigada a aplaudir. Belíssimo trabalho.

Naquela hora, ela falava diretamente com Estêvão, que parecia um pavão, contendo o desejo irresistível de abrir sua cauda e exibir as penas coloridas — de preferência, como destaque num desfile da Sapucaí, saracoteando sobre todo o meu orgulho profissional.

— Claro, vocês sabem que nosso prazo é apertado. Toda a campanha deve estar pronta em abril, em versão para ir ao ar em tevê, ponto de venda, rádio e mídia impressa no final de maio, início do inverno — continuou Ana Rúbia. — Desnecessário dizer que, para nossa empresa, a Strongmen é o produto-chave... não, melhor dizendo... é a chance que temos de desbancar em *market share* nosso concorrente direto. Temos um produto melhor, mais qualidade e, agora, uma comunicação à altura do que a marca de fato é. Meus parabéns!

Ela, acompanhada pelos outros dois caras do marketing, apertavam as mãos de Heloísa e Estêvão, o qual, coroando seu sucesso, acenou para que nos aproximássemos.

— Não teria tido sucesso sem uma equipe competente, devo dizer — ele falou, gesticulando para que nos juntássemos a eles. — Ana, este é o cérebro por trás do meu time — falou, colocando a mão sobre meu ombro.

Eu havia entendido bem? Sim, havia! Ele falara *meu time*.

— O Hugo é um dos caras mais competentes desta agência. Nosso orgulho! Não é verdade, *Gaúcho*? — O perfume CKBe de Estêvão penetrava em minhas narinas, causando-me náuseas.

Estampei o sorriso mais falso que consegui e apertei a mão da mulher. Repeti o cumprimento com os outros dois e deixei a sala. Na copa, servi-me de café, enquanto passava os dedos nos olhos. Minha cabeça latejava.

— Eu sinto muito, Hugo. — Rosa entrou na copa e me abraçou. —Mas, pelo menos, ficamos com a conta. Você sabe como a Strongmen era estratégica para a agência, não sabe?

— O pior é que sei, Rosa. Eu sei — eu disse. — O que me mata é ver Estêvão tripudiando e cantando de galo com a minha ideia.

Rosa suspirou, dando de ombros.

— E o que você pretende fazer?

— Não sei — respondi, esticando o pescoço e olhando na direção da minha mesa, sobre a qual estava o vaso com as cinzas do meu pai e o caderno de capa de couro. Depois do ocorrido, não me sentia seguro de deixar esses dois itens para trás, e levá-los comigo ao trabalho foi a melhor coisa em que consegui pensar.

— Você dormiu pelo menos? — perguntou Rosa, servindo-se de chá. — Não consegui pregar os olhos. Laísa também não. A coitadinha quase teve uma crise histérica.

— Também não dormi. Quer dizer, fechei os olhos umas duas horas. Estou morto.

— Viu, Hugo, até quando vai andar por aí com essa urna funerária? É meio... tétrico... perambular por São Paulo com as cinzas do pai. — Rosa olhava com curiosidade para o vaso sobre minha mesa.

— Preciso resolver isso também — falei, deixando a caneca dentro da pia e caminhando para o meu lugar.

Conferi meus e-mails por cerca de dez minutos até que meu ramal tocou. A recepcionista anunciava que havia um homem querendo me ver.

— Ele disse que é o inspetor Machado, Hugo. O que a *polícia* quer com você?

— Não te contei?! Deve ser por causa da mulher que comi viva em meu apartamento ontem — respondi. — Você não sabe, mas sou canibal.

A recepcionista resmungou algo que não compreendi e, então, pedi que ela orientasse o inspetor a me aguardar na sala de reunião e desliguei.

Mais essa agora?! O que aquele cara queria comigo?

— Você tá pálido — disse Rosa, retirando os fones de ouvido. A melódica trilha com toques do som celta do The Corrs tomou conta do ambiente.

— Fica de olho no vaso e neste caderno pra mim, por favor — pedi. — Se alguém chegar perto, pode morder.

Ela me mostrou o dedo do meio e eu retribuí com uma piscadela.

~~~※~~~

O detetive me recebeu com um sorriso e um aperto de mão.

— Como está, senhor Seemann? Conseguiu dormir um pouco?

— Não — respondi, acenando para que ele se sentasse. — O senhor quer um pouco de café, detetive?

— Não, obrigado. Estou tentando diminuir por causa da gastrite — ele disse, retirando o caderninho do bolso da camisa e colocando-o sobre a mesa. — Para ser franco, eu também não dormi. A madrugada passada foi agitada e, depois de concluir meu relatório, ainda fiquei *encasquetado* com algumas coisas.

— Não me diga... — falei, coçando a testa. Minha cabeça doía tanto, que eu tinha vontade de chorar.

— Pois é. E sabe o que faço quando estou matutando sobre algo e não consigo achar as respostas? Eu converso com os outros — disse ele, abrindo o caderninho com uma calma assombrosa. — Foi então que decidi ligar de novo para meu colega de Nova Petrópolis, aquele delegado de nome enrolado, que parece raça de cachorro... Schaumann. Esse é o nome dele!

— Sério? E o que ele te contou? — perguntei, sem muito interesse. Na hora, não me ocorreu nada que o delegado aficionado por pescaria pudesse dizer que me colocasse em maus lençóis.

— Bom, ele demorou a me atender. Afinal, há pouco foi Natal. Mas, enfim, eu fui insistente. E valeu a pena. Falei novamente com ele sobre o episódio de ontem à noite no seu apartamento e pedi algumas informações. Também pedi que ele me enviasse por fax a cópia do boletim de ocorrência que o senhor fez no dia 25.

— Espero que o tenha ajudado a descobrir quem matou minha tartaruga e destruiu meu apartamento, detetive — eu disse, com extremo mau humor.

— Na verdade, não me ajudou. *Ainda*. Mas descobri outras coisas curiosas que podem lhe interessar, senhor Seemann. — Ele folheou o caderninho e então disse: — Aqui está! No B.O. que fez lá no Sul, o senhor citou que um homem de idade, chamado... Klaus Schneider, abordou-o várias vezes e, inclusive, parecia vigiar a casa em que seu pai morava na manhã em que aconteceu a tentativa de roubo.

— Isso — concordei. — Era um velhinho bem estranho.

— Acontece, senhor Seemann, que o senhor Schneider simplesmente desapareceu. Ninguém sabe dele desde o dia 25 de dezembro pela manhã.

Quase caí da cadeira.

— Como assim?!

— O que o senhor ouviu. Ninguém consegue localizar o sujeito desde o dia de Natal. Aparentemente, a casa dele está em ordem; o mesmo vale para a oficina de carpintaria, segundo o delegado de lá me informou. Como já se passaram dois dias, a polícia está começando a mexer os pauzinhos. Nem a família dele em Porto Alegre sabe de seu paradeiro, e estão todos preocupados. E isso nos traz de volta ao senhor, Seemann.

— O que quer dizer?! Acha que tenho algo a ver com o sumiço do velhote?

— Não. Bom, *acho* que não — o inspetor respondeu. — O senhor estava em São Paulo e, mesmo sem saber, tem álibi. Segundo o delegado Schaumann averiguou, o senhor esteve na residência do senhor Schneider no dia 25. Conversou, inclusive, com uma vizinha. Também procurava pelo senhor Schneider e, segundo a mulher confirmou, a casa já estava vazia na ocasião. Mas, sem dúvida, é estranho.

— Também acho... — murmurei. — Olha, eu não tenho nada a ver com isso. Realmente, o tal Klaus é esquisito. Veio falar comigo sobre meu pai, depois eu o vi olhando a casa. Após o roubo, pensei que ele soubesse de algo. Ou tivesse visto alguma coisa. Por isso fui atrás dele. Vai ver o velho tem algum tipo de problema, perdeu a lucidez e está perambulando por aí.

— É uma hipótese. Mas, segundo me informei, o senhor Schneider estava bem e de posse de suas faculdades mentais, senhor Seemann. Mas não é tudo. Agora, vem a cereja do bolo.

— Como assim?

O inspetor Machado suspirou e fechou o caderninho.

— Me propus a ajudar os colegas do Rio Grande do Sul e também pedi para o pessoal dar uma fuçada. E, pasme: não existe registro oficial de nenhum Klaus Schneider.

Meu coração disparou.

— Do que está falando?

— O senhor Klaus Schneider tem cidadania brasileira, mas nasceu na cidade de Colônia, na Alemanha. Emigrou, segundo os registros, em 1954, desembarcando em São Paulo. Porém, esses são os registros que a Prefeitura de Nova Petrópolis e o controle de imigração têm. Porém, conforme fomos nos aprofundando, e de acordo com os registros oficiais, não existe nenhum RG ou CPF com o nome Klaus Schneider. Isso quer dizer que o homem usava documentação falsa. Aliás, um belo trabalho de falsificação, devo dizer.

— Não estou entendendo... — balbuciei.

— E, agora, o sujeito está desaparecido. E, ao que tudo indica, o senhor foi uma das últimas pessoas que o viram. Agora, liguemos os fatos. O senhor *topa* com Klaus Schneider, um octogenário, olhando para a casa do seu pai no dia 25 pela manhã e, pouco depois, o homem desaparece sem deixar rastros; o senhor acha o sujeito estranho e o cita no boletim de ocorrência. No dia seguinte, seu apartamento é invadido e revirado. Um recado em alemão é deixado em sua parede. Ainda acha que vou acreditar que não está escondendo algo, senhor Seemann?

Eu tamborilava os dedos na mesa. O que poderia dizer para tirar aquele policial do meu pé? E se minha vida corresse mesmo risco? E se o tal Klaus estivesse, naquele momento, me aguardando em algum lugar? Claro, ele tinha idade avançada e não agiria sozinho. Mas tinha algo errado. Quem era aquele velhote, afinal?

Depois de um silêncio incômodo, o inspetor Machado disse:

— Dependendo do que eu descobrir, senhor Seemann, posso intimá-lo a prestar depoimento oficial na delegacia. Mas, por enquanto, estou conversando com o senhor como amigo. Então, repito: há algo que eu deva saber e que o senhor não me contou?

— Colônia... — eu disse, por fim — ... também é a cidade em que meu pai nasceu, detetive. Meu pai também é um imigrante alemão, assim como esse Klaus. E, parece, os dois se conheciam e conversaram pouco antes de o meu pai morrer.

Tentei ponderar e resumir parte dos fatos ao inspetor Machado. Eu não estava em condições de pensar com clareza, mas me pareceu, na ocasião, a única coisa a ser feita.

Não comentei nada sobre Mariele Goldberg ou a respeito dos relatos de meu pai sobre o Campo de Trabalhos Forçados de Plaszow.

— Não sei quem ou por que alguém estaria atrás de mim. Mas, de algum modo, tem a ver com meu pai e com algo em seu passado — eu prossegui dizendo e mentindo. Pretendia ganhar tempo até terminar a leitura do caderno com as anotações do velho Olaf e descobrir algo mais sobre o que estava havendo. — É o que sei. E é a verdade. Só posso deduzir que esse velho... Klaus... tem alguma ligação com tudo o que estou vivendo e quero tanto quanto o senhor encontrá-lo.

— Isso, se ele estiver vivo, senhor Seemann. — O detetive Machado me lançou um olhar questionador e não pude evitar sentir medo. — No que compete a mim, posso lhe garantir proteção até que descubramos algo. Mas para isso o senhor precisa entrar com um pedido formal e relatar que, de fato, se sente ameaçado.

Agradeci e prometi pensar. Sim, eu estava morrendo de medo. Mas não queria que a polícia atrapalhasse, de algum modo. Antes, eu precisava terminar de ler o caderno. Também já pensava seriamente, àquela altura, em viajar para a Alemanha. Mais especificamente, para a cidade natal do meu pai, onde as coisas tinham um ponto de partida e, quem sabe, tudo faria mais sentido.

— De qualquer modo, seguiremos em contato — disse o inspetor, despedindo-se.

— Estou sendo investigado ou algo assim? — perguntei, tentando manter o bom humor, enquanto apertava a mão do policial.

— Não, não, senhor. Pelo menos, não ainda. Tenha um bom dia — ele disse, saindo em direção ao elevador.

Permaneci parado junto à porta de vidro na entrada da agência. Se eu não estava sendo formalmente investigado, não haveria problema em fazer uma breve viagem à Alemanha.

Retornei à minha mesa, onde Rosa me aguardava com uma expressão curiosa.

— E aí? — perguntei a ela.

— Tudo normal. Ninguém chegou perto da urna, então, não precisei morder ninguém. Que pena. Mas seu celular apitou. Acho que tem mensagem.

— Obrigado, você é um anjo — eu disse, pegando o celular para conferir os torpedos.

— Estêvão convidou todos para um *happy hour* hoje. Disse que paga a comida. Você vai?

— Nem pensar — respondi, esquecendo-me momentaneamente dos SMS. — Ainda tenho um apartamento para arrumar.

— Quer ajuda? Posso combinar com a Laísa.

— Obrigado! Eu adoraria, mas vocês têm que curtir um pouco a vida de vocês.

Depois de conferir que a mensagem em meu celular era sobre um novo plano pós-pago, deletei o conteúdo e me detive nos e-mails.

A maioria era mais lixo eletrônico, mas um, em especial, me chamou a atenção. O assunto era "Cuidado". Cliquei e li. A mensagem tinha apenas uma linha: "Cuidado. Não se deve mexer nos segredos da *Schwarze Dichtung*".

— Que merda é essa?... — murmurei.

O remetente provinha de um plano de e-mails gratuito e o nome de usuário era "anjodeplaszow".

— Plaszow?... — disse, em tom quase inaudível. Olhei para o lado e conferi que Rosa já havia recolocado os fones de ouvido e mergulhado no trabalho. Então cliquei no botão "Responder" e digitei: "Quem é você? O que é *Schwarze Dichtung?*".

— Hugo! — a voz de Estêvão soou como um estrondo atrás de mim. — Estou indo almoçar; quer vir junto? Preciso conversar com você.

Meu sangue ferveu. Olhar para o sorriso imbecil de Estêvão era relembrar meu fracasso.

— Que pena, não posso — disse. — Fiquei vários dias fora e tenho que pôr muita coisa em ordem.

— Puxa, que droga! Então falarei agora mesmo. O que eu quero te dizer — Estêvão colocou a mão sobre meu ombro, mostrando um tipo de intimidade que não tínhamos — é que dependo muito de ti no trabalho com a Strongmen. E, também, quero ter certeza de que não há ressentimentos por Helô ter me colocado na chefia da campanha.

— Fica frio — respondi. — A culpa foi minha. Tive que me ausentar e...

— Ótimo! — ele retornou com a animação histérica. — Será um extraordinário trabalho em equipe!

Estêvão abriu a gaveta de sua mesa, espirrou um pouco mais de perfume e arrumou a gola da camisa estilo *bad boy*.

— Tchau *procês* — disse. — Hoje, quero celebrar com sushi.

— Tomara que engasgue com uma espinha do salmão — murmurou Rosa, piscando para mim.

Ri, apesar de não achar nada daquilo engraçado. Pela primeira vez em anos de profissão, eu realmente sentia o amargo sabor do fracasso. Pior: eu me sentia um estranho no ninho no novo ambiente da Agência Royale, no qual Estêvão tornara-se o novo senhor.

Minha caixa de entrada sinalizou a chegada de um novo e-mail com remetente "anjodeplaszow". Engoli em seco e cliquei. Não havia nada escrito, apenas um link para um site denominado "O misticismo por trás do nazismo/*Schwarze Dichtung*".

— Vamos almoçar, Hugo? Você está precisando arejar — disse Rosa.

— Não vai dar, obrigado. Sério, tenho trabalho a fazer — eu disse, minimizando a tela do Outlook e abrindo meu Photoshop.

— Você quem sabe. Beijos — disse ela, apanhando a bolsa e saindo.

Quando me vi só, abri outra vez o programa de e-mails e cliquei no link. Uma página com o fundo em branco e vermelho, estampando a suástica nazista ao centro, saltou diante de meus olhos. O título da *home page* resumia do que se tratava: "Estudos acadêmicos sobre o misticismo e o ocultismo nos bastidores do Terceiro Reich".

Na sequência, havia um artigo assinado por um doutor em Estudos da Segunda Guerra e Alemanha Nazista da Universidade Federal do Rio Grande do Sul, chamado Wilson Keller, denominado *Schwarze Dichtung: O selo negro do nazismo alemão.*

— Aqui vamos nós... — murmurei, iniciando avidamente a leitura.

Capítulo 16

O artigo narrava estudos realizados pelos nazistas sobre as chamadas "ciências ocultas". Segundo o tal professor Wilson Keller, apesar de seguir durante a linha do racionalismo, que explicava, por *A mais B,* a superioridade da raça ariana, os nazistas secretamente dissecaram várias correntes adeptas do sobrenatural, ou, ainda, fenômenos inexplicáveis.

Keller citava vários estudiosos alemães, ingleses e norte-americanos que afirmavam, via documentos, que o próprio Adolf Hitler, juntamente com membros de alto escalão do Partido Nazista, nutria uma curiosidade quase doentia pelo ocultismo. E isso envolvia o estudo aprofundado de seitas messiânicas, rituais pagãos e até mesmo o revisionismo de vários milagres atribuídos a Jesus Cristo.

Um autor chamado Bernard Dill, de origem inglesa, afirmava, segundo citação de Keller, que o *Führer* chegara a praticar repetidas vezes o sacrifício de bodes em plena sede do governo alemão em Berlim. Disfarçada de tentativa de desmistificar esse tipo de ritual, o estudioso afirmava que Hitler, no fundo, acreditava que isso traria algum tipo de boa sorte ou proteção ao Terceiro Reich. A partir de 1942, quando se iniciou a derrocada das tropas alemãs, esses rituais se intensificaram, bem como os estudos nazistas sobre o "oculto".

Para coordenar as pesquisas, Hitler nomeara um filósofo da Universidade de Munique, chamado Peter Lund. A ele incumbiu-se a missão de criar um núcleo dentro do Partido Nazista, com sede em Berlim, para estudar, analisar e, se possível, revogar toda e qualquer "crendice", sobretudo aquelas que pudessem pôr em xeque o mito da superioridade ariana. A esse núcleo fora dado o nome de *Verstecktstudiumliga,* ou Liga de Estudos do Ocultismo. Esse grupo deveria trabalhar em extremo sigilo. Os encarregados de abafar qualquer manifestação considerada não fundamentada pela *Verstecktstudiumliga* formavam uma espécie de tropa de choque a qual foi chamada de *Schwarze Dichtung*. Dela, faziam parte tanto intelectuais nazistas como também professores irlandeses estudiosos dos ritos celtas, indianos e até mesmo belgas, que se aprofundaram no estudo de religiões africanas.

Wilson Keller ainda revelava em seu artigo que havia uma espécie de consenso entre os pesquisadores sobre a dicotomia que havia em Hitler. Sua ânsia por desmitificar o sobrenatural provinha, segundo ele, de sua necessidade de crer em algo superior, que reinasse sobre a matéria humana. Sendo isso verdade, Keller ainda afirmava que o *Führer* deveria ser a pessoa mais atormentada que já tinha pisado esta terra, uma vez que, ao mesmo tempo que financiava grandes massacres, também procurava uma explicação lógica para uma energia divina.

Um trecho também me chamou a atenção. Em 1944, após o vergonhoso massacre imposto pelas tropas soviéticas, Hitler convocara Lund em pessoa, sob extremo sigilo, para que este se incumbisse de promover um ritual semelhante ao vodu, cujo alvo seria Josef Stalin. Lund, na ocasião, chamara um professor da Universidade de Marselha, estudioso de ritos africanos e caribenhos, para satisfazer a vontade do *Führer*. Obviamente a empreitada de Hitler não funcionou, e Stalin continuou *vivinho da silva* até o final da guerra. O desespero de Hitler chegou a tal ponto que o líder nazista ordenou, de acordo com as fontes, sacrifícios de judeus seguindo ritos pagãos, na tentativa de mudar a sorte de seu exército. Tudo em vão.

Ao final, o artigo citava várias referências bibliográficas e nomes de autores que se dedicavam a estudar o ocultismo por trás do Terceiro Reich. É óbvio que eu não teria tempo de ler sobre todos, mas havia uma pessoa em especial que eu poderia contatar: o professor Wilson Keller.

Se o tal "anjodeplaszow" estivesse certo (e confesso que pensar que ele estava certo me causou arrepios), essa organização, *Verstecktstudiumliga*, continuava de alguma forma ativa. Seriam eles a quem Olaf tanto temia? Mais uma vez, tudo apontava para o caderno de anotações que meu pai havia me deixado.

O pessoal da agência começava a retornar do almoço e tive que fechar a página do site. Se andar com o vaso de cinzas do velho Olaf já era estranho, vasculhar estudos sobre possíveis rituais de magia negra em plena Alemanha nazista com certeza se tornaria caso de Rivotril. E tudo o que eu não precisava, naquele momento, era que pensassem que eu estava perdendo o juízo.

Antes, porém, tomei o cuidado de anotar o e-mail do tal Wilson Keller, inserido como contato sob a foto do autor — um homem magro e de olhar astuto, com cerca de 60 anos.

Entrei no Outlook e rapidamente redigi um e-mail para o professor Keller.

"Li seu artigo sobre O Selo Negro do Nazismo Alemão. Estou escrevendo um livro sobre esse tema e gostaria de conversar com o senhor. Como posso contatá-lo?

Atenciosamente,
Hugo Seemann"

Ok. Pode não ter sido uma brilhante ideia, mas foi o que me ocorreu no momento. Cliquei em enviar e fiquei torcendo por uma resposta em breve.

Restou-me, então, passar o restante da tarde cumprindo minhas tarefas como subordinado de Estêvão. Animado, ele retornara do almoço e convocara a equipe de criação para uma reunião durante a qual traçaríamos todo o planejamento para a execução final da campanha da Strongmen. Um grupo ficaria encarregado do contato com as emissoras de tevê, enquanto outro, que incluía a mim e Rosa, estudaria os pontos mais oportunos para a comunicação visual externa.

— Isso tem que ser um estouro, gente! — disse Estêvão, ao finalizar a reunião. — Essa porra de campanha tem minha assinatura e a assinatura da Agência Royale. Não podemos falhar. Estamos entendidos?

Respondemos de modo uníssono que havíamos compreendido e deixamos a sala de reunião.

— Já estou com saudade de ter você como chefe, Hugo — comentou um estagiário ao passar por mim. Era um rapaz jovem e promissor e, como todo jovem promissor cheio de adrenalina e testosterona, parecia ansioso por andar com as próprias pernas e dar um chute no traseiro de todos ali.

— Segura a onda — eu disse. — Nesse mercado, você vai trabalhar com todo tipo de chefe, até se sentir seguro para se tornar um. Entendido?

O jovem fez que sim, ainda que contrariado.

— Perfeito — eu disse, e ele se afastou.

— Olha, olha! Bonito discurso — Rosa caçoava atrás de mim. — Acredita mesmo no que acaba de dizer?

— Nem um pouquinho — respondi. — Mas acho que surte efeito moral.

Dedicamo-nos, por várias horas, ao trabalho de pesquisar e levantar possíveis pontos para levarmos a cabo o projeto de comunicação visual da Strongmen. Isso envolvia pontos estratégicos em shopping centers, bares da Vila Madalena, frequentados por públicos formadores de opinião e, também, contatos preliminares com jornalistas da grande mídia do segmento de Bares e Lazer. Isso nos consumiu quase a tarde toda. Às seis, o expediente estava encerrado e a equipe já se preparava para ir embora.

Sinceramente, eu estava feliz pelo dia ter se encerrado. Antes de desligar o meu Macintosh, conferi o Outlook outra vez. Entre *spams* e e-mails de cursos de atualização, havia uma mensagem de "wkeller". Cliquei sobre a mensagem e o e-mail abriu.

Sr. Seemann, será um prazer. Poucos se interessam por esse tipo de assunto. Muitos acham que é bobagem. Pode me ligar à noite, depois das 21h, se quiser. Abaixo, segue meu telefone.

Anotei o número na memória do celular e fechei o Outlook. Senti-me um pouco mal por ter mentido sobre minhas intenções ao professor. Ele me pareceu bastante solícito na mensagem enquanto, do meu lado, eu estava longe de ser um pesquisador procurando matéria-prima para um livro.

Arrumei minhas coisas e despedi-me de Rosa, que estranhou minha pressa.

— Hoje não tem hora extra? — ela perguntou.

— Hoje não — respondi, com o vaso contendo as cinzas do velho sob o braço. — Tenho uns assuntos para resolver.

— Apressado assim?! Tem mulher na parada? — Rosa me lançou uma piscadela e eu respondi com um sorriso. Havia horas em que eu tinha vontade de me abrir com ela (aliás, de me abrir com alguém!), mas eu não podia colocá-la em risco de ter o mesmo fim de Sócrates.

Peguei o elevador até a garagem, acomodei o vaso ao meu lado no carro e saí. Na rádio, a informação era de um trânsito tranquilo — dádiva que o período de férias proporciona em uma megalópole com tráfego caótico como São Paulo.

Eu tinha muito o que agradecer ao misterioso "anjodeplaszow", afinal. Graças a ele, e à sua dica, eu começava a compreender um pouco mais sobre o que estava ocorrendo. Sim, era fato que, quanto mais eu me aprofundava, mais paranoico eu ficava. Cada sinal vermelho bastava para que eu olhasse compulsivamente para os lados, à procura de algum motoqueiro ou carro suspeito que se aproximasse. Mas era um bom sinal ter uma luz no fim do túnel para me guiar entre todos os acontecimentos insólitos que tinham passado a fazer parte da minha vida desde que meu pai morrera.

    Senti-me mais aliviado quando avistei meu prédio. Acionei o portão eletrônico, acenei para o porteiro e entrei. O breu da garagem me causou arrepios. Foi somente naquele dia que notei quão parecido com um calabouço era aquele lugar.

    Balancei a cabeça para espantar tal pensamento e, ainda olhando para os lados, peguei o elevador até meu andar.

    Só quando abri a porta e conferi que tudo estava em ordem — ou, melhor, tudo estava revirado conforme o invasor havia deixado na noite anterior — é que relaxei. Pus o vaso sobre a mesa de centro da sala e me servi de um pouco de uísque. Aos poucos, tomei coragem para colocar os móveis no lugar. Empurrei o *rack* com a tevê de volta à posição original e conferi que o aparelho ainda funcionava. Com uma pá de cozinha, catei os cacos de porcelana dos vasos quebrados e joguei-os no lixo. Só não consegui entrar no quarto em que ficava o viveiro de Sócrates. Simplesmente, eu não podia olhar para aquele sangue na parede. Fechei a porta e passei a chave. Aquele se tornaria um cômodo proibido para mim por um bom tempo.

    Servi-me de outra dose de bebida e, com a sala mais confortável, joguei-me sobre o sofá. Tirei o caderno de anotações da mochila do *laptop* e abri. O uísque fez efeito, e eu estava menos tenso.

    Folheando as páginas, encontrei a carta lacrada que meu pai endereçara a Mariele Goldberg. Refleti sobre a possibilidade real de aquela mulher estar viva. Se estivesse, havia sobrevivido ao Campo de Trabalhos Forçados de Plaszow. E se não estivesse? Meu pai parecia ter plena certeza de que a menina Goldberg, já uma senhora, estava viva e forte em algum lugar da Alemanha. Caso contrário, não me mandaria procurá-la. Correto? Mas, e se o velho Olaf estivesse batendo os pinos? Havia a possibilidade de ter cometido suicídio, e isso é algo que somente as pessoas fora do seu juízo têm propensão a fazer. Ou não?

    — Hugo, pare de pensar e leia! — eu disse em voz alta, voltando a guardar a carta entre as páginas do caderno. Então, recomecei a leitura.

Capítulo 17

Plaszow (Cracóvia), Polônia

Por dias, eu perdera a noção do tempo naquele lugar que, de repente, havia deixado de ser a glória tingida de reconhecimento a um jovem soldado alemão para se tornar uma tortura para minha alma. Se Plaszow era o cativeiro de milhares de judeus e perseguidos de Hitler, era lá, na Cracóvia, que meu espírito estava aprisionado, e a dor me consumia em um fogo frio e silencioso, porém, não menos cruel e doído.

Durante o dia, mais e mais levas de prisioneiros eram levadas à execução. Por duas ou três vezes voltei a ser convocado para os intermináveis fuzilamentos. Porém, a vontade de chorar, gritar, diante das vidas que eu tirava, havia passado. Agora, restava apenas uma carcaça oca, pobre, coberta pelo manto do exército do Terceiro Reich, manto este que, desde menino, eu aprendera ser sagrado e que, agora, impregnava minha pele com o que havia de mais podre.

Sob a alegação de que se tratava de ordens de Berlim, o comandante Amon Göth ordenava execuções sucessivas. Muitos prisioneiros, aparentemente poupados do paredão e das balas, sumiam. Havia boatos (eu digo boatos porque nunca consegui confirmar) de que estavam sendo executados com veneno ou levados de outros campos de trabalhos para as câmaras de gás Plaszow não tinha câmaras desse tipo, por isso, na época, eu não fazia *ideia de como elas funcionavam. Contudo, o terror que elas impunham nos prisioneiros era real e contagioso. Ainda agora, quando escrevo estas linhas, meu corpo se arrepia em pensar nas inúmeras vidas que se perderam à bala, por tortura ou nas câmaras de gás da* Schutzstaffel.[8]

A tensão também era visível entre nós, soldados, e entre os oficiais. Muitos comentavam, à boca pequena, que a situação da Alemanha no front *leste era ruim, e que, no oeste, as tropas estavam enfrentando sucessivas dificuldades na França e na Península Ibérica.*

Quanto a mim, tornei-me, com o tempo, um cumpridor de ordens. Ainda que a truculência da maioria dos meus companheiros não estivesse presente no meu modo de agir, passava as horas de serviço patrulhando e fazendo o que meus superiores ordenavam. No almoço ou nos minutos de descanso, raramente eu conversava com meus colegas. Também não comia direito.

À noite, eu segurava o crucifixo escondido em meu peito e rezava. Eu sabia que minha alma estava perdida, mas eu procurava consolo para as almas cujas vidas eu havia tirado. Era por elas que eu pedia. E por Mariele. Dia após dia, eu a via ao longe, quando coincidia com meu patrulhamento na ala feminina. Trocávamos olhares e, mesmo com todo aquele terror, ela sorria. Meu Deus, como ela podia sorrir diante de toda aquela desgraça? Eram essas, enfim, a fé e a força que minha mãe sempre dizia que Deus me traria?

Quando a agitação recomeçava e mais prisioneiros eram encaminhados à execução sumária, minhas orações se tornavam mais e mais fortes. Pedia a Ele que poupasse Mariele. A angústia dos meus olhos à procura dela entre aqueles que perderiam a vida era quase tão dolorosa quanto disparar contra inocentes. Era algo que chegava a ser irônico. A cada vida que eu era obrigado a tirar, eu morria um pouco mais. Mas, quando eu constatava que Mariele não estava entre os condenados, um novo sopro de vida me alentava. Um sopro divino, que me erguia e me dava forças para não enlouquecer naquele lugar infernal, onde somente o diabo poderia se sentir em casa.

---

[8] Nome real da SS. Em alemão, significa Tropa de Proteção.

Pausei a leitura e servi-me da terceira dose de uísque. Já me sentia torpe e o cansaço começava a me vencer. Conferi o horário; ainda faltava meia hora para as nove. Eu tinha tempo de ler mais antes de ligar para o professor Wilson Keller na UFRS.

Plaszow (Cracóvia), Polônia
11 de outubro de 1943

O *tempo passava conduzido por Orfeu. Fora assim que aprendi a sobreviver: enxergando o tempo como algo lúdico, como um caminho revestido por véus translúcidos, ao qual eu tinha que me lançar, vencendo barreira por barreira, livrando-me do tecido que se interpunha em meu caminho, mas que, contudo, não me cobria a visão dos horrores que estavam diante de mim.*

Acho que vale a pena destacar, também, a dor que eu sentia por perder meu amigo Heinz. Acho que já falei sobre isso; mas éramos como irmãos.

Heinz era rico e de família poderosa. Eu era pobre, e minha mãe lutava pelo nosso sustento depois da morte de papai. Prosseguindo com a analogia do véu, era assim que eu via Heinz naquele inferno: como alguém que eu conhecera coberto por um véu, que havia me iludido e que, em Plaszow, mostrara sua verdadeira face ou instinto. Mas eu posso estar errado. Talvez ele, assim como eu, só estivesse tentando viver (ou sobreviver). A diferença é que eu não me corrompi, enquanto ele se vendeu ao diabo. Mas, ao final, como logo escreverei, o diabo tomaria a alma de todos. A minha, de Heinz, de Marcus e de outros companheiros.

Enquanto eu rezava, procurava me lembrar de minha infância em Colônia. Certa vez, eu e Heinz apostávamos corrida à beira do Reno. Tínhamos 7 ou 8 anos. Eu sempre era mais rápido, apesar de Heinz ter o físico mais esguio e ser mais forte. Naquela manhã, eu estava vencendo, como sempre. Contudo, torci meu pé em uma pisada em falso. A dor era horrenda — e não porque eu era um garoto. Penso, hoje, que seria uma dor difícil de suportar para um adulto também. Eu não consegui me levantar, e Heinz passou por mim, triunfante, certo de que, pela primeira vez, me venceria.

O sorriso em seu rosto pálido desapareceu assim que notou que eu estava realmente machucado. Então, sem titubear, ele abandonou sua vitória certa e voltou para me ajudar. Eu não conseguia pôr o pé esquerdo no chão e seria quase impossível me arrastar até minha casa.

Heinz disse que procuraria ajuda, mas eu rejeitei. Eu tinha medo de ficar sozinho ali. E mais: eu me sentia tão humano! Tão fraco!

Então meu amigo me suspendeu pelo braço. Eu estava em pé, pulando, apenas sustentado pelo pé direito. Heinz agachou-se diante de mim e pediu que eu me segurasse em seu pescoço.

"Trance a perna no meu tronco e segure firme", disse ele.

E lá estávamos. Ele, de cócoras; eu, preso às suas costas, apertando seu pescoço. Evidentemente, duvidei que ele conseguisse me levar até minha casa. Apesar de forte, Heinz era um menino, como eu.

Mas o fato é que ele conseguiu se erguer e me suspender em suas costas. Rindo, começou a caminhar, um pé após o outro, enquanto eu rezava para que não caíssemos.

"Quando chegarmos à sua casa", ele disse, ofegante, "vou contar que ganhei de você, Olaf. Eu fui mais rápido!"

Não me importei. Eu só queria os cuidados de minha mãe.

O tempo passou, e me esqueci daquele dia. Ele ficou guardado no melhor canto de minha memória, até Plaszow tornar a lembrança da amizade com Heinz uma das maiores joias que eu já havia tido. E, também, algo que não me pertencia mais.

Deus do céu... Como eu odiava Hitler por ter me tirado meu amigo.

Capítulo 18

São Paulo, Brasil
27 de dezembro de 2006
Tese obscura

Confesso que travei uma luta hercúlea para manter meus olhos abertos. Sob o efeito do uísque, toda a minha musculatura havia se tornado letárgica e meu corpo estava pronto para se entregar ao sono. No entanto, eu ainda tinha uma coisa a ser feita.

Liguei para o número que o professor Wilson Keller havia me passado. Eram nove e cinco da noite. O aparelho tocou até a ligação cair. Tentei outra vez. Um toque, dois, três, quatro... Por fim, uma voz falou no outro lado da linha.

— Alô!

— Boa noite — disse, limpando a garganta. — Gostaria de falar com o professor Keller, por favor.

— Quem gostaria? — perguntou a voz feminina.

— Meu nome é Hugo. Por favor, diga a ele que sou a pessoa com quem ele trocou e-mails esta tarde.

O telefone ficou em silêncio por um breve instante até que ouvi a voz chamar ao fundo:

— Pai, é para o senhor!

Esfreguei os olhos com força. Deus do céu, que cansaço!

— Pois não? — perguntou o professor do outro lado da linha. A entonação de sua voz expunha um acentuado sotaque do Sul.

— Professor Keller? Aqui é Hugo Seemann, de São Paulo. O *escritor* — eu disse.

— Ah, sim! Pois não, senhor Seemann.

— Desculpe-me por incomodá-lo nas férias — prossegui —, mas, realmente, preciso adiantar minha pesquisa e, pelo que constatei, o senhor é uma das sumidades no tema no país.

— Hum, tu te referes à sociedade secreta nazista *Verstecktstudiumliga*? De fato, poucos estudos foram publicados sobre isso no mundo. E boa parte do mundo acadêmico ainda considera a existência da Liga de Estudos do Oculto e do Selo Negro um mito.

— Eu li o artigo do senhor. Tudo me pareceu bastante fundamentado.

— Sim — o professor Keller pigarreou, limpando a garganta, e prosseguiu: — Há muitos documentos sobre o assunto, mas, ao que parece, a *Verstecktstudiumliga* cuidou muito bem para que grande parte dos dados mais fidedignos fosse eliminada quando o Terceiro Reich caiu, em 1945. Além disso, houve um trabalho de contrainformação muito bem executado.

— Contrainformação?

— Sim, isso mesmo — afirmou o professor. — A *Verstecktstudiumliga* agia como as demais instituições nazistas da época, ou seja, ela tinha poder de polícia. E isso envolvia um sistema bastante complexo de informação e contrainformação. Dentro da própria organização, foi feito um esforço inteligente para que, ao mesmo tempo que os dados fossem compilados, também se espalhassem boatos de que a *Verstecktstudiumliga* não passava de um mito.

— Isso significa que eles próprios plantaram fatos que desacreditavam a existência da organização?

— Exatamente! Na verdade, algo bastante inteligente. Foram pesquisadores ingleses que, após o Tribunal de Nuremberg, começaram a investigar a *Verstecktstudiumliga* e o seu Selo Negro, que era o lastro sob o qual eles guardavam os casos de pesquisa de fenômenos ocultos. O nome de Peter Lund aparecia em quase todos os estudos. Ao que parece, a importância de Lund no Terceiro Reich era semelhante à de Goebbels e Himmler. É óbvio que, por questões lógicas, isso nunca chegou ao conhecimento da história oficial. Hitler nutria um verdadeiro fascínio pelo ocultismo. Isso vai totalmente de encontro com a imagem que se tem, sob senso comum, do *Führer*. Porém, alguns estudiosos justificam o fascínio de Hitler por tudo aquilo que era invisível ao conhecimento e à lógica como a luta entre o bem e o mal que havia dentro dele.

— O senhor quer dizer que Hitler tinha a consciência pesada?

— Não exatamente. Deixe eu fazer uma pergunta ao senhor. O que é primordial para se provar que Deus não existe?

— Não faço ideia.

— Considerar a possibilidade de Ele existir. Entende? Só podemos provar que algo não existe se partirmos do pressuposto de que temos 50% de chance de estarmos corretos. Então, temos que lutar para justificar os outros 50% de possibilidade de erro.

— Agora compreendi.

— É um procedimento científico básico. A partir de uma hipótese, parte-se para a pesquisa a fim de prová-la; ou não. O fato é que Hitler investiu muito na criação da *Verstecktstudiumliga* para aprofundar os estudos das ciências ocultas. O objetivo aparente era desacreditar qualquer forma de crendice popular. Mas, o *não aparente* era, ao mesmo tempo, encontrar alguma energia forte e oculta... forte o bastante para que Hitler se apoiasse nela a fim de justificar a semente que estava plantando na Alemanha.

— Que loucura...

— A prova disso é que, se o senhor fizer uma rápida pesquisa no Google, verá que o símbolo da *Verstecktstudiumliga* era uma Anfisbênia.

— O que diabos é isso?

O professor riu de minha ignorância.

— O senhor com certeza já ouviu falar do mito grego da Medusa. Pois bem, a Anfisbênia foi o ser que nasceu do sangue da cabeça degolada da Medusa. Sua forma é bastante peculiar: uma serpente com duas cabeças, uma na frente, outra onde estaria o rabo. Ora, a Grécia é o berço da Filosofia e do pensamento racional. Portanto, nada melhor do que procurar, na Grécia, a simbologia para a *Verstecktstudiumliga*.

Soltei um murmúrio sem muito nexo. Somente um sinal para mostrar que eu ainda estava na linha.

— E o senhor sabe o que significa Anfisbênia?

— Não faço ideia.

— Anfisbênia, do original *Amphisboena*. *Amphis* é a palavra grega para ambos os caminhos. *Boenia*, ou *bainein*, significa ir. Isto é, ir nas duas direções. Negar e, ao mesmo tempo, justificar a existência de forças maiores do que nós, mortais.

— E o que aconteceu com a *Verstecktstudiumliga* depois que o Terceiro Reich caiu? O tal Peter Lund morreu?

— Não se sabe. Supõe-se que muitos dos membros, sobretudo os pesquisadores, conseguiram fugir da Alemanha antes da invasão de Berlim. Quanto a Peter Lund, ele simplesmente desapareceu, junto com boa parte dos registros da *Verstecktstudiumliga* e do Selo Negro.

— Isso quer dizer que não se pode provar que essa organização de malucos sumiu com o final do nazismo?

— Absolutamente, não — o professor Keller foi taxativo. — Se não podemos afirmar que o nazismo está morto, também não podemos afirmar que a *Verstecktstudiumliga* tenha chegado ao fim. Veja bem, senhor Seemann, se o senhor assistir aos telejornais, verá que, a cada momento de crise econômica, os grupos nazistas e neonazistas se reerguem com força. E isso acontece em todo o mundo. Ainda hoje, o mito da supremacia da raça branca sobre as demais é algo muito presente, sobretudo no mundo ocidental.

— Existem evidências de que pessoas ligadas à *Verstecktstudiumliga* ainda estejam na ativa? Tanto na Alemanha como fora dela?

— Não posso afirmar. Mas posso responder o que acho. Sim, acho que sim. A semente plantada pelo nazismo foi tão forte que sobreviveu a Hitler.

— Mas se os alemães perderam a guerra, não teria sido o fim de tudo? — perguntei. — A queda de Hitler foi a prova máxima de que toda aquela gente acreditava em algo completamente sem fundamentação.

— O senhor não deixa de ter razão. E, também, me parece alguém inteligente. Adoraria poder conversar contigo pessoalmente, senhor Seemann — disse o professor Keller, fazendo-me sentir lisonjeado. — Mas vou tentar responder à sua pergunta. O que um cristão fervoroso faria se, por um acaso, fosse provado que Cristo não ressuscitou? Há, inclusive, um filme dos anos 90 que fala sobre isso. Vamos supor que encontrem os restos de Jesus. Se o corpo físico pereceu, então ele não poderia ter voltado à vida, correto?

— Sim.

— Pois bem. Agora, retorno à minha pergunta: o que um cristão fervoroso faria nesse cenário?

— Tentaria provar o contrário. Ou seja, que os restos não eram de Cristo.

— Exato! Agora, o senhor já imaginou o colapso que seria para a Igreja se algo assim ocorresse?

— Nem quero pensar... Seria o fim de um dos alicerces da cultura ocidental.

— Correto. E não parece lógico ao senhor que a Igreja, com todo o seu poder, principalmente na Idade Média, tenha agido para impedir toda e qualquer evidência de que Jesus Cristo tenha, de fato, tido uma morte humana? Se fez isso por séculos com os evangelhos apócrifos, imagine o que seria capaz de fazer para evitar que tal descoberta viesse à tona?

— Deus do céu... — balbuciei. As coisas começavam a fazer sentido. — Então, essa gente... isto é, a turma da *Versrecktstudiumliga* continua a agir na obscuridade para não deixar que o mito do nazismo caia?

— É provável que sim.

— Existem registros dessa organização no Brasil?

— Registros, não. Suposições, muitas — respondeu o professor. — O Sul do Brasil, a Argentina, o Uruguai e o Paraguai receberam vários refugiados do pós-guerra. Muitos, alemães nazistas disfarçados sob falsas identidades. Eu e o senhor somos provas vivas disso. Basta ver nossa ascendência. O mesmo vale para os Estados Unidos, o Canadá e a Austrália.

— Isso é fascinante — eu disse. — Quer dizer que, na opinião do senhor, é perfeitamente lógico que a *Versrecktstudiumliga* continue a existir e a agir em todo o mundo, inclusive aqui.

— Isso mesmo. E o objetivo seria o mesmo: impedir que fatos ligados ao ocultismo ou ao misticismo, ocorridos na época do Terceiro Reich, venham ao conhecimento público.

Se as suposições do professor Wilson Keller fossem reais, então eu havia descoberto quem estava atrás do caderno do meu pai e da minha cabeça: a *Versrecktstudiumliga* estava viva — e muito bem, obrigada —, aqui no Brasil. De algum modo, meu pai sabia ou descobrira algo sobre a existência dessa organização aqui. Isso o fez sentir medo e perder o juízo. Será? Talvez sim; talvez *não*.

A princípio, eu havia suposto que o diabetes havia debilitado meu pai a tal ponto que o levaria a fazer coisas estranhas. Mas não. Havia algo mais. Algo forte o bastante para fazê-lo escrever sobre seu passado em Plaszow, sobre Mariele Goldberg e, por fim, injetar uma dose letal de insulina em si mesmo.

Antes de encerrar o telefonema, arrisquei uma última pergunta ao professor Keller.

— Em seus estudos, há alguma menção à ação da *Versrecktstudiumliga* no Campo de Trabalhos Forçados de Plaszow?

— Plaszow? Cracóvia? — perguntou o professor. — Não que eu tenha conhecimento. Contudo, foi em Plaszow que Oskar Schindler ganhou fama mundial por salvar judeus da morte certa, levando-os para trabalhar em suas fábricas e, depois, tirando-os secretamente da Alemanha. Sob determinado ponto de vista, isso pode ser considerado um tipo de *milagre*.

Agradeci bastante a atenção do professor e prometi entrar em contato à medida que aprofundasse minha *pesquisa*.

— O prazer foi meu — ele disse. — Por favor, quando seu livro estiver pronto, não deixe de me avisar. Quero um exemplar autografado.

— O senhor será o primeiro a quem enviarei um exemplar quando tiver terminado — menti, sentindo-me horrível.

Desliguei, e o peso do silêncio em meu apartamento me abateu profundamente. Eu tinha uma bomba-relógio nas mãos, e as respostas estavam no caderno do meu pai e em algum lugar da Alemanha, onde, em princípio, Mariele Goldberg vivia.

Olhei para o vaso com as cinzas do velho Olaf sobre a mesa de centro. Um nó se formou em minha garganta. Pela primeira vez na vida, senti vontade de pedir perdão ao meu pai por tê-lo julgado mal.

Sacudi a cabeça, afastando essa ideia. O filho da puta tinha feito minha mãe sofrer e me privara de um pai de verdade.

Servi-me de mais uísque e peguei o caderno sobre o sofá. Quase que, mecanicamente, abri na página onde havia interrompido a leitura.

Capítulo 19

Plaszow (Cracóvia), Polônia
13 de outubro de 1943

O *frio que rompeu as portas da Cracóvia naquele ano anunciava um inverno rigoroso. Para mim, o céu cinza e o ar gélido refletiam com exatidão o que havia se tornado minha alma. Porém, aquele 13 de outubro (como esquecer-me dessa data?) ainda me traria surpresas inesperadas.*

Estava perto da hora do almoço e eu patrulhava a ala dos prisioneiros masculinos. Com o frio, o número de prisioneiros doentes aumentava bastante. Muitos caíam mortos, extenuados pelo trabalho pesado e pelas péssimas condições físicas. Pareciam morrer como moscas: simplesmente, a vida deixava o corpo e a carne desabava sobre o chão frio.

Vi essa cena se repetir várias vezes; em todas elas, eu agradecia a Deus por ter levado mais uma alma infeliz para junto Dele. Para os mortos, o sofrimento havia acabado. Para os vivos, o terror prosseguia. Para mim, como soldado alemão, Plaszow era como caminhar no limbo; não estar vivo nem morto; não sofrer na carne e, ao mesmo tempo, ter o espírito dilacerado. De certa forma, eu invejava os prisioneiros. Pelo menos, eles sabiam a quem e ao que temer. Enquanto eu aprendera a temer a mim mesmo.

Fui acordado dos meus pensamentos por um colega — um soldado mais jovem do que eu, com sardas por todo o rosto — que, esbaforido, vinha me dar a notícia: o comandante Herr *Amon Göth queria me ver em seu gabinete.*

— A mim? Sabe por quê? — perguntei, com estranheza. Não me passava pela cabeça o que o comandante desejaria comigo, até então, um simples soldado, um rosto a mais entre tantos outros.

— Não sei, Seemann. Mas pediu que se apresentasse de imediato. Eu assumirei seu posto.

Pendurei minha arma no ombro e abandonei meu posto aos cuidados do jovem soldado de sardas. Antes de me deixar ir, ele ainda me pediu um cigarro. Estendi-lhe o maço e observei-o tragar com avidez. Depois, caminhei com pressa em direção ao gabinete do comandante Göth.

A ala em que o gabinete dos oficiais do campo de Plaszow estava instalado destoava do restante daquele ambiente miserável. O linóleo brilhava e o ar tinha perfume floral. Ao final de um longo corredor, cheguei à antessala do Comando, onde uma enorme bandeira do Partido Nazista e um retrato do Führer davam as boas-vindas. Dois soldados corpulentos faziam guarda à porta do gabinete do comandante.

— *O* Herr *Comandante Amon Göth deseja me ver* — eu anunciei.

Um deles, o mais baixo, observou a identificação em meu uniforme.

— Soldado Seemann — ele disse. — Sim, pode entrar.

O outro, mais alto e de nariz aquilino, precipitou-se em girar a maçaneta, dando-me passagem para o interior do gabinete. Só então notei que eu estava suando frio.

O ambiente interno era amplo e pouco mobiliado. Porém, tudo o que havia ali era de primeira linha: móveis de madeira maciça e lustrosa, um tapete cor de vinho perfeitamente limpo, castiçais de ouro e um lustre austríaco. Da vitrola, o disco fazia ecoar baixinho a música de Wilhelm Richard Wagner. Reconheci porque era a mesma que minha mãe amava ouvir.

Contudo, não tive muito tempo para reparar no ambiente, tampouco ser tomado pelas lembranças da infância. Tão logo entrei, meus olhos morreram sobre Mariele Goldberg, que estava sentada numa cadeira a cerca de meio metro da imponente mesa do comandante Göth. Ao seu lado, um soldado empunhava uma metralhadora. Atrás da mesa, o comandante me exibiu um sorriso amistoso e gesticulou para que eu entrasse. Era impossível não ser seduzido pelos gestos finos e corteses daquele homem, que era um misto de anjo e demônio.

— Entre, soldado. Vamos! Não tenho o dia todo — ele disse, com veemência.

Quando me viu, Mariele abaixou o olhar, fixando-o nos próprios pés. Notei que ela havia emagrecido e que parecia mais madura, também. Mulher.

— Não tenha medo, garoto. Ande logo, entre! Tem alguém aqui que deseja conhecer você — disse o comandante.

Sentado em frente à mesa de Herr Amon Göth havia um homem de rosto ovalado e cabelos pretos penteados com perfeição. Suas roupas e postura indicavam ser alguém importante. Talvez, um enviado de Berlim.

Bati continência e coloquei-me em posição de sentido.

— Descansar, soldado — ordenou o comandante, servindo-se de um pouco de vinho e enchendo a taça de cristal colocada diante do cavalheiro que estava à sua frente. — É provável que você não tenha ouvido falar... é bem possível que não. Este cavalheiro é Herr Oskar Schindler, um legítimo alemão, fiel ao nosso propósito e causa.

Acenei com a cabeça, cumprimentando Herr Schindler. Ele me respondeu com um aceno simpático, mas discreto.

— Soldado, o seu nome é Olaf Seemann, conforme fui informado. Seemann da região do rio Reno, Colônia.

— Sim, senhor — confirmei, timidamente.

— O seu superior, Sturmbannführer Hummels, me informou alguma coisa a seu respeito, soldado Seemann. O senhor foi destaque em comportamento e empenho na Juventude Hitlerista, e completou seu treinamento com louvor em Berlim.

— Obrigado, senhor.

— Não me agradeça. Sturmbannführer Hummels costuma enaltecer demais seus subordinados. Quanto a mim — Göth bebeu um gole de seu vinho —, prefiro ser realista e enxergar as coisas como elas de fato são e colocar os itens em seus devidos lugares. Por exemplo, uma bala de canhão *serve para destruir e, ao mesmo tempo, é destruída quando disparada contra o inimigo, assim como um soldado no* front. *Ele serve a uma causa, mas nada além disso. É uma peça ínfima numa engrenagem muito maior e mais importante. Entende o que quero dizer, soldado?*

— Sim, senhor.

— *Ótimo. O mesmo vale para esses prisioneiros judeus. Eles apenas nasceram no lado errado da cadeia evolutiva. Eu não tenho culpa disso — continuou o comandante.* — Porém, o amigo Herr Schindler *aqui pensa de modo diferente. Digamos que nosso companheiro, um empresário de sucesso e patriota, também é um humanitário. E, como um bom homem e bom alemão, não posso dizer não a ele. Estou certo,* Herr Schindler?

Visivelmente encabulado, Oskar Schindler concordou, acenando com a cabeça. Era evidente que ele não gostava do comandante Göth. Mas mantinha-o em uma condição de amizade, que lhe dava segurança. Na época, eu nada sabia sobre os feitos de Schindler na tentativa de salvar judeus das mãos da SS. Tais histórias só se tornaram de conhecimento público muitos anos depois.

— *Ou seja — prosseguiu o comandante —, ele me pede uma relação de prisioneiros para auxiliar em suas linhas de produção, e eu concedo. É claro, tudo com o aval de Berlim e do* Führer. *Nossa parceria vem se mostrando muitíssimo bem-sucedida, uma vez que, com a guerra, a indústria alemã, em especial a do segmento de negócios de* Herr Schindler, *é de suma importância e está funcionando a todo o vapor para atender à demanda do governo e de nossos meninos no* front.[9] *Contudo, apesar de eu admirar muito o patriotismo do meu amigo, também me aborrece muito esse seu lado... humanitário.*

---

[9] Oskar Schindler foi um empresário alemão do ramo de esmaltes. Possuía unidades fabris na Alemanha, Polônia e República Tcheca. Com a guerra, obteve autorização para produzir utensílios de cozinha esmaltados para os soldados alemães no *front*. Imortalizou-se na luta secreta para proteger judeus, chegando a empregar mais de 1.200 prisioneiros em suas fábricas. Foi personagem central do filme *A Lista de Schindler*, de Steven Spielberg.

O comandante Amon Göth levantou-se e passou a caminhar lentamente em direção a Mariele. Ele andava como se desfilasse.

— Você conhece esta prisioneira, soldado? — perguntou, então, lançando-me um olhar ameaçador.

Engoli em seco. O que responder? Confirmar qualquer relação com Mariele poderia significar minha execução ou, na melhor das hipóteses, a prisão. Com sinceridade, não sei qual das duas possibilidades seria a melhor. Cheguei a refletir que a morte me serviria bem. Mas, se eu morresse, ninguém protegeria Mariele.

— Não, senhor — por fim, eu disse.

Göth olhou-me com surpresa. Quase cinicamente estupefato. Compreendi bem o que estava se passando na cabeça do comandante.

— Quer dizer... senhor, ela se parece com todas as demais. Esses judeus ficam assim depois de um tempo. Todos parecem ter o mesmo rosto. O mesmo vale para as mulheres. Afinal, são iguais em sua essência, como explica o Führer — falei, como se vomitasse as palavras e as frases sem pensar. — Contudo, agora que me perguntou, senhor, acho que sei a que se refere.

— Ah, assim está melhor — disse o comandante, calmamente. Ele voltou a caminhar em torno de Mariele que, por sua vez, tinha os olhos marejados. Deduzi que ela se entristecera ao me ouvir falar daquele modo. Se ela soubesse (e acho que, no final, ela soube) que meu único e ardente desejo era o de me atirar a seus pés, pedir perdão e tirá-la dali!

Göth prosseguiu, depois de terminar seu vinho. Schindler mal tocara em sua taça.

— Você confirma que, há cerca de um mês, sofreu um acidente enquanto descarregava um caminhão de armamentos e que teve o pé esmagado na ocasião?

— Sim, senhor — eu respondi, tentando manter o autocontrole. — Na verdade, senhor, achei que havia fraturado o pé.

— Que seja — disse Göth, bruscamente, acenando com a mão. — Você deve estar se questionando por que lhe pergunto essas coisas, soldado. Eu vou explicar. E, se for verdadeiro comigo, voltará ao seu trabalho e esquecerá esta conversa.

— Sim, senhor — respondi.

— No dia em que você se feriu — disse Göth —, esta menina judia aproximou-se de você e curou o seu pé? Veja bem, pode pensar para responder, soldado, porém, saiba que já me informei com vários homens que estavam no turno naquele dia, incluindo o médico que lhe atendeu, e todos, sem exceção, confirmaram que seu pé estava em péssimo estado e que seria impossível você voltar a caminhar normalmente e andar por aí, como, de fato, aconteceu! Cerca de uma hora depois, você andava sem problemas. Minha pergunta é: naquele dia fatídico, esta menina lhe fez algo, soldado?

— Algo, senhor? Como assim? Não estou...

— Tocou em você? Recitou uma das preces malditas que os judeus costumam recitar? Rogou a Deus ou ao diabo? Qualquer coisa?

Respirei fundo. Havia chegado o momento crucial.

— Senhor, de fato, essa garota se aproximou de mim quando me machuquei. Estava sentado esperando por socorro e ela se aproximou e perguntou se eu estava bem. Mas foi somente isso.

— Somente isso, soldado?

— Somente isso, senhor — respondi. — Eu ainda não entendo o que...?

Com um gesto brusco, Amon Göth obrigou-me a calar. Ele olhava para mim e para Mariele. Eu ainda me perguntava se o comandante havia acreditado em mim quando, por fim, ele falou:

— Ainda que me pareça estranho uma prisioneira se preocupar com o estado de saúde de um soldado alemão, tendo a acreditar em você. Mesmo porque, do contrário, tanto você como eu teríamos que admitir que esta judia realizou um milagre, o que seria, para todos os efeitos, uma piada de mau gosto. Porém, há rumores... e rumores fortes, crescentes, de que esta prisioneira, cujo nome é Mariele Goldberg, vem realizando pequenos feitos que, para nossa ciência, seriam inexplicáveis.

Simulei um olhar de surpresa. Notei lágrimas escorrerem pelo rosto de Mariele.

— Para minha surpresa e desgosto, esses relatos — disse Göth — vêm da boca de soldados e oficiais alemães, bem como de prisioneiros. Eu mesmo, em pessoa, participei do interrogatório de alguns deles. Mesmo sob tortura e *dor, eles continuavam afirmando que essa garota, Mariele Goldberg, é ungida por... Deus. Que realiza milagres. Curas. Alguns prisioneiros, à beira da morte, que melhoraram subitamente; uma mulher, com a mão gangrenada, que se salvou e recuperou os movimentos; claro que isso não a ajudou muito, porque foi fuzilada. Outro prisioneiro, com a perna fraturada, que voltou a andar, assim como você, soldado. Todos esses fatos foram analisados e esmiuçados. Todos. Porém, não encontrei explicação, apenas mentiras que confirmam algo como se fosse verdade. Mentiras pelas quais vale morrer. E, é óbvio, cuidei para que todos os que foram, em tese, salvos por esta garota fossem executados. Ainda assim, apesar de todos os meus esforços... esses rumores chegaram aos ouvidos de gente em Berlim. Entre eles,* Herr *Peter Lund.* Herr *Lund coordena uma unidade especialmente criada pelo* Führer *para tratar de assuntos como este, do qual estamos falando. Ele se reporta ao próprio* Führer *e goza de sua confiança. Até mesmo o amigo* Herr *Schindler, que está aqui agora, ficou sabendo do caso e me questionou. Fez questão de conhecer esta garota e me pediu para incluí-la na lista de trabalhadores para suas fábricas.*

Foi a primeira vez que eu ouvi o nome de Lund. Peter Lund.

— A minha missão... — Göth limpou a garganta antes de continuar — é desmascarar esta vadiazinha e acabar com esses boatos. Isso seria relativamente simples, se não houvesse um soldado alemão envolvido. No caso, você, meu jovem.

— Senhor, eu não acredito em tais boatos — afirmei, de modo tão dissimulado quanto pude. — Como disse, essa menina com certeza não fez nada. Deduzo que meu ferimento não tenha sido tão grave quanto imaginei, ou quanto a dor indicava que era, senhor. Por isso estou bem.

Göth se aproximou de mim. Eu pude sentir seu hálito e o cheiro de sua colônia.

— Se o que você diz é verdade, e eu espero que seja, você assinará um relatório no qual contará a verdade sobre o que houve naquele dia, negando todos esses boatos infames. Anexarei o documento aos demais levantamentos que realizei e despacharei a Berlim. Alguma objeção quanto a isso, soldado?

— Não, não, senhor. Absolutamente não.

Era a solução mais simples. A outra, também simples, era meter uma bala em minha cabeça, de modo que me calasse para sempre.

Enfim, eu estava aliviado. Negar que Mariele havia me salvado era melhor do que jogá-la aos leões.

— Amigo Schindler, tem meu aval para levar esta menina daqui. Ela irá com os outros trinta trabalhadores que solicitou. De certo modo, será ótimo extrair o foco da infecção. Com ela longe de Plaszow, os boatos certamente cessarão.

Observei Mariele. Ela continuava imóvel. Porém, não chorava mais. No caminho de volta ao meu posto, refleti sobre o motivo por que Göth não havia executado Mariele com os demais. Seria medo de criar um mito? O comandante era inteligente o suficiente para pensar nessa possibilidade. Mas havia outra hipótese: a de que nem Göth conseguia colocar suas mãos em Mariele e fazer-lhe mal, porque havia algo maior, mais forte do que sua patente, que a protegia.

Ela seria transferida, em breve, para uma fábrica qualquer e trabalharia lá. Imaginei que seria um trabalho exaustivo, no entanto, estaria longe do alcance de Göth. Além disso, Herr Oskar Schindler havia me parecido um sujeito bom. De algum modo, ele transparecia isso.

Senti uma paz que havia muito não experimentava. Mal sabia que era apenas um período de descanso antes da verdadeira tempestade.

Capítulo 20

Lund. Peter Lund. Mais uma vez esse nome. O dia que meu pai descrevera havia sido, possivelmente, o momento em que ele entrara na alça de mira da *Versrecktstudiumliga*. E tinha conhecido Oskar Schindler! O cara do filme *A Lista de Schindler*, pensei.

Meu pai encerrava seu texto falando em uma tempestade. O que seria? Conferi o horário. Onze e quinze. Eu me sentia exausto. Mas não pensava mais em Estêvão, na campanha da Strongmen ou na agência. Meu foco havia se tornado outro.

Fui até a cozinha e coloquei água e pó de café na cafeteira. Liguei e esperei o líquido começar a fluir. Logo, o aroma infestou o ambiente. Enchi uma caneca e voltei para a sala.

Bebi três goles grandes. Eu não podia dormir. Estava na hora de ir a fundo naquilo tudo. Abri o caderno e prossegui com a leitura.

Plazsow (Cracóvia), Polônia
14 de outubro de 1943

Era hora do jantar. Alguns soldados comiam sem vontade, outros trocavam a comida de aparência pouco apetitosa por alguns cigarros e um pouco de vodca. A temperatura insistia em cair, assim como o ânimo das tropas.

Mesmo que a negativa por parte do Führer *e de Goebbels surtisse um razoável efeito moral num primeiro instante, a sombra da derrota da Alemanha já pairava sobre a nação e os países ocupados. Notícias extraoficiais afirmavam que as coisas não estavam nada boas na Itália e também no* front *ocidental. No lado oriental, Stalin e as tropas soviéticas pareciam se multiplicar em vitórias, o que tornara mais raivosos os discursos do* Führer *contra o comunismo. A necessidade de a Alemanha vencer o inimigo no leste era primordial.*

— Às vezes, me sinto um inútil esquentando o traseiro neste campo enquanto meus amigos morrem na Rússia e Ucrânia — havia sido Marcus quem falara. Do grupo de jovens soldados, era ele quem gozava do maior respeito. Não apenas pelo seu físico corpulento, mas também porque tinha sido um dos poucos que participaram de uma batalha de campo real. Orgulhava-se de contar que abatera doze soldados inimigos. Sua pontaria e frieza para o tiro eram admiráveis, mesmo entre os oficiais. Contudo, Marcus escondia uma ira contida que me incomodava. Era como se sua prontidão para lutar independesse da guerra. Ele só desejava a luta, a morte. Apenas isso. Um legítimo soldado romano ou gladiador. Algo do gênero.

Marcus apagou o cigarro na bandeja de metal, onde a refeição era servida. E você, Gröner? Ser tratado como um soldadinho de chumbo inútil e ficar na espera não o incomoda?

Ele se dirigia a Heinz. Paulatinamente, a postura fria e contida de Heinz fazia com que conquistasse a simpatia e o respeito dos demais. Além disso, Heinz era bom com as palavras. Seus discursos patrióticos conseguiam comover a tropa, sobretudo os mais jovens. Era um alemão de quem, com certeza, o Führer *se orgulharia.*

— Procure relaxar, Marcus — disse Heinz, acendendo outro cigarro. — Se as coisas de fato ficarem ruins no front*, restarão somente os campos como núcleos de resistência. E, daí, entraremos em ação.*

— Pelo menos, amanhã é nossa folga — observou outro soldado. — Ouvi dizer que não nos dispensarão para nos divertirmos nas tabernas polonesas porque estamos em estado de alerta. Mas vão liberar vodca e cerveja.

De fato. Eu teria a minha primeira folga desde que chegara a Plaszow com Heinz. O comunicado oficial havia sido anunciado no dia anterior e servira para animar um pouco os rapazes. Ainda que não pudéssemos deixar o campo (a maioria ansiava por diversão com prostitutas polonesas), a folga era bem-vinda. O constante estado de alerta e os treinamentos de ação com os quais éramos acordados, de modo desavisado, às três ou quatro da manhã, sob falso aviso de ataque, estavam minando os nervos de todos.

Numa mesa próxima, Guinle entretinha alguns soldados, equilibrando uma série de bandejas. Os homens riam. Entre eles, havia um Unterscharführer[10] *e um* Sturmscharführer.[11] *A habilidade de Guinle em entreter no momento certo e dizer coisas inteligentes era o passaporte para que ele gozasse de privilégios e permanecesse fora da alça de mira de Amon Göth.*

A sirene soou, o que indicava que tínhamos que reassumir nossos postos. Rapidamente, todos se recompuseram e rumaram para o pátio. Heinz, que até então não havia me dirigido a palavra, passou por mim e colocou a mão sobre meu ombro.

— Amanhã vamos nos divertir para valer. Certo, Olaf?

Respondi com um sorriso sem graça. O que poderia ser diversão num lugar cercado pela morte?

— Estou pensando em algumas coisas realmente animadas para nossa folga. Vamos rir muito, como nos velhos tempos — dizendo isso, Heinz se afastou. Ainda que sua expressão fosse amistosa, havia algo no jeito de ele falar que me incomodava. Puro instinto.

Aproveitando a brecha aberta pela movimentação no refeitório, aonde os soldados iam e vinham para reassumir suas posições, Guinle se aproximou de mim e cochichou:

— Portão 3, hoje, às duas. Você tem dez minutos para se apresentar — disse ele. — A menina estará esperando por você.

Respondi àquilo com um enorme sorriso. Os músculos de minha face se moveram involuntariamente e uma corrente elétrica pareceu rasgar meu

---

[10] Terceiro sargento.
[11] Subtenente.

corpo. De modo discreto, acenei em agradecimento a Guinle, e ele se afastou, recolhendo as bandejas sujas.

Misturando-me com os demais soldados, caminhei com pressa em direção ao Portão 3. Ele dava acesso à ala norte do campo e era o setor mais protegido, apesar de ser a única área fora do campo de visão das guaritas. Era quase impossível executar qualquer tipo de fuga por ali devido não apenas aos recursos de segurança (cerca eletrificada e altura do muro), mas também porque a única via de acesso para se sair de Plaszow por aquela ala era uma densa floresta devidamente patrulhada por nossos homens.

O prisioneiro infeliz que tentasse escapar por ali com certeza encontraria a morte na queda ou seria abatido tão logo cruzasse as primeiras árvores.

Acendi um cigarro enquanto esperava Mariele aparecer, o que aconteceu poucos minutos depois de minha chegada ao local do encontro. Ela caminhava apressada.

Quando se aproximou, tive oportunidade de analisá-la. Estava mais magra do que eu havia presumido quando a encontrei no gabinete do comandante. E também mais abatida. Sua pele estava branca como a neve, e seu corpo estava coberto por um tipo de crosta de sujeira. Em seus dedos, não se diferenciava mais o que era carne ou unha. Porém, ainda havia uma beleza exuberante, uma beleza inocente e jovial por trás do corpo sofrido.

— Mariele... Que bom ver que está bem — eu disse, exalando fumaça de cigarro e ar condensado. Fazia frio. — Quando a vi na sala do comandante, temi...

— Eu estou bem — disse ela, com sorriso tímido. — Mesmo alguém como Amon Göth não pode nada contra o Deus em quem acredito.

— Tenho tantas perguntas. Tantas perguntas... — eu falava como um adolescente. Comia sílabas e gaguejava. — O que o comandante queria contigo? Ele fez algo a você? E como conseguiu vir até aqui? Como você e Guinle despistaram os guardas?

— Não tenho tempo para responder a tudo — ela sorriu. — O importante é que estou aqui, não é? Eu precisava falar com você, Olaf.

— Você precisa falar comigo? Achei que eu era quem...

— Ouça, Olaf — ela disse com expressão séria. A menina desapareceu, dando lugar a uma mulher de olhar forte, penetrante. A energia que Mariele me transmitia era algo indescritível, mas afirmo, sem sombras de dúvidas, que penetrava em minha carne e fazia meu corpo queimar. Afinal, quem era ela? Como fazia isso? — Olaf, não é comigo que você tem que se preocupar. Mas com você mesmo — ela prosseguiu. — Eu tive um sonho... e vi claramente. Deus me mostrou.

— Deus?... Do que...?

— Olaf, você deve manter seu espírito forte. Eu passarei por uma dura prova, mas você passará por uma maior. Se conseguir sobreviver... estará livre. Seu espírito estará. Entende? Por pior que seja a prova, não desista de Deus. Porque Ele não está desistindo de você. Às vezes, o destino se veste de um animal raivoso para que os caminhos se abram e sigamos nossos cursos.

— Mariele, você está me deixando assustado. Eu corro risco de vida? Nós corremos? O que pode nos...

Mantendo os olhos semicerrados, ela murmurou as palavras como se estivesse em transe.

— O pecado de seu amigo será seu pecado também. O pecado resulta em fogo; o fogo que arderá sobre suas costas se manterá aceso cada vez que você olhar para o legado do passado.

Confesso que senti calafrios, ainda que não tivesse compreendido, na época, uma única palavra do que ela me dissera.

Mariele olhou para os lados, repentinamente aturdida.

— Meu tempo está acabando. Não posso mais ficar aqui, falando com você. Prometa que não desistirá de Deus — e, antes de sumir atrás da enorme construção de tijolos que abrigava o dormitório das prisioneiras, reforçou: — Olaf, nem sempre a morte nos tira o corpo. Às vezes, ela nos tira a alma. É contra isso que você deve lutar. Prometa que lutará.

Tentei falar, mas de minha boca só saiu uma fumaça de ar gelado. Minhas perguntas continuavam sem respostas. O encontro com Mariele, apesar de breve, fora perturbador. Minha alma se agitava, como se algo realmente ruim estivesse para acontecer. Uma nuvem negra e pesada tomou conta de mim; todos os meus nervos estavam em estado de alerta, como prontos para a batalha.

Capítulo 21

Plaszow (Cracóvia), Polônia
15 de outubro de 1943

Mesmo hoje, quando a morte pede licença para entrar e me levar para o outro mundo, as lembranças dos meus aniversários em Colônia pulsam, vivas, como se ainda morassem em mim.

Nasci em uma época em que a Alemanha passava por um momento sobremaneira delicado. A Primeira Guerra havia deixado o país na ruína. Nossa economia estava destruída, e o povo fora obrigado a engolir o orgulho patriótico enquanto o governo assinava tratados de paz visivelmente desfavoráveis ao país.

Entretanto, apesar do breve momento de paz, a guerra iminente estava sendo germinada no coração de cada alemão. Foi nesse cenário de desespero que a imagem de Hitler e do nazismo acabaram florescendo. Goebbels mostrara-se extremamente hábil em transformar a miséria em combustível para acender o ódio e criar os alicerces para a construção do Terceiro Reich.

Como criança, era de se esperar, passei parte de minha vida imune a esse sentimento. E as datas de aniversário eram as melhores e mais aguardadas do ano. Minha mãe fazia bolo e minhas irmãs se encarregavam de arrumar a casa. Eu me sentia especial. Era como se todas as mulheres da casa me servissem pelo simples fato de eu ser homem. Eu não compreendia a importância de ser um homem em tempos de crise e guerra — mas logo isso ficaria claro.

A cada aniversário, eu me sentia mais e mais especial, protegido por minha mãe e minhas irmãs.

Com a chegada da pré-adolescência e juventude, a alegria de comemorar um ano a mais de vida sumira, e a data de meu aniversário caiu no esquecimento, dormente no fundo de minha alma.

Sendo assim, e por tudo que contarei a partir de agora, o dia 15 de outubro tornou-se uma data tristemente especial. Ela marcou o meu renascimento como uma nova pessoa, um novo ser, cada vez menos humano. A data em que o destino havia cravado em mim suas garras e deixado as marcas que passaram a fazer parte de mim e que, sem dúvida, morrerão comigo.

Naquele dia, estávamos de folga. Após o dia de patrulhamento, tínhamos permissão para beber, jogar e realizar um tipo de festa particular. Só não podíamos deixar o campo de Plaszow como medida preventiva, já que o clima de tensão aumentava, e um possível ataque inimigo era iminente.

Eu dormira mal. E também me sentia deslocado de toda aquela realidade. Cumpri minhas obrigações e passei o dia ouvindo de meus colegas que a noite seria boa demais. Eles desejavam aquela folga como um peixe que, prestes a sufocar, procura a água. Quanto a mim, apesar do cansaço e da tensão, me sentia deslocado de tudo aquilo. Não conseguia enxergar como seria um dia de folga naquele inferno em que estávamos imersos.

Um colega me rendeu no patrulhamento, de modo que minha folga estava oficialmente começando.

— Que inveja, Seemann — o colega me disse. — Tome uma cerveja por mim.

Respondi que beberia e acendi outro cigarro. Dirigi-me ao alojamento e me livrei do armamento. Havíamos sido instruídos a usar o uniforme e carregar a pistola, mas estávamos desobrigados de levar o arsenal de patrulha, como metralhadora e granadas.

No alojamento, cruzei com Heinz no corredor. Ele me abriu um sorriso solícito e me abraçou.

— Olaf! Os rapazes estão preparando uma festinha na sala de mantimentos. Os superiores liberaram para a gente improvisar um salão de jogos. Vai ter bebida também.

Havia tempos eu não o via tão animado assim. De repente, meus olhos cegos enxergaram diante de mim o amigo que eu julgava perdido.

— Podem contar comigo — eu disse. — Preciso mesmo relaxar, as coisas aqui estão tensas.

Heinz colocou a mão no meu bolso e pegou um cigarro do maço. Acendeu e, encostado na parede, tragou e soltou a fumaça.

— Olaf, não seja como esses idiotas que não acreditam na vitória de nossas tropas. Ouça o que eu digo. Logo, muito em breve mesmo, ouviremos o pronunciamento do Führer na emissora de rádio, conclamando todo o povo a celebrar a vitória final. Olhe para nós e olhe para os inimigos! Eles são amadores. Nós somos profissionais; nossos armamentos são melhores. Stalin pode estar vencendo a guerra em solo soviético, mas ele contou com a sorte do inverno. Contudo, em nossas fronteiras, a coisa será diferente, eu lhe afirmo.

Dizendo isso, Heinz me deu um tapinha nas costas e seguiu pelo corredor, assobiando o "Sieg Heil Viktoria."[12] Dentro do quarto que dividia com outros cinco soldados — todos em serviço —, deitei-me na cama e, fechando os olhos, fiz uma oração. A sensação era estranha. Desde muito pequeno, eu tinha o hábito de rezar; contudo, naquele dia em especial, proferir palavras ou pensamentos de louvor a Deus parecia algo insólito, desconexo da realidade. Era como celebrar uma missa em meio a uma festa no inferno de Satanás.

Afastei os pensamentos e dediquei-me a refletir sobre o que Mariele dissera. As palavras dela me ocuparam na maior parte do dia. Pela pequena janela, observei a noite cair, implacável. E, então, adormeci. Não sonhei com nada em particular; aliás, eu raramente sonhava. Minha mãe dizia que isso era sinal de uma consciência tranquila e abençoada.

Perdi a noção de quanto tempo eu havia dormido. Acordei com Heinz e outro rapaz, chamado Rolf, à porta do quarto.

---

[12] Hino da SS.

— O que diabos está fazendo, Olaf? Hoje é uma de nossas raras folgas e você está dormindo? — disse Heinz, já visivelmente sob o efeito do álcool.

— Ele deve estar sonhando com a mamãe! Não é, Seemann? — gracejou Rolf.

Ele era um dos caras mais feios que eu já tinha conhecido. Não possuía defeito físico de nascença, no entanto, seu rosto oval e sardento tinha uma expressão estranha, que se acentuava quando ria ou esbravejava. Seus lábios também tinham uma cor azulada esquisita e fúnebre.

Levantei-me, ainda grogue.

— Puxa, acho que dormi demais.

— Está perdendo uma grande festa, caro amigo! — Heinz me puxava pelo braço. — Anda, vem logo. Estamos esperando por você para o melhor da festa!

Afivelei o cinto e recoloquei a pistola no coldre. Apalpei o peito para conferir se meu crucifixo estava adequadamente escondido. Acendi um cigarro, acompanhando Heinz e Rolf, que também fumavam. Cruzamos a sala de entrada do alojamento e chegamos ao ar livre. Fazia muito frio e me encolhi. À frente, Heinz e Rolf falavam bobagens típicas daqueles que haviam bebido além da conta.

Em pouco mais de cinco minutos de caminhada, estávamos em um dos setores de estocagem de armas e mantimentos. Ao contrário de nosso alojamento, tratava-se de um prédio em condições bastante ruins, cujas paredes estavam sendo corroídas pela umidade, e o piso de madeira, que havia muito já tinha perdido a cera, estralava conforme nossas botas pressionavam as tábuas.

Dentro da sala de mantimentos, além de sacos e caixas que acondicionavam a ração diária dos soldados, havia cinco soldados, jovens como nós. Eles se entretinham num jogo de carteado sobre uma mesa improvisada com caixas de madeira. Havia garrafas de vodca vazias pelo chão e uma pela metade sobre a mesa.

— Bem-vindo ao paraíso, meu caro amigo! — disse Heinz, abrindo os braços.

— Cala a boca! — ralhou um dos soldados, com as cartas suspensas diante dos olhos. — Estamos concentrados.

— *Bem-vindo, Seemann* — *disse outro, um pouco mais solícito.*
Heinz apanhou a garrafa de vodca e estendeu-a para mim.
— *Toma isto e relaxe, Olaf. A noite está só começando.*
Entornei a garrafa e senti o líquido queimar minha garganta. Imediatamente, o chão se tornou flácido sob meus pés e tive a sensação de que iria cair.
— *Beba com um cigarro, é melhor* — *disse Heinz, segurando um cigarro aceso no canto da boca.*
Um dos rapazes do carteado bateu sobre a mesa improvisada, gritando que havia vencido.
— *Engula esta mão de cartas, Ulrich!* — *gritou, enquanto o adversário agitava as mãos, desmerecendo a vitória.*
— *Pro inferno você!* — *reclamou.* — *Me dá um pouco dessa vodca* — *falou, dirigindo-se a mim.*
Bebi mais um gole e passei a garrafa. Eu me sentia mais relaxado. Sentei-me em uma das caixas de mantimentos e fiquei observando a acalorada discussão sobre o jogo de cartas. Acendi outro cigarro e curti a imagem da brasa vermelha queimando o fumo.
— *Fiquem quietos, garotos* — *disse Heinz.* — *Não queremos acordar o batalhão inteiro.*
— *Não seria má ideia o comandante vir aqui beber conosco. Você consegue imaginar* Herr *Göth bebendo vodca barata?* — *perguntou o soldado Ulrich, tomando mais um gole.*
— *Não. Mas, se ele estivesse aqui, com certeza estaria se divertindo matando alguns ratos judeus* — *disse Heinz, pegando a garrafa e passando para mim.* — *Beba, Olaf. Precisará de álcool para poder curtir esta noite.*
Bebi um gole menor. O efeito do álcool já pesava sobre mim. Nunca havia sido forte para bebidas, sobretudo, as destiladas.
— *Acho que a vodca é feita com mijo na Polônia* — *observou outro soldado, um rapaz baixo e mirrado que parecia recém-saído do Grupo Escolar.* — *É muito ruim.*
— *Pelo menos isso os russos têm de bom* — *disse o soldado que vencera o jogo.* — *Vodca.*

— Não fala isso perto do Marcus. Ele está louco para meter bala na cabeça de alguns russos — disse Heinz, apagando o cigarro no cinzeiro sobre a mesa improvisada. — Por falar em Marcus, cadê ele?

— Foi buscar o presente da noite — disse o vencedor, olhando diretamente para mim. Então, notei que todos me olhavam, com exceção de Heinz, que tinha o olhar preso ao chão.

Nisso, Marcus e outro soldado abriram a porta, fazendo com que um forte golpe de vento entrasse na sala.

— Não precisam esperar mais! — disse Marcus. — Já cheguei com nossa surpresa.

Presa pelos braços, sustentada por Marcus e o soldado, estava Mariele. Ela tinha um olhar morto, resignado. Vê-la fez minhas pernas tremerem. Imediatamente fiquei de pé, deixando o cigarro cair da boca.

— Mariele?! O quê?... — perguntei, com um fio de voz.

— É sua surpresa, Olaf — era Heinz quem falava. Ouvir as palavras do meu amigo aumentava minha aflição. Eu me sentia traído, doente. O chão escapava dos meus pés. — Eu disse que teríamos uma comemoração especial nesta noite.

Num gesto brusco, Marcus arrancou o velho casaco de Mariele, lançando-a ao chão. Seu corpo bateu contra as tábuas do piso, mas ela não emitiu um som sequer.

— Parece assustado, Olaf — disse Marcus, rindo. — Sei que você conhece esta putinha judia. Afinal, foi ela que fez... como é que disseram?... o milagre com você. Agora, chegou a hora de você retribuir a gentileza dela com uma boa trepada. O que acha, Seemann?

Eu estava aturdido. Não sabia o que dizer. Por mais que quisesse, as palavras não saíam.

— Por que não fala nada? — continuou Marcus. — Quer saber, você não estará fazendo mal algum a ela. Vou mostrar a você. Heinz, por que você, como melhor amigo dele, não vai primeiro? É como amaciar um pedaço de carne.

Heinz aproximou-se de mim. Estava tão perto que seu hálito de álcool e cigarro inundou minhas narinas.

— *Heinz, não faça... —* murmurei.

— *Olaf, estamos numa guerra. E, numa guerra, você tem que saber claramente o lado pelo qual luta. Eu vou mostrar para você.*

Heinz retirou o cinto, deixando a pistola sobre uma caixa.

— *Segurem a menina —* disse Marcus.

Rolf e outro soldado prenderam Mariele pelo braço, enquanto um terceiro segurava sua cabeça, tapando sua boca. Eu não conseguia me mexer. Só observava o olhar de Mariele; sereno, como se sua alma não estivesse realmente ali.

— *Marcus, isso não vai dar problema? Afinal, ela é prisioneira. Se alguém souber... —* comentou outro jovem soldado.

Heinz se ajoelhou diante de Mariele e ergueu seu vestido sujo. Afastou suas pernas com a mão e, então, começou a se movimentar dentro dela.

— *Está vendo, Olaf? Heinz está mostrando como se doma uma égua —* ria Marcus. — *Ou uma ovelha!*

— *Por que... por que estão fazendo isso? Heinz... —* eu disse, por fim. *Então, cego por uma fúria que subitamente subiu pelo meu corpo e dominou todos os meus músculos, cerrei os punhos e parti para cima de Marcus.*

Antes que eu pudesse tocá-lo, ele apontou sua pistola para mim. Mirava minha cabeça.

— *Parado aí, Olaf. Você já foi detido por ter contato com uma prisioneira. Imagine o que acontecerá a você se souberem que bateu em um companheiro —* disse Marcus, com ironia.

— *Desgraçado! —* eu disse, com os dentes cerrados. *Sentia como se um demônio acordasse dentro de mim. Algo muito ruim, havia muito tempo adormecido.*

— *Escute, Seemann, se serve de consolo —* Marcus engatilhou a arma —, *essa putinha já se deitou com mais soldados do que você pode sonhar em sua imaginação inocente.*

— *O quê?... O que está dizendo?*

De repente, olhei para Mariele, deitada, enquanto Heinz se mexia entre suas pernas.

— Pergunte a qualquer um, idiota! — Marcus prosseguiu. — Por que acha que ela está viva ainda? Ela paga pela vida dos seus amigos judeus com sexo. Dizem que essa atitude caridosa já salvou várias vidas. Agora, imagine, Seemann... estamos confinados aqui, sem mulher, sem vida. Só prisioneiros, armas e a guerra. O que há de mal em trepar com uma judiazinha de vez em quando, não é? Até os oficiais já tiraram uma casquinha da garota.

— Isso... é mentira... Ela...

— Mentira? Que droga, Seemann! Olha para ela! Ela nem se mexe! Nem sente Heinz! Já está acostumada, entende? E essa história de milagres?! Besteira!!! Provavelmente ela é uma enganadora daquelas, que se aproveita do sofrimento de seu próprio povo para ficar por cima. Quem sabe, para conseguir favorzinhos?! Judeus são assim, Seemann! Você ainda não se deu conta, não? Não leu o livro do Führer? Não ouviu seus discursos? Se ela fosse de fato capaz de fazer milagres, tiraria a escória nojenta do seu povo desta merda toda! Salvaria todo mundo! Mas qual é a realidade? Eu digo: nós estamos acabando com eles, dando a esses sanguessugas o destino que eles merecem.

Abaixei a guarda. Deixei o corpo desabar sobre a caixa e escondi o rosto com as mãos.

Heinz ficou de pé e ergueu a calça. Estava ofegante como um animal.

— Terminei. Quem será o próximo?

— Olaf! — disse uma voz.

— Sim, Olaf! — repetiu Rolf.

— Vai lá, Seemann — disse Marcus, laçando-me com o braço. — Pense que você será apenas mais um. Aproveite sua folga, meu rapaz. Para facilitar as coisas, pode fechar os olhos e pensar que essa vadiazinha judia é uma bela loira de grandes peitos. Então, à lida, soldado!

Eu queria chorar, porém, engoli as lágrimas. Eu estava enganado. Enganado sobre Mariele. Ela não era santa, nem especial. Muito menos escolhida por Deus. Seus milagres... As vidas que salvara foram pagas com sexo. Lixo. Excremento.

Meu ódio agora deixava de mirar Marcus e Heinz e se dirigia a Mariele.

— Tome. — Heinz me estendeu a garrafa de vodca. — Vire isto e vai em frente.

Olhando para Mariele no chão, presa pelos três rapazes, continuou:

— Ela gostou, eu afirmo — Heinz sorria. — Nunca imaginei que fazer sexo com uma judia poderia ser tão bom. Acho que ela tem a vagina de uma alemã. Só pode ser...

O riso de meu amigo de infância transformou-se em uma gargalhada histérica e diabólica.

Segurei a garrafa e bebi o maior gole que consegui. O mundo girou; nunca fui forte para bebidas, principalmente vodca. Tive que me segurar para não cair. Eu estava transtornado. Tudo em mim havia se convertido em puro ódio. Sexo. Ela pagara a segurança dos seus companheiros judeus com sua integridade, entregando-se a soldados nazistas. Por isso, pensei, havia conseguido me encontrar no dia anterior. Qual teria sido o preço da escapadela? Com quantos soldados tivera que transar para que fizessem vistas grossas e a deixassem em paz por alguns minutos para que pudesse falar comigo?

Sim, eu sentia ciúme. Um ciúme que nunca havia sentido antes por alguém ou algo.

Abaixei minha calça e, arfando, deitei-me sobre Mariele. Olhava para ela como um animal selvagem. Então, finalmente ela mexeu os olhos. Ainda que seu olhar fosse calmo, tinha algo diferente. Era como se dissesse que me perdoava por estar fazendo aquilo.

Eu me senti dentro dela e comecei a me mexer cada vez mais rápido. Não demorei muito. Ao final, urrei como um bicho e deixei meu corpo cair sobre o dela. Ao meu redor, vozes e aplausos me dando os parabéns.

Heinz estendeu o braço, me ajudando a levantar.

— Parabéns, Olaf — ele disse. — Agora, é um alemão de verdade. Você foi muito bem. Estou orgulhoso.

Com um gesto brusco, afastei seu braço. Terminei de fechar o cinto e, cambaleando, empurrei Marcus da minha frente, abrindo passagem até a porta.

O frio me esbofeteou, acertando-me em cheio quando cheguei do lado de fora. Eu ainda podia ouvir as vozes dentro da sala de mantimentos. Eles se *divertiam. A festa iria noite adentro. Os sons se alternavam entre urros animalescos de orgasmos e pancadas, ossos se chocando contra ossos, gemidos de dor e medo.*

E eu não conseguira salvar Mariele. Talvez ela não merecesse ser salva, afinal. Era como tudo naquele lugar. Um lixo, podridão.

Encostei-me na parede e deixei meu corpo deslizar até o chão. Mecanicamente, peguei minha pistola e levei-a até a boca. Puxei o gatilho. Eu queria morrer. Precisava pôr um fim na minha vida, já que, sabia, eu seria incapaz de conviver com o que havia acabado de fazer.

Fechei os olhos e apertei o gatilho. Não houve disparo; tampouco a dor da bala rompendo os ossos e estourando meu crânio. Soltei a arma e, então, as lágrimas caíram. Eu chorei como uma criança. Por que Deus estava me poupando? O que Ele queria mostrar, afinal?

O ar estava tão frio que parecia ser possível tocá-lo com as mãos. Eu já não sentia meus lábios.

Sim... Era isso que Ele queria de mim. Queria que continuasse vivo para poder viver uma existência miserável e pagar pelo que fizera. A morte era apenas uma fuga, não uma punição. Olhei para a arma, jogada no chão ao meu lado, e sorri. Eu não tentaria mais acabar com minha vida. Não até encontrar a resposta para a pergunta que passou a me atormentar desde aquele dia: por que Deus me queria vivo?

Capítulo 22

São Paulo, Brasil
28 de dezembro de 2006

Eu estava atônito. E, ao mesmo tempo, fascinado. De algum modo, aquele manuscrito estava puxando a cortina e me mostrando o palco sobre o qual desenrolara a vida de um pai que eu nunca havia conhecido.

Meu corpo sentia uma necessidade enorme de descansar e meus olhos pareciam clamar por um sono tranquilo. Contudo, meu cérebro ordenava que eu prosseguisse.

Eu estaria mentindo se não dissesse que uma pontinha de mim, bem escondida no meu íntimo, sentia um medo terrível de continuar com a leitura. O motivo era claro: quanto mais eu abrisse as cortinas do passado do meu pai, mais próximo estaria o momento de dar o veredicto final sobre ele. Culpado ou inocente? Quem era Olaf Seemann? Por que havia fugido da vida, escondendo-se em um casulo invisível e inacessível? E quem, de fato, tivera acesso ao íntimo do velho Olaf a ponto de assustá-lo, levando-o a, possivelmente, tirar a própria vida?

Eu sabia que as respostas para tudo me arrastavam pela estrada que terminava na última página escrita à mão pelo meu pai naquele caderno.

Na cozinha, enchi a caneca com café e, uma vez constatado que o bule estava vazio, desliguei a cafeteira.

Espreguicei-me sobre o sofá e tomei um grande gole.

— Você vai ter que me ajudar na luta contra o sono — eu disse, olhando para o líquido preto dentro da caneca. Então, voltei a abrir o caderno no ponto onde havia parado.

Plaszow (Cracóvia), Polônia
16 de dezembro de 1943

Guinle *me abordou no dia seguinte àquela desgraça. O ar estava frio e denso, e os prisioneiros caminhavam para mais um dia de trabalhos. O astuto intelectual tinha um olhar aturdido.*

— *O que diabos houve com a menina Mariele, Seemann?* — *ele disse, aproximando-se de mim a passos apressados. Mantive-me imóvel como um morto-vivo. Meus olhos seguiam os prisioneiros masculinos que, em fila, caminhavam como se desfilassem em um balé tétrico.* — *Ela foi levada para a enfermaria hoje! Dois garotos da SS tiveram que levantá-la da cama, porque a menina não estava nada bem. Foi bastante espancada e sangrava muito... ali, entre as pernas. E eu soube...*

Guinle limpou a garganta. Só então notei que ele estava gripado.

— *Eu soube que fizeram uma festinha com ela ontem à noite* — *prosseguiu.* — *Havia vários soldados de folga. Você soube de algo, Seemann? Seu amigo Gröner estava entre eles. Ele é seu melhor amigo.*

Eu mantinha os olhos fixos nos prisioneiros e um cigarro aceso preso aos lábios.

É claro que eu sabia. Eu sabia de tudo o que tinha acontecido. Eu estava lá; estava lá e não fiz nada. Fora tomado pelo ódio, guiado pelas palavras de Marcus e Heinz. Movido pelo álcool, pelo ciúme e por tudo o mais que ajudava a compor a miséria humana em que estávamos mergulhados em Plaszow e, quem sabe, em toda a Europa.

— *Não sei do que está falando, Guinle* — *eu respondi.* — *Mariele está bem?*

— *Foi levada para a enfermaria* — *ele disse, ofegante.* — *Olha, Seemann, judiaram bastante da coitadinha. Sei que tem coisas obscuras que acontecem neste campo. A lei do mais forte. O mais fraco tem que se subjugar. Mas a menina Mariele não merecia isso, Seemann.*

O nariz de Guinle escorria e ele usou a manga do uniforme para limpá-lo.

— *Seemann, espero que você realmente não esteja envolvido no que aconteceu com a garota Goldberg. Nem Göth consegue tocar nela. O que fizeram ontem...* — *ele deu um longo suspiro.* — *Em todos os meus anos como professor, aprendi a analisar meus jovens alunos. Quando olho para você com estes olhos cansados, Seemann, ainda vejo que resta esperança para a juventude de nosso país. Não me decepcione.*

Cambaleante, Guinle afastou-se de mim. Nossa conversa não durara mais do que um minuto. Possivelmente, menos.

Um nó formou-se em minha garganta. Eu me sentia sufocado, não conseguia respirar.

Depois do que havia acontecido na noite anterior — *depois do que eu fizera* —, *eu não consegui dormir. Mesmo decidido a tirar minha própria vida, a arma teimosamente insistiu em não disparar. Ou seja, eu estava preso a meu corpo e à minha existência, condenado a viver na mediocridade sob a culpa da coisa mais terrível que eu já tinha feito. Nem mesmo atirar em prisioneiros* — *algo que costumava me revirar as entranhas* — *parecia algo tão ruim agora.*

Talvez fosse assim que o mal agia, afinal. Degrau por degrau, ele nos vencia pelo cansaço. Mostrava-nos que, mesmo quando tudo parecia ruim ou degradante, poderia ficar pior. Poderíamos nos tornar ainda mais sanguinários, vis, capazes de atos terríveis.

De repente, uma forte onda de preocupação tomou conta de mim. Eu precisava ver Mariele; pedir perdão. Claro, eu sabia que era tarde e que ela não me perdoaria. Ainda assim, eu tinha que tentar. Ajoelhar diante dela e pedir perdão. Seria meu último ato. Quem sabe, assim, Deus teria piedade de mim e me levaria rumo à morte.

Eu estava determinado a isso; nem que me custasse a vida.

Dirigi-me à enfermaria. Ocupar um daqueles leitos não era privilégio para qualquer prisioneiro. É claro que havia aqueles que recebiam um tratamento diferenciado dos demais, ou por se tratar de prisioneiros políticos, que poderiam servir como moeda de troca em caso de alguma crise, ou por serem intelectuais, como Guinle, que sabiam tirar proveito do seu conhecimento e cérebro para flutuar com liberdade por ambos os lados. Esse tipo de gente tinha sua utilidade, sobretudo nos serviços de leva e traz. Havia, ainda, os prisioneiros, na imensa maioria mulheres jovens judias, que eram recrutadas para serviços de limpeza e arrumação nos alojamentos dos oficiais. Graças a isso, tinham a chance de conquistar seus chefes e se livrar do sofrimento imposto à maioria.

No caso de Mariele Goldberg, ocorria que, simplesmente, ninguém conseguia colocar as mãos nela. Mesmo que submetida a trabalhos cansativos e pesados, sofrendo as agruras comuns a todo seu povo, mesmo que tivesse que se submeter a prestar favores sexuais para assegurar a sobrevida de outras mulheres do seu grupo, ela parecia envolta numa espécie de proteção.

Enquanto esperava a enfermeira-chefe do turno, eu me lembrei da parábola bíblica que narrava o episódio em que Cristo havia caminhado sobre as águas do mar revolto. Mesmo que engolido pela tempestade e pela fúria das águas, Ele caminhara tranquilamente sobre a água, ileso, como se estivesse numa outra dimensão ou algo assim. Era como Mariele; mesmo cercada de horror, ela sobrevivia. Era o real milagre que crescia no seio do inferno, que era Plaszow.

— O que deseja, soldado? — a voz grave da enfermeira-chefe me fez retornar de meus pensamentos.

— Preciso falar com uma prisioneira que é paciente aqui — meus olhos percorriam para além do biombo branco que dividia o grande espaço que servia como ala de espera e as camas enfileiradas, que se prolongavam por dois ambientes, separados por uma porta.

— Precisa apagar o cigarro. — Ela apontou para o cigarro praticamente consumido que estava preso em meus lábios.

Amassei a bituca em um cinzeiro sobre uma das mesas com rodinhas que serviam para as idas e vindas com refeições.

— Tem autorização?

— Eu preciso de algum tipo de justificativa para investigar o comportamento inadequado de nossos soldados, enfermeira? — perguntei, em tom autoritário.

— Desculpe, mas eu tenho que...

— O comando está investigando um possível desvio de conduta num grupo de jovens soldados que ontem esteve de folga. É isso. Não preciso dizer que é sigiloso. Imagine a senhora se um de seus colegas descobre que a senhora está investigando sobre ele? Logicamente, isso geraria atrito. Estamos numa guerra e não é oportuno criar intrigas no front. Acima de tudo, quando as ordens para se investigar vêm de nossos superiores que, por sua vez, respondem ao próprio Führer.

Eu sabia que a maior parte do corpo médico não tinha formação militar e tampouco se interessava por esse tipo de assunto. Eles estavam lá para salvar vidas. Vidas de jovens soldados alemães.

— Então, não ponho no prontuário? — ela me questionou, visivelmente tensa.

— Não há necessidade. Mas, se desejar...

— Não! — Ela gesticulou e arrumou a gola de seu uniforme branco. — Não quero encrenca com o exército. Para isso, vocês têm seus generais. Qual paciente deseja ver?

— Mariele Goldberg. Prisioneira judia — eu disse. — É fato que os judeus são mentirosos por natureza, e qualquer coisa que a moça disser não será levada a sério. Mas recebi ordens para investigar, então...

— Não sei quem é, mas vai encontrar o prontuário com o nome de cada paciente preso à cama. Tem cinco minutos.

— Obrigado — falei, já percorrendo o corredor entre os leitos.

A maioria dos leitos estava vazia, o que indicava que mais e mais prisioneiros estavam morrendo em Plaszow, e que os esforços para salvar suas vidas haviam diminuído. O número de corpos lançados em valas coletivas era infinitas vezes maior do que a quantidade de prisioneiros que tinham o privilégio de deitar-se em um daqueles leitos brancos.

Passei pela porta que dividia os dois cômodos com camas. Meus olhos identificaram Mariele deitada na quarta cama da fileira da esquerda. Discretamente, me aproximei e vi que dormia.

Meu coração se aqueceu. Ela tinha um enorme hematoma no olho direito e seus lábios estavam cortados. Sem dúvida, havia levado uma surra.

Tive que me conter para não a tocar e acariciá-la. Uma lágrima teimosa rolou pelo meu rosto e eu murmurei um "perdão" que escapou dos meus lábios sem que eu percebesse. Depois, repeti em tom mais audível, certificando-me de que estávamos sozinhos.

— Perdão, Mariele. Eu... eu não sabia... Eu fiquei...

Ela entreabriu os olhos e esboçou um sorriso pálido. Não havia ódio naquela expressão, mas sim perdão.

— Mariele, me perdoe. Eu... eu tive...

— Não se preocupe, Olaf... — ela disse, com um fio de voz.

— Você está muito machucada?

— Não consigo me sentar direito. Nem mexer muito as pernas. Mas disseram que ficarei boa. Mas você... se o virem aqui, você...

— O quê? O que pode acontecer comigo? Morrer? Não, Mariele, não irei morrer. Soube disso ontem, da pior maneira. Deus... ou algo... algo acima de nós, me quer vivo. Me punir... Mariele, eu...

— Lembra do que eu disse sobre o perigo a que você estaria exposto? — Sua voz estava mais forte. Porém, ela falava baixo e lentamente. — Sua verdadeira provação começará agora.

— Provação? — suspirei, tentando manter o controle. — Você ficará bem. Lembra-se do que o comandante disse? Assim que melhorar, você vai trabalhar na fábrica de Herr Schindler e sairá daqui.

Ela riu e enxerguei em suas feições um anjo.

— Você é doce e inocente como uma criança, Olaf... — disse, tocando meu rosto com a ponta dos dedos. — O comandante nunca me deixará ir. Mas, ainda assim, Deus me prometeu que estaria comigo. Ele tem uma missão para mim. E para você também, Olaf.

— Você me perdoa? Eu não sou digno de pedir isso, mas...

— Você fez o que tinha que fazer. E tenho certeza de que havia a vontade de Deus, coordenando tudo o que houve na noite de ontem.

— Deus... Ele quer me punir, Mariele. Me punir — eu chorava.

Um homem, que ocupava algumas camas adiante começou a balbuciar algo. Ele estendia a mão para o alto e olhava para mim com desespero.

— O anjo... o anjo da morte veio nos buscar! Fuja, menina! Fuja!

Então notei. Ele estava assustado por ver meu uniforme. Eu não o culpava. Todas as manhãs, eu me trajava com a roupa da morte para exercer meu papel de soldado alemão, fiel ao Führer.

— Saia daqui, Olaf — disse Mariele. — Deus tem planos para você. Acredite.

Passos vindos da ala externa à enfermaria estavam se aproximando. Ainda olhando para Mariele, afastei-me de seu leito e fiz o caminho de volta, deixando o local sem ser visto.

Eu estava perdoado. Ela havia me libertado da culpa. Mas eu sabia que não seria o suficiente. A pior prisão é aquela que construímos em nosso íntimo. E, quando nos trancamos nela, jogamos a chave fora. Não há volta.

Capítulo 23

São Paulo, Brasil
28 de dezembro de 2006

Eu me sentia sufocado em meu apartamento. Tinha a nítida impressão de que o pé-direito se tornara maior, e o chão sob meus pés, mais movediço. Ainda que eu tivesse ligado o ar-condicionado, ajustando-o para 18 °C, o calor sufocante começava a me fazer entrar em parafuso.

Quase a ponto de perder o juízo, corri para a porta e saí para o corredor que ligava os apartamentos ao elevador. Girando sobre os calcanhares, dei meia-volta e, ofegante, vasculhei toda a sala com olhar desesperado.

Ali estava. O vaso com as cinzas do meu pai e o caderno de anotações repousavam sobre a mesa de centro, onde também dormia a caneca tingida com o restinho de café, que me fizera companhia na noite anterior.

Coloquei o vaso sob um braço, o caderno sob o outro e, por fim, apanhei o elevador para o térreo. Passei apressadamente pelo porteiro, que se entretinha com um exemplar de um jornal gratuito. Enfim, eu estava ao ar livre. Apesar de quente e úmida, a atmosfera do lado de fora era bem menos sufocante.

Encostei-me na mureta do discreto jardim que ladeava todo o muro do condomínio e dei um longo suspiro. Pouco a pouco, minha respiração se normalizava, e a sensação claustrofóbica sumia.

"Preciso de férias de verdade", pensei, lembrando-me do meu projeto: ir a Aruba, no Caribe, e aproveitar toda *piña colada*, martínis e frutos do mar que eu conseguisse ingerir.

Meu sonho de férias foi interrompido por um toque suave em meu braço. Olhei para o lado, abraçando com força o vaso e o caderno. Rapidamente, imaginei ser um pedinte. A época natalina e o *réveillon* eram períodos típicos para a ação da mendicância, cujos olhares pedintes e tristes corroíam até os corações mais duros. No entanto, ao meu lado estava uma mulher de feições bastante sofridas, olheiras profundas e lábios feridos. Seus dedos estavam em carne viva e seu corpo, extremamente magro, metido em um vestido surrado, lhe dava a aparência de um manequim de loja um tanto mórbido.

— O senhor pode me ajudar?

Analisei a moça dos pés à cabeça.

— Estou com fome. O senhor pode me ajudar?

— Desculpe-me — eu falei. — Saí às pressas do apartamento e esqueci minha carteira.

Resignada, a mulher encolheu os ombros e afastou-se. Eu, no entanto, tentei detê-la, tocando em seu braço.

— Dona, a senhora quer ir a um hospital? Quer que eu chame uma ambulância? — perguntei. — A senhora não me parece bem e...

Com um olhar lânguido, ela mirou o fundo dos meus olhos — não, melhor dizendo, da minha alma — e, então, disse:

— Você não pode nos ajudar, Hugo Seemann. Somos muitos.

Num piscar, seus olhos se desviaram dos meus e miraram algo adiante. Segui a trilha do olhar da moribunda e, pasmo, vi uma turba de maltrapilhos descendo a rua. O grupo caminhava como zumbis e era formado por homens e mulheres esqueléticos e com aparência decrépita. Só então reparei que todos pareciam utilizar a mesma roupa — um tipo de uniforme encardido, no qual se notava uma estrela de cinco pontas costurada à altura do ombro.

— A Estrela de Davi? — murmurei. — Que merda está acontecendo?

Como se eu estivesse hipnotizado, deixei meu olhar caminhar por entre o grupo, que prosseguia andando rua abaixo. Só então consegui identificar, no meio daquela gente esquálida, uma menina. Ela parecia mais jovem do que a maioria e, apesar de suja e ferida, estava em condições físicas um pouco melhores. A cabeça raspada e a pele sem cor não escondiam a feição bela.

— Mariele Goldberg! — falei, correndo em sua direção. De repente, a identidade da menina tornou-se tão clara e evidente para mim quanto uma piscina de águas límpidas, através das quais se pode enxergar nitidamente o fundo. — Mariele, eu sou filho de Olaf! Lembra-se dele?

Eu corria na direção da moça e falava como um verdadeiro lunático. Uma forte ardência em meus pés me deteve. O asfalto se tornara pegajoso e extremamente quente. O sol, que brilhava forte sobre nós, dava uma coloração alaranjada à paisagem.

O piso quente derreteu rapidamente a sola dos meus tênis e começava a queimar a planta dos meus pés.

— Mariele, o que está acontecendo? — eu não desistia de chamar pela menina, apesar da dor que penetrava minha alma. — Me... me ajude! Socorro!

Com os pés em carne viva, ficar em pé tornou-se um esforço sobre-humano. Por fim, sucumbi, caindo de joelhos no chão.

O impacto do meu corpo contra o asfalto me fez despertar. Como em um espasmo, sacudi o corpo sobre o sofá, fazendo com que o caderno fosse atirado para longe. Num movimento brusco, sentei-me, acertando com a canela a quina da mesa de centro, o que me fez ver estrelas.

— Merda! — praguejei.

Respirando com um pouco de dificuldade, comecei aos poucos a readquirir o controle assim que me certifiquei de que tudo não havia passado de um pesadelo, e de que eu estava seguro entre as paredes do meu apartamento.

Diante de mim, o vaso com as cinzas de Olaf e a caneca de café estavam inertes sobre a mesinha, exatamente como eu os havia deixado. Conferi o relógio: cinco da manhã. Eu tinha dormido apenas duas horas. Passara para o sono sem notar e, ao que tudo indicava, o conteúdo do manuscrito do meu pai penetrara meu cérebro.

— Agora começo a te entender, velho safado — eu disse, olhando para o vaso.

Eu costumava sair de casa por volta das seis e meia, o que me dava tempo para um banho e uma parada para o café da manhã em uma das maravilhosas padarias de Perdizes. Eu não tinha feito compras e praticamente só havia água e alguns frios embolorados na minha geladeira. Por isso, comer um pão na chapa com pingado me pareceu o melhor dos mundos.

Desfiz-me da roupa e entrei no chuveiro, que despejava água morna e relaxante. Depois de quase quinze minutos, desliguei-o, enxuguei-me e coloquei roupas limpas. Pensei em aparar a barba, mas, após uma espiadela no espelho, optei por manter meu rosto coberto pela barba rala que despontava.

Revigorado, peguei o vaso com as cinzas e o caderno, minha pasta, celular e, pronto, desci para a garagem. Acenei para o porteiro quando passei pelo portão automático e segui.

A cinco quarteirões havia uma padaria verdadeiramente divina chamada Pão Nosso. A referência bíblica do nome condizia com a qualidade das guloseimas que eles serviam.

As três vagas destinadas aos clientes estavam ocupadas, o que me obrigou a estacionar a quase dois quarteirões de distância. Mas estava certo de que o sacrifício valia a pena. Antes de descer, olhei para o vaso com as cinzas sobre o banco do passageiro. Pensei na possibilidade de levá-lo comigo, o que logo se transformou em uma ideia ridícula. Durante todo o percurso, eu havia observado se alguém me seguia e, aparentemente, tudo estava em ordem. Ainda assim, por precaução, deixei o vaso com as cinzas no porta-malas e guardei o caderno na minha pasta a tiracolo.

— Não saia daí, pai. Volto logo — eu disse, fechando o porta-malas e fazendo o vaso sumir da minha vista.

Fiz o percurso até a padaria, tentando mostrar tranquilidade. Contudo, meu instinto de proteção era mais forte e, de segundo em segundo, meus olhos percorriam o entorno, cruzavam olhares desconfiados de pessoas que, já cedo, caminhavam pelo bairro — algumas levando seus cachorrinhos para passear; outras, apenas cumprindo a rotina diária e indo para o trabalho. Na expressão das pessoas, era notória a ansiedade para que o ano terminasse e que 2007 chegasse trazendo consigo novas perspectivas.

Entrei na padaria e tive que disputar um espaço no balcão. Não havia mais mesas disponíveis e me restara um cantinho próximo à vitrine de pães. Um rapaz bastante jovem com um linguajar típico de periferia me atendeu; pedi um pão na chapa tostado e café com leite.

Apesar da quantidade de clientes, meu pedido chegou rápido. A cada mordida e a cada gole, eu repassava a história do manuscrito. Suas linhas me revelavam um pai que eu não conheci, alguém totalmente novo, que, ao mesmo tempo que ia ganhando forma na minha mente, também me deleitava como se fosse uma personagem de ficção — o que era bastante estranho, já que Olaf Seemann, meu pai, fora um cara real, de carne e osso, que tinha vivido, e morrera alguns dias atrás, e cujas cinzas estavam dentro de um vaso no porta-malas de meu carro.

Ainda que suas memórias me atraíssem como uma mosca é atraída pelo açúcar, meu sentimento em relação ao velho Olaf era curioso e indefinido. Não conseguia sentir amor filial por aquele sujeito que conhecera em vida, mas simpatizava com o jovem soldado alemão do manuscrito.

Era como se Olaf Seemann, meu pai, tivesse sido duas pessoas em uma. E, no hiato entre ambas as existências, havia um elo que, por muitos anos, estivera perdido: Mariele Goldberg, uma jovem prisioneira do Campo de Trabalhos Forçados de Plaszow; uma espécie de escolhida, que supostamente realizava milagres e que, segundo a carta do meu pai, endereçada a mim, estava viva.

Acho que foi naquele exato momento que tomei a decisão (ainda que de modo um tanto inconsciente) de viajar à Alemanha e encaixar as peças que faltavam naquele quebra-cabeça doido, que, ao final, me mostraria a pessoa real que tinha sido o velho Olaf.

Terminei o café com leite e me dirigi ao caixa. Havia cinco pessoas na minha frente e todas comentavam os preços abusivos dos alimentos e das bebidas naquele final de ano.

Na minha vez, paguei com cartão de débito e me despedi da moça do caixa, desejando um feliz ano-novo. Deixei a padaria em direção ao meu carro, dois quarteirões acima. Apertei o botão da chave, abrindo a trava automática do Cherokee. Dei uma espiadela em ambos os sentidos da rua e nenhum dos transeuntes me pareceu suspeito. Coloquei a pasta no chão, em frente ao banco dianteiro, e fechei a porta. Dei a volta no carro e estava pronto para entrar quando notei, em minha visão periférica, que uma mulher havia atravessado a rua, apressada. Ela acenava para mim e exibia um sorriso simpático.

— *Excuse me!* [Com licença!] — ela disse, ofegante. Tinha nas mãos um guia de São Paulo, desses que eram bastante comuns de se encontrar nas bancas de jornais antes que a tecnologia os convertesse em aplicativos para celulares. — *Please!* [Por favor!]

Todos os meus músculos se enrijeceram quando a mulher se aproximou de mim. Ela era bastante branca, possivelmente inglesa ou dos países nórdicos.

— *Bus...* ônibus — ela pronunciou com dificuldade. — Parque do Ibirapuera.

Respondi com um sorriso sem graça. Não estava habituado a pegar transporte público e, sinceramente, não fazia ideia de qual seria o ônibus que a mulher poderia apanhar para ir de Perdizes à Paulista.

— Hum... *I don't know. Sorry* [Eu não sei. Desculpe] — respondi.

Apontei para um ponto de ônibus que ficava a um quarteirão e torci para que entendesse o que eu estava querendo dizer. Ela deveria se informar com pessoas acostumadas a utilizar esse meio de transporte.

— Ah! — ela exclamou, sorrindo. — *Thank you*! [Obrigada!]

— *You're welcome* [De nada] — respondi, abrindo a porta do carro outra vez.

Detive meus movimentos quando senti algo duro encostar nas minhas costas, à altura dos rins.

Girei levemente o pescoço e vi que a mulher estrangeira me encarava. Porém, a fisionomia simpática havia sumido, dando lugar a uma expressão fria e séria. Em sua mão, uma pistola automática estava engatilhada e pronta para ser usada.

— *The diary. Give me the diary, mister Seemann* [O diário. Me entregue o diário, senhor Seemann] — ela disse.

Não precisei utilizar de nenhuma genialidade para entender o que estava havendo. *Eles* haviam me encontrado.

Encarei os transeuntes que, apressados, ocupavam-se de suas respectivas rotinas, mergulhados em seus pensamentos e que pareciam não enxergar que eu estava sendo abordado com uma arma em plena luz do dia.

Caminhando tranquilamente pela calçada, um homem se aproximou do carro e abriu a porta do passageiro. Ele me olhava com ironia e, imediatamente, reconheci aquele rosto. Era o mesmo sujeito que havia me ameaçado em Nova Petrópolis.

Naquele momento, tendo a oportunidade de olhar por mais tempo para seu rosto, consegui guardar sua fisionomia: rosto quadrado, cabelo loiro cortado bem curto, olhos fundos.

O loiro pegou minha pasta, abriu e retirou o caderno. Impassível, a mulher continuava pressionando a arma contra minhas costas.

— *It's mine* [É meu] — ele disse, com voz rouca. — *Dank*.[13] *Thank you, mister Seemann.* [Obrigado, senhor Seemann.]

Então senti um forte impacto contra meus rins, o que me fez dobrar os joelhos. Segurei-me à porta do carro para não cair. Nunca imaginei que uma mulher tivesse um soco tão potente assim.

Eu tentava me recolocar de pé quando recebi o segundo golpe. Com a coronha da arma, ela me acertara a testa, levando-me ao chão. O mundo girava e, rapidamente, eu percebia meus sentidos indo embora. Iria apagar e, com certeza, morreria.

Ainda zonzo, e já estirado no chão, observei a silhueta da mulher sambar diante de meus olhos, como se estivesse envolta em fumaça.

— *Forget everything about this, mister Seemann. Forget Miss Goldberg and Professor Keller* [Esqueça tudo sobre isso, senhor Seemann. Esqueça a senhora Goldberg e o professor Keller] — ela disse (ou, pelo menos, tive a impressão de ouvir). — *Next time, you will be dead.* [Da próxima vez, você será morto.]

Ouvi o barulho da porta se fechando e de passos. Meus agressores estavam se afastando. Entretanto, quando por fim imaginei que tudo havia acabado, a mulher me acertou com um chute nas costelas do lado esquerdo, fazendo com que eu soltasse um gemido e me dobrasse em posição fetal. O pontapé me atingiu em cheio, e a dor era forte demais.

— *Auf Wiedersehen, Herr Seemann*[14] — eu ouvi, sem saber ao certo se fora ele ou ela quem pronunciara as palavras. Segundos depois, notei que vultos se aproximavam.

Todos compunham uma massa disforme, sem rosto. Porém, entre a multidão que começava a se formar ao meu redor, vi uma

---

[13] "Obrigado", em alemão.
[14] "Adeus, senhor Seemann", em alemão.

silhueta familiar. Robusta, cabeça calva. Pensei por um instante ser Klaus Schneider, mas, ao fechar fortemente os olhos e reabri-los, vi que a imagem havia sumido.

— Assalto, foi um assalto! — alguém disse.

— Chamem uma ambulância!

— Já liguei para a polícia!

Com esforço (e com a ajuda de dois desconhecidos), consegui ficar de pé. A dor nas costelas era insuportável. Também sentia algo viscoso escorrer pelo meu rosto.

— Você está sangrando — disse alguém, cuja fisionomia eu não consegui identificar. Estava tudo turvo. — Tente não se mexer. Já chamamos a polícia.

Resignado, deixei meu corpo escorregar pelo carro até atingir o chão. Eu mal conseguia respirar.

Tive a sensação de perder os sentidos umas três ou quatro vezes antes de a viatura da polícia e a ambulância chegarem. Também vomitei um pouco em virtude da dor nas costelas.

Um policial, um sujeito negro retinto, tentou, com toda a paciência do mundo, conversar comigo para saber o que tinha acontecido. Por fim, convencendo-se de que eu não estava em condições de falar, mandou que me levassem para um pronto-socorro.

Fui colocado em uma maca e, enquanto um paramédico me examinava, as portas da ambulância eram fechadas e colocávamo-nos em movimento.

— O senhor é Hugo Seemann? — ele perguntava repetidamente.

— Sim, sou eu — balbuciei.

— Por favor, senhor Seemann, me diga onde dói. Aqui? — perguntou, apalpando meu lado esquerdo. — E aqui? Dói?

Balancei negativamente a cabeça. No entanto, quando ele subiu um pouco mais a mão e tocou no ponto ferido, não pude evitar um urro de dor.

— É aqui? Quarta ou quinta costela — ele disse. — Teremos que examinar, senhor Seemann, e vai doer um pouco.

— Doer *mais* um pouco?... — eu disse, puxando o ar. — Quase morri agora há pouco!

— Preciso ver se a costela está quebrada e se houve algum tipo de lesão primária no pulmão, ok? No pronto-socorro, faremos mais exames — ele apontou para minha testa. — Também teremos que fazer uma sutura nessa testa. Parece que o senhor tem um corte profundo aí.

— Pode fazer qualquer coisa — eu murmurei —, mas me anestesie antes, tá? Odeio sentir dor.

O paramédico riu, como se me dissesse que "não sentir dor" seria algo impossível no meu atual estado.

Porém, para meu alívio, o remédio intravenoso que me aplicaram começou a fazer efeito e, aos poucos, o sono dominou meu corpo e eu apaguei.

Acordei algum tempo depois, deitado em um leito. Havia uma bolsa com medicamento gotejando diretamente na minha veia através de um tubinho de borracha, e uma agulha cravada em meu braço. É algo horrível passar por um lapso de tempo e não ter noção exata do que fazem com você quando está desacordado.

Meu primeiro gesto foi apalpar meu lado esquerdo. O pior da dor havia passado e eu só sentia um pequeno incômodo. Também passei os dedos pela testa, onde havia um grande curativo com gaze.

Um biombo hospitalar dividia o espaço da minha cama das demais. Mas havia mais pacientes do outro lado, pois podia ouvir vozes sussurrantes e gemidos de dor.

Uma enfermeira de meia-idade, segurando uma prancheta com prontuários, estacionou diante de minha cama e, sem se preocupar em mostrar algum tipo de simpatia, regulou o dosador da bolsa de medicamento e me disse, sem olhar diretamente para os meus olhos:

— Que bom que acordou. Está com uma aparência melhor.

— Onde estou? — perguntei, tentando me sentar na cama.

— Se eu fosse o senhor, não faria isso — disse a enfermeira, segurando meu ombro, fazendo com que me deitasse de novo. — O senhor machucou algumas costelas e teve um trauma na cabeça. Melhor ficar deitado até o médico reexaminá-lo.

— Quebrei alguma coisa?

— Aparentemente, não. Pelo menos, até onde sei — ela disse, ainda sem esboçar simpatia. — Só mesmo uma pancada forte. Mas, como disse, o doutor lhe dará mais informações. Eu só vim regular seu analgésico — falou, apontando para o líquido que gotejava e entrava na minha veia pelo caninho.

— Preciso avisar o pessoal do meu trabalho — eu disse. — Eles devem estar preocupados. Onde está o meu celular?

A enfermeira apontou para um armarinho colocado a pouca distância da cama. Sobre ele, identifiquei minhas roupas, minha carteira e também meu celular.

— Foi tentativa de assalto? — a mulher perguntou, estendendo-me o aparelho. — O senhor não devia ter reagido.

— Eu não reagi — respondi.

— Às vezes as coisas ruins só não acontecem na vida da gente por Deus mesmo! Hoje, os bandidos matam por qualquer coisa. O senhor teve sorte.

— Não sei se tive — falei, lembrando-me do caderno de anotações do meu pai, que fora roubado. Desde o início, a intenção deles não era me matar, mas sim pegar o caderno e sumir com as memórias do meu pai (e o que elas continham). Eu vinha sendo permanentemente vigiado, ainda que não tivesse notado. Eles haviam grampeado meu telefone, por isso sabiam de minha conversa com o professor Wilson Keller. Era a única explicação que eu conseguia encontrar.

Isso significava que eram profissionais e não estavam brincando. Se realmente quisessem, eu estaria no necrotério naquele exato instante.

— Claro que teve. Está *vivo!* — a enfermeira disse, apanhando os prontuários e me deixando sozinho. — Volto mais tarde.

Aliviado de me ver livre daquela mulher desagradável, abri o *flip* do celular e liguei para o número de Rosa, que atendeu com voz aflita.

— Por Deus, Hugo! Onde você está? Tentei ligar para você várias vezes!

— Estou bem, acalme-se — eu disse. — Mas estou num pronto-socorro. Sofri uma tentativa de assalto agora cedo.

— Credo, homem! — Rosa exclamou. — Onde você está? Qual pronto-socorro?

Lembrei-me de ter visto a logomarca do Hospital e Pronto-socorro Itamaraty no uniforme da enfermeira.

— No Itamaraty — respondi.

— Na Rebouças?

— Isso — confirmei. — Mas não se preocupe. Estou bem. Ganhei alguns pontos na testa, mas vou sobreviver.

— Hugo — Rosa ainda tinha a voz preocupada —, acha que sou alguma *idiota*? Primeiro, invadem seu apartamento e fazem... *aquilo* com o Sócrates. Depois, te pegam na rua.

— O que você quer dizer?

— O que eu quero dizer?! Que merda, cara! No que está metido? Drogas? Tráfico? Pode confiar em mim!

— Fique calma, Rosa. Estou bem e não estou metido em nada. É sério! Acho que preciso me benzer, só isso.

— Não minta para mim! Achei que fôssemos amigos.

— Somos amigos — eu disse. — E pare de dizer essas coisas aí na agência, na frente dos outros. O que vão pensar?

Eu não me sentia bem mentindo para Rosa, mas, naquelas circunstâncias, mais do que nunca eu precisava deixá-la fora de tudo.

— Que se danem! — Rosa suspirou. Ela me conhecia bem o suficiente para saber que eu não me abriria sobre meus problemas. — De qualquer modo, pode contar comigo se precisar.

— Obrigado. De verdade — falei. — Por favor, avisa a Helô e o idiota do Estêvão que estou esperando o médico me reexaminar para dar o fora daqui, tá bom? E conta para eles o que houve.

— Quer que eu conte a *verdade* ou essa lorota de merda que você tá inventando?

— Não estou inventando lorota nenhuma — retruquei. — Faz isso por mim?

— Ok. Se cuida, Gaúcho.

— Beijo. Logo mando notícias de novo.

Desliguei. Um profundo sentimento de perda tomou conta do meu corpo. Eu havia perdido o caderno e, assim, não haveria como saber o que de fato acontecera em Plaszow e qual fora o fim de Mariele Goldberg.

Então uma ponta de entusiasmo voltou a se acender dentro de mim! A carta! Sim, a última carta que meu pai havia escrito a Mariele Goldberg. Quando acordei sobressaltado naquela manhã, havia, involuntariamente, arremessado o caderno para longe e a carta caíra do meio das folhas. Cocei a cabeça. O que eu havia feito depois? Sim! Eu havia apanhado a carta do chão e a colocado na pasta. Mas não recoloquei *dentro* do caderno!

Com esforço, sentei-me na cama e, apoiando-me na haste que sustentava a bolsa com medicamento, caminhei até a mesinha sobre a qual estavam minhas coisas. Sob as roupas dobradas, estava minha pasta.

Cuidando para não soltar a agulha presa ao meu braço, abri e remexi o conteúdo. Abri o zíper do bolso interno, e ali estava ela! O envelope amarelado e lacrado com selo. Ao menos, eu não havia perdido o último (e único) elo que poderia me levar a Mariele Goldberg.

— Obrigado, Deus — suspirei, fechando os olhos. Não me dei conta, na hora, que eu havia agradecido a Deus. *Alguém* que eu não fazia ideia se existia mesmo, ou não.

— Que bom ver que está melhor, senhor Seemann — disse uma voz que vinha das minhas costas. Eu conhecia aquele modo de falar e aquela entonação.

Ainda apoiado na haste, virei o pescoço, topando com a figura do médico, um homem gordo, calvo e baixo, com as mãos metidas no jaleco. Ele me olhava de modo desaprovador, quem sabe por eu estar em pé quando deveria estar fazendo repouso.

Ao lado dele, estava o inspetor Machado, que sorria para mim de modo insinuante.

Capítulo 24

— Ai! — exclamei assim que o médico tocou minha costela.

— Essa costela vai doer ainda por umas duas ou três semanas — disse o médico, apalpando meu lado esquerdo (bem no lugar onde eu havia recebido o chute da mulher estrangeira). — O machucado está bastante inflamado, mas prescrevi anti-inflamatório e analgésico.

O doutor se afastou de mim e coçou a testa, na região acima dos olhos. Tinha um semblante cansado, mas, ainda assim, tentava ser atencioso.

— Felizmente, não houve fratura, apenas deslocamento, mas já recolocamos sua costela no lugar — continuou. — Quanto à testa, tivemos que dar dois pontos. É só cuidar para não inflamar. Em uma semana e meia, mais ou menos, podemos retirar os pontos, e o senhor estará novo em folha. Acho que nem ficará cicatriz.

— Posso colocar minhas roupas e ir embora? — perguntei, sentando-me na cama. O inspetor Machado permanecia mudo, acomodado em uma cadeira perto da porta e olhando-me com expressão irônica.

— Vou assinar sua alta, mas, enquanto isso, peço que espere aqui, senhor Seemann — disse o médico, tirando a agulha do meu braço e pressionando o local com algodão. — Se quiser, pode se trocar.

— Obrigado — agradeci, comprimindo o algodão contra a pele.

— O inspetor de polícia quer conversar com o senhor sobre a agressão — prosseguiu o médico, após um suspiro discreto. — Parece ansioso, porque não quis esperar. Quando soube que seu caso não era grave, exigiu vê-lo de imediato. Espero que compreenda.

Balancei positivamente a cabeça e o médico se despediu com um aceno discreto. Lá estava eu, outra vez, diante daquele policial de olhar astuto. Calmamente, o inspetor levantou-se e, com as mãos junto à cinta, caminhou em direção à cama.

— Vou ser sincero, Seemann — começou. — Ou você é o cara mais azarado do mundo, ou tem algo muito, mas muito errado, acontecendo.

— Como soube que eu estava aqui? — perguntei, tirando a camisola do hospital e vestindo minha camisa.

— Contatos. A turma da rua chamou a polícia, a ocorrência caiu no sistema e eu fui alertado.

— Isso significa que tem me vigiado, detetive?

— Mais ou menos. — Ele abriu um sorriso. — Na verdade, só comecei a ficar intrigado depois que soube do desaparecimento do senhor Schneider em Nova Petrópolis. Até então, apenas considerava seu caso como um arrombamento comum, seguido de vandalismo.

— Tem notícias do velho alemão? — perguntei, vestindo as calças. Ao me curvar, uma forte dor na costela machucada me fez perder o fôlego.

— Isso vai demorar a passar — disse o inspetor.

— O quê?!

— Digo, a costela — falou, apontando para meu lado esquerdo.

— Machuquei uma vez jogando futebol com o time da polícia. Fiquei quase dois meses de molho. Quanto à sua pergunta — o inspetor coçou as têmporas e gesticulava como se estivesse em uma encenação —, falei com meu colega gaúcho ontem. O delegado Schaumann. Eles abriram uma investigação oficial, porque o sujeito simplesmente evaporou. Não foi visitar a família em Porto Alegre, como de início tinha alegado. Nem foi visto na cidadezinha. A filha oficializou o desaparecimento e a coisa está começando a ferver.

— Ferver?

— Como te disse, nos registros federais, não existe nenhum Klaus Schneider. Para os amigos do Brasil, ele não passava de um viúvo e pai, que deixara Porto Alegre rumo à vida tranquila nas serras. Mas tem mais coisa aí. Então, nesse meio-tempo, você, Seemann, que tinha falado com o homem havia poucos dias, sofre uma tentativa de assalto, um arrombamento e, agora, é espancado.

O investigador estava tão próximo que eu podia sentir seu hálito de chiclete de menta.

— Vou te perguntar pela última vez, Seemann: há algo que deseja me falar, além daquela lorota de que seu pai tenha sido, talvez, ameaçado pelo velho Klaus Schneider? Porque, se o seu nome aparecer como minimamente suspeito do sumiço do velho, a coisa ficará bem feia para você, rapaz. Odeio ser feito de otário, ainda mais por um *playboy* que se julga o suprassumo só porque pode ter um apartamento legal num bairro rico.

O que eu podia responder? Não pretendia contar nada para aquele cão farejador da polícia, muito menos que haviam levado o caderno de anotações do meu pai e os motivos pelos quais eu estava sendo ameaçado. Por outro lado, eu não podia acusar o tal Klaus Schneider de nada, apesar de eu ter plena certeza de que o velhote estava envolvido em toda aquela onda de dor e castigo que vinha me afligindo desde que meu pai morrera. Contudo, não dava mais para permanecer inerte, correndo o risco de me tornar alvo de uma investigação. Eu tinha que agir; melhor ainda: eu tinha que ser proativo e assumir o comando da coisa toda.

— Se há algo contra mim, detetive, pode me dizer agora, sem rodeios ou joguinhos — eu disse, encarando o policial nos olhos. — Se não há, peço que me deixe em paz. Se tem algo contra mim, me avise para que eu contate um advogado.

O inspetor me olhava fixamente. O sorriso e a ironia haviam sumido. Algo invisível, mas que podia ser sentido com facilidade, até quase tocado, surgiu entre nós. Uma espécie de trégua, a partir da qual tudo seria dito às claras, sem cerimônias. Não simpatizávamos um em relação ao outro e, naquele momento, isso se tornou explícito.

— Ou, se preferir — continuei —, posso acionar um advogado e processar a polícia, e você, por coerção e tortura psicológica. Não sou bom com esses termos, mas estou certo de que um advogado me ajudará a encontrar a palavra certa para abrir um processo.

Coloquei a mão na região da costela ferida. Doía pacas.

— Posso ir, detetive? Acabo de receber alta.

— Claro! — O detetive voltou a sorrir, mas estava visivelmente desconfortável. — Só quero que se lembre de quem é quem nesse joguinho todo que está armando, Seemann. Eu sou o mocinho, ok?

— Eu sei — falei, já passando pela porta. — Eu ligo para chamar a cavalaria caso precise.

Caminhei até a recepção e fui informado de que deveria me dirigir a outra sala de espera e aguardar a liberação assinada pelo médico. Ao me dirigir para o local de espera, cruzei com o inspetor Machado, que balançou a cabeça e sorriu discretamente como quem diz: "Ainda estou de olho em você, rapazinho".

Enquanto eu aguardava, fui interpelado por dois PMs, que me fizeram perguntas sobre o que eles classificavam como tentativa de assalto — apesar de eu ter confirmado (e mentido) que nada havia sido roubado. Eu estava cansado de falar com policiais e, mais uma vez, afirmei que não desejava fazer um B.O.

Quando por fim me vi só, comecei a maquinar meus passos seguintes. E eu já sabia perfeitamente o que fazer. Não me restavam muitas alternativas e, entre os poucos caminhos que eu tinha para sair daquele imbróglio, todos apontavam para um só lugar.

— Alemanha?! — Rosa exclamou assim que ouviu a notícia de minha boca. Estávamos sentados à mesa de um restaurante vegetariano, diante de um enorme prato de salada caprese e de dois copos de suco de laranja. — Você tá louco, Gaúcho?

— Sabia que iria dizer isso, mocinha. — Eu suguei um pouco de suco pelo canudinho. — Mas, já que fui obrigado a tirar licença, acho que posso realizar o último desejo do meu falecido pai.

— Tá certo. — Rosa inclinou o corpo sobre a mesa, como se fosse me beijar na boca. — Um *pai* que você supostamente odeia e que não via há anos te faz sair daqui e viajar para a Europa?!

— Bom, nunca é tarde para se ter um pouco de amor filial no coração — eu disse, lançando um olhar de cumplicidade para Rosa, que, bufando, serviu-se de tomate e queijo.

Logo após o médico ter me liberado, tomei um táxi até o local em que havia deixado meu carro. Em mãos, eu tinha um atestado que me dava licença médica de 15 dias. Era final de ano, mas eu tinha certeza de que a Royale não pararia para o recesso. Helô estava empolgada com o novo projeto e, sobretudo, com o fluxo de caixa que a conta da Strongmen iria gerar. Em hipótese alguma ela deixaria a equipe descansar enquanto a campanha não estivesse tinindo.

Em contrapartida, Estêvão estava no comando de tudo e, de minha parte, havia abatimento total. Ou seja, umas férias forçadas não seriam um mau negócio. Era questão de unir o útil ao agradável, a oportunidade com o senso de executar o que devia ser feito.

Dirigi até a agência e, por várias vezes durante o trajeto, a dor aguda me fez perder o ar. Helô não reagiu muito bem ao ver o atestado sobre sua mesa. Apesar de eu ter perdido o posto de comando para Estêvão, ela confiava em mim. Mas a questão era que *eu* não confiava mais nela. Honestamente, eu tinha dúvidas de que permaneceria na agência após o término da campanha da Strongmen e pensava em dar uma lustrada no meu currículo e assinar um desses sites de recolocação.

Ainda que relutante, ela me encaminhou ao RH e, feito isso, eu estava oficialmente afastado por ordens médicas. Então convidei Rosa para almoçar e aproveitei para lhe informar minha decisão.

— Vou ser sincero contigo, Rosa — falei, sabendo que *sincero* não era o termo mais adequado a ser usado. — Eu preciso de um tempo fora da agência. A questão das cinzas e do último desejo do meu pai é apenas um pretexto. Preciso ficar longe do Estêvão antes que eu faça uma bobagem. Além disso, meu Natal foi uma bosta e...

— Você mente tão mal... — ela disse, enfiando um pedaço de queijo de cabra na boca. — Estêvão é um pé no saco e merece umas porradas. Mas tem mais coisa aí. Basta ligar os pontos: seu apartamento; agora, esse assalto. Você tá metido em sujeira, Hugo, e vai acabar se ferrando se não confiar em alguém.

Estiquei o braço e segurei sua mão. Rosa era uma amiga incrível, a única pessoa em quem eu confiava neste mundo, depois que minha mãe morrera. Mas abrir o bico e falar qualquer coisa sobre Mariele Goldberg, a *Verstecktstudiumliga* e seu Selo Negro seria o mesmo que jogá-la aos leões.

— Tome. — Tirei um cartão do bolso com os dados de Machado e entreguei a ela. — Se alguma coisa acontecer comigo, quero que ligue para este cara. É um investigador de polícia. E dos bons! Ele saberá o que fazer.

— Hugo...

Rosa ia dizer algo, mas pedi que ela se calasse e me ouvisse:

— Não quero que se preocupe, é só precaução. Também peço, por favor, que não me pergunte nada. Apenas confie em mim.

Ela encolheu os ombros, resignada.

— Preciso de mais um favor seu, Rosa. O último. Juro.

— Qual é, seu idiota? — ela perguntou, mal-humorada.

— Me empresta o celular?

Se os caras da *Versteoktstudiumliga* tinham se dado o trabalho de grampear meu telefone, certamente também estavam vigiando minhas ligações de celular. Por isso, eu tinha que ser cauteloso.

Deixei Rosa sozinha à mesa e fui ao banheiro. Lá, olhei para o celular dela, que estava em minhas mãos, e digitei o número que Valesca havia me passado. Ela me atendeu após três tentativas e tinha a voz pastosa.

— Puta que pariu! Ora, vejam só quem é! — disse depois que me identifiquei. — Já estava me esquecendo de tua voz, guri!

— Pois é — eu falei, constrangido. Aquela mulher era uma metralhadora giratória. — Eu te acordei?

— Acordou, mas deixa pra lá. Já passa da uma da tarde, cacete.

— Esqueci que artistas costumam ser notívagos.

— Que nada. Ontem alguns amigos organizaram um *vernissage* de ano-novo aqui em Porto, e eu participei, expondo algumas esculturas em argila e gesso. A coisa toda foi noite adentro, e cheguei em casa mais de cinco da manhã.

— Um *vernissage*?! Meus parabéns!

— Bosta nenhuma! — retrucou Valesca. — Expus dez peças, vendi só uma; um tucano de argila. O comprador era um chinês que ficou me aporrinhando as ideias a noite inteira. Queria ir pra cama comigo. E eu sou mulher de *dar* para chinês?!

— Eu imagino que não — falei, após alguns segundos de silêncio. — Você tem um minutinho para conversar? – perguntei, mudando o rumo da conversa.

— Claro! Até agora, só eu falei, me desculpe. Vou ligar a cafeteira e passar um café. Deixarei o telefone viva-voz; pode ir falando que estou te ouvindo.

— Bom, você se lembra do caderno com as anotações do meu pai, não?

— Sim, lembro sim. — O telefone chiava e pude escutar nitidamente a torneira se abrindo e a água escorrendo no bule da cafeteira.

— Aliás, que baita zona aquele dia! Mas, pelo menos, a gente se conheceu.

— Pois é. Avancei bastante a leitura. Mas, infelizmente, o caderno foi roubado.

— Roubado?! Como assim?

— Uma história triste — eu disse. — Desde que meu pai morreu, minha vida virou um inferno. Acho que fui, involuntariamente, atirado para dentro de uma história que não me pertencia e agora sou alvo de uma organização nazista ou algo do tipo.

— Isso tá parecendo coisa de filme.

— Também acho. Mas é bem real pro meu gosto. Meu apartamento foi invadido, mataram minha tartaruga de estimação e hoje sofri uma tentativa de assalto. Levei uns pontapés e uma coronhada, mas estou bem. No entanto, levaram o caderno.

— Tu disse algo sobre organização nazista? Que porra é essa?

— Já ouviu falar na *Verstecktstudiumliga*? — O silêncio do outro lado da linha indicava uma resposta negativa. — Significa Liga de Estudos do Ocultismo ou algo assim, em alemão.

— Liga de Estudos do *Oculto* — corrigiu Valesca. — Minha mãe era alemã, lembra? Entendo e falo quase fluentemente.

— Ao contrário de mim, que me neguei a aprender. Trata-se de uma organização secreta criada por Hitler para estudos do oculto. Uma longa história. Resumindo, o trabalho deles era investigar e desmentir qualquer fenômeno paranormal, religioso ou acontecimentos que não tivessem uma explicação lógica.

— Esses caras estão atrás de ti?!

— Estavam atrás do caderno, mas é possível que ainda estejam me vigiando. Afinal, eu não terminei de ler o conteúdo, mas eles não sabem disso. Estou ligando do celular de uma amiga, por precaução.

— Agora vem a pergunta: por que diabos eles estão atrás de ti? A coisa é tão séria assim?

— Vou resumir — suspirei. — Parece que meu pai conheceu uma menina quando serviu a SS em Plaszow, um campo de trabalhos na

Cracóvia. A garota, que se chama Mariele Goldberg, realizou supostamente vários milagres em Plaszow, inclusive curando o pé do meu pai, que havia sido esmagado num acidente. Depois desse episódio, tudo mudou para o velho Olaf. Ele passou a questionar uma série de coisas até que...

Passei a língua nos lábios. Só então notei que falar daquilo me deixava realmente nervoso.

— Até que aconteceu algo terrível. Um grupo de soldados do pelotão do meu pai violentou a tal Mariele e meu pai estava no meio. Parei a leitura bem aí. Então, suponho que esse tenha sido o motivo de meu pai ter sido atormentado pela consciência esses anos todos e, também, de ele ter escrito essas memórias.

— Que filhos da puta! — exclamou Valesca. — Por que fizeram isso com a guria?

— Eram soldados e jovens. E *nazistas*. Tinham bebido muito. Meu pai afirmou no texto que teria sido forçado, mas não posso fazer juízo algum. Gostaria que você tivesse lido também — falei, dando de ombros. — Mas, em resumo, essa tal organização ainda existe e está agindo. Sobretudo, não quer que saibam sobre a existência de Mariele e seus milagres. Pelo menos, é o que deduzo. E seus membros são fortes. Fortes o bastante para fazer meu pai tremer de medo e, talvez, se matar. De algum jeito, eles descobriram que meu pai estava no Sul, foram atrás dele e agora estão atrás de mim.

— Chama a polícia! Não pode ficar exposto assim!

— Não — eu disse. — Ainda não. Se eu fizer alarde, posso pôr tudo a perder. Ou eles virão atrás de mim com tudo, ou sumirão do mapa e apagarão os rastros. Além disso, posso colocar meus amigos em perigo.

— E que pensa fazer, então?

O barulho da cafeteira passando o café cessou e pude ouvir o líquido sendo despejado em uma caneca ou xícara.

— Vou cumprir o último desejo do meu pai: jogar as cinzas dele no rio Reno, em Colônia. E, depois, descobrir onde está essa tal Mariele Goldberg e solucionar tudo.

— Tu pirou, cara? — pelo som, notei que Valesca bebia um gole de café quando interrompeu o gesto para me criticar. — Ir para a Alemanha com esses doidos atrás de ti?

— Entenda... agora, o problema não é só do meu pai. De algum modo — escolhi as palavras antes de prosseguir — é meu também. O pouco que sei sobre Olaf Seemann estava naquele caderno. Acredito que, viajando para a Alemanha, posso encontrar as outras peças e descobrir se o homem que odiei a vida toda era real ou não.

— E o que quer de mim?

— Queria que fosse junto.

O silêncio do outro lado da linha me incomodou. Após algum tempo, a voz de Valesca ressurgiu:

— Deixa ver se entendi. Quer que eu vá para a Alemanha contigo?

— Eu pago a passagem. E a estada — eu disse. — É final de ano, umas férias cairiam bem.

— Já lembrou que, nesta época, lá tá frio pra *caralho*?

— Sim. Não vejo neve desde que viajei há quatro anos para a Patagônia. Será incrível. Além disso, você vive no Sul, está acostumada com o frio.

— É bem diferente — Valesca suspirou.

— E você fala alemão. Eu não. Quer outro argumento? Sua mãe também recebeu uma carta do meu pai. Claro, ele não sabia que ela tinha morrido. É o que tudo indica, enfim. Você mesma se questionou qual seria a ligação dos dois e por que ele teria pedido à sua mãe e a mim para cumprir seus últimos desejos. Isto é, alguma coisa sobre seu passado, que você não sabe também, está oculta lá na Alemanha. Não quer descobrir o que é?

Valesca fazia silêncio. Parecia ruminar a ideia.

— E quando tu vai para lá?

— Não sei. Preciso ver os voos disponíveis. É final de ano e tudo fica infernal.

— Posso te responder mais tarde? Vou pensar e te ligo.

— Fechado! Mas pense com carinho.

— Ok. Mas tu é doido, *guri*. Doido de pedra! — ela disse, exagerando no sotaque gaúcho.

Despedimo-nos. Desliguei o telefone e sorri. Agora, era esperar. Voltei para a mesa, onde Rosa me aguardava com a conta.

— Você nem comeu direito — ela disse, olhando os restos de salada no meu prato.

— Não estou com fome, na verdade. Está doendo bastante e, só de pensar em comer, meu estômago fica embrulhado — eu disse, referindo-me à costela machucada.

— Você fica bem de curativo na testa. Fica charmoso — disse Rosa. — Para quem ligou? Namorada?

— Uma amiga do Sul. Quando a conta chegar, me passe o valor e eu te pago, tá?

— Sei... — Rosa deu um sorriso malicioso e, com a conta em mãos, se levantou, caminhando em direção ao caixa. Parou na metade do caminho assim que seu celular soou, acusando recebimento de SMS.

— Não conheço este número — ela disse. — Deve ser sua amiga.

Peguei o celular e li a mensagem, que dizia:

"Ok, seu maluco. Vou contigo. Sempre quis conhecer a Alemanha. Bjs."

PARTE 2

FILHO

Capítulo 25

São Paulo, Brasil
4 de janeiro de 2007

Como era de se esperar, o Aeroporto Internacional de Guarulhos parecia uma Torre de Babel. Diversas pessoas, de diferentes etnias, cores e origens, perambulavam pelo local, puxando suas malas ou olhando ansiosamente os telões, que mostravam os horários de embarque e desembarque.

Era período de férias e muitas pessoas aproveitavam a época um pouco mais tranquila do *pós-réveillon* para arrumar as malas e viajar com a família. Fazia quatro anos que eu não voava e era notório o aumento do número de brasileiros que tinha passado a usufruir os pacotes aéreos.

Depois de confirmar a viagem com Valesca, dediquei-me aos planos. Separei todas as cartas que meu pai mantinha em seu baú e que eu havia trazido a São Paulo e, de forma preventiva, guardei-as em uma caixa de madeira, onde, originalmente, minha mãe preservava suas joias. Também utilizei bastante o *notebook* para acessar a internet e pesquisar sobre Colônia. Minha costela aos poucos apresentava melhora e, lentamente, eu estava readquirindo os movimentos normais.

O professor Wilson Keller, da UFRS, havia me enviado alguns e-mails, nos quais, mostrando extrema boa vontade, elencou uma lista de livros e fontes de pesquisas (a maioria em inglês), nos quais eu poderia encontrar mais informações sobre a *Verstecktstudiumliga* e o Selo Negro. Respondi, agradecendo e, outra vez, senti uma profunda dor na consciência por ter me aproveitado da boa vontade daquele homem. Sem dúvida, ele se sentia solitário em seu interesse por esse fato obscuro do nazismo e não podia comentar sobre o assunto com muitas pessoas.

Nenhum e-mail do "anjodeplaszow" havia chegado. Arrisquei, mandando mais uma mensagem agradecendo a dica do artigo sobre a *Verstecktstudiumliga* e perguntei outra vez a identidade da pessoa com quem eu estava conversando. Porém, não obtive retorno algum.

Por fim, conversei outras vezes com Valesca, enquanto pesquisava a melhor data para a nossa viagem. Os voos estavam lotados e caríssimos, mas era um preço que eu estava disposto a pagar. Consegui reserva para o dia 4 de janeiro, uma quinta-feira, em um voo direto da TAM-Lufthansa. Valesca arrumou as malas e embarcou no dia 4 para São Paulo, chegando a Guarulhos pela manhã.

Encontramo-nos em frente a uma cafeteria — ela, com três malas, e eu, com apenas uma, além da mochila presa às costas — por volta da hora do almoço. Apesar da uma hora e meia de voo de Porto Alegre para São Paulo em classe econômica, de ter que aguardar quase oito horas no aeroporto, e de estar prestes a encarar mais de doze horas de voo noturno até a Alemanha, Valesca parecia alegre e bem-disposta.

Estava sentada a uma das mesinhas da cafeteria com as malas ao lado, sobre o carrinho de bagagens do aeroporto, no qual estava estampada uma propaganda de uma operadora de celular.

Tinha o queixo apoiado na mão e folheava displicentemente uma revista de variedades. Quando me viu, seu rosto iluminou-se com um sorriso. Foi então que reparei, de verdade, como ela era linda. Até mesmo seu jeito rude de falar e os palavrões constantes pareciam combinar com seu rosto de feições determinadas. Notei também que havia cortado o cabelo e repicado as pontas, e o novo corte realçava sua beleza de um modo diferente.

— Tu ficaste bem com essa cicatriz sobre o olho — ela disse, apontando para a cicatriz deixada pela coronhada que havia aberto minha testa. — E aí, preparado para conhecer a Alemanha? — ela perguntou, depois de me beijar no rosto.

— Para ser sincero, não — respondi, puxando a cadeira e me acomodando. — Nunca pensei que me interessaria em viajar para lá.

— A vida prega peças. Olha para a gente. — Ela sorriu, fechando a revista. — Nos conhecemos da forma mais inusitada e, agora, estamos prestes a viajar algumas milhas para brincar de investigadores.

— Por falar nisso — eu disse —, você prestou atenção se alguém te seguiu?

Ela arrumou os óculos de grau que estavam na ponta do nariz e disse de modo irônico:

— Tu acha mesmo que essa tal organização tem interesse na gente? Penso que eles têm mais com o que se preocupar. Além disso, tu já me disse que eles apanharam teu caderno. Então, estariam atrás do quê?

— Não sei — respondi, pensativo. — Mas, se a fama fizer jus ao modo de agir deles, aqueles caras não gostarão nem um pouquinho de saber que eu continuo fuçando a vida do meu pai e a história da tal Mariele Goldberg.

Uma atendente veio até nossa mesa e pedi um *espresso*. Valesca, que já havia tomado um café, pediu um suco de laranja e um pão de queijo. Quase caí de costas quando conferi o preço do café e dos salgados no cardápio.

— Estou faminta, não comi nada desde que cheguei — ela disse.
— O serviço de bordo das companhias aéreas está uma *bosta*!

Saquinhos de batatinhas ou barrinhas de cereal. Fala sério?! Quem se alimenta com isso, *cacete*!

— É. Mas, por outro lado, pelos valores que cobram no aeroporto, meu café terá que vir com colher de ouro — observei, fechando o cardápio e deixando-o sobre a mesa.

— Voltando ao assunto — Valesca disse —, o que tu acha que minha mãe tem a ver com teu pai? Ou, ainda, com essa mulher que teu pai descreve no caderno, que, a essas horas, já deve ter virado cinzas?

— Não faço ideia. Mas pensei bastante a esse respeito. Talvez tenham tido um caso. Ou fossem amigos. De algum modo — abri espaço na mesa para que a atendente nos servisse com os pedidos —, parece que tua mãe e meu pai tinham algum tipo de intimidade ou, pelo menos, cumplicidade. Se não fosse assim, por que ele mandaria a carta para a tua mãe?

— Sei lá. É que não imagino minha mãe com outro homem, que não meu pai. Perguntei a ele se já tinha ouvido falar de algum Olaf Seemann e ele disse que não — comentou Valesca, mordendo o pão de queijo.

— Normalmente, os filhos são assim. Esquecemos que nossos pais têm suas vidas e que nem sempre foram pais e mães, ou maridos e esposas.

Meu café estava amargo e tão denso que parecia tinta.

— Não está bom? — perguntou Valesca, rindo.

— Horrível. Acho que puseram tintura de cabelo neste troço.

— Então, larga essa merda aí — ela disse, me oferecendo o suco. Recusei e, ordenando as ideias, prossegui:

— De qualquer maneira, esta viagem nos dará as peças que faltam do quebra-cabeça.

— Já pensou que podemos não gostar do que descobrirmos? — Valesca me lançou um olhar maroto enquanto sugava o suco pelo canudo.

— É o risco — eu disse, ainda contrariado por ter pagado uma fortuna num café tão ruim.

Valesca suspirou e terminou o suco. Depois, perguntou:

— E tu sabe o que faremos quando estivermos lá? Quer dizer, tu tem um plano, não?

— Mais ou menos. Na carta que deixou para mim, meu pai falou sobre um colega, com quem acredito que se correspondesse na Alemanha, chamado Mesut. Acho que nosso primeiro passo será encontrar esse cara e perguntar a ele o que queremos saber.

— E como vamos encontrar esse Mesut? Procurando na lista telefônica?

— Espertinha — eu ri. — Não! Parece que Mesut é dono de uma tabacaria chamada Kadife. Não será difícil encontrar o lugar. Pelo menos, eu acho. É a única dica que temos.

— Então, vamos em frente! Boa sorte para nós — Valesca disse, erguendo o copo vazio, como se fosse brindar.

Nos minutos seguintes, conversamos um pouco mais sobre a viagem e, depois, sobre outros assuntos mais triviais. Livros, gostos, trabalho. De tudo um pouco. Valesca me contou um pouco mais sobre o *vernissage* do final do ano e disse também que havia agendado uma exposição bem legal para maio. Disse que fazia questão de que eu fosse, apesar de confessar que meus conhecimentos em escultura e artes plásticas eram quase nulos e que, para mim, era difícil distinguir uma obra de arte em argila de um trabalho escolar de uma criança de primeira série.

Em seguida, Valesca contou-me sua infância relativamente tranquila, sua vida em Novo Hamburgo e como a separação de seus pais pareceu um processo natural para ela.

— Sei lá — ela disse. — Tudo foi como uma fruta que amadureceu e caiu do pé. Eles decidiram pelo divórcio e ponto. Mas continuaram amigos.

— Pelos menos isso — eu falei. — No caso de minha mãe, ela teve que se virar comigo sozinha.

Então, Valesca começou a falar da mãe, Martha, e de como ela conseguira equilibrar o comportamento aparentemente frio e distante dos germânicos com o carinho que lhe era exigido como mãe.

— Foi uma boa mãe, afinal. Não falava muito de si, nem dos meus avós. Só sei que cresceu numa cidadezinha, que não era mais do que uma aldeia quando ela nasceu, chamada Nova Pomerânia, e depois mudou-se para Novo Hamburgo. Ou seja, cresceu cercada de alemães. E, no final, eu também.

— Foi aí que aprendeu a falar alemão?

— Estudei em escola alemã — Valesca disse. — Confesso que não me serviu para *bosta* nenhuma até agora. Acho que será a primeira vez que tirarei algum proveito do conhecimento do idioma.

— Sua mãe e seu pai... digo... — eu escolhia as palavras enquanto pensava na melhor forma de perguntar o que queria. — Eles nunca ligaram para o seu jeito de falar?

— *Meu* jeito de falar?! — ela pareceu estranhar a pergunta. — Ah, tu diz os palavrões?! — Ela soltou uma risada gostosa e, então, disse: — Tu fala isso porque não conheceu meu pai. Eu sou uma *lady* perto dele.

— Nossa, agora fiquei com medo.

Valesca ficou de pé e preparou-se para empurrar o carrinho com as bagagens.

— Vem, vamos dar uma volta por aí. Estou ficando com a bunda quadrada.

— Você é quem manda.

— Não te entendo...

— O quê?

— Como perdeu o sotaque do Sul tão fácil?

Eu ri da observação.

— Sei lá. Nunca me liguei muito nessa coisa de origem. Vamos — falei, segurando a alça do carrinho de bagagens —, deixa que eu empurro isto e você leva minha mala.

— Está levando uma mala só?! — ela perguntou, olhando com estranheza para minha bagagem.

— Sim, basicamente agasalhos e outros trecos. O vaso com as cinzas e as cartas estão na mochila. Pelo menos, isso eles não levaram.

— Tu lembraste de que lá vai estar fazendo um frio da *porra*, não?

— Não se preocupe. Fiz reserva para três dias e estou levando o mesmo casaco que usei para esquiar na Patagônia. Não vou passar frio.

— Assim espero, porque eu não irei te esquentar — ela disse, lançando-me uma piscadela.

— Não pensei nisso — menti. Na verdade, eu havia imaginado várias vezes como seria estar junto do calor do corpo de Valesca.

— Sei... Todos os homens pensam — ela disse, sorrindo e me dando um tapinha no ombro. — E, a não ser que tu seja maricas, deve pensar também. Afinal, tem um pinto, e sei que os homens usam ele muito mais do que o cérebro.

Gastamos as horas perambulando pelo aeroporto. Passei um bom tempo na livraria, enquanto Valesca gastou suas horas entrando e saindo de lojas, principalmente, perfumarias e lojas de roupas. Aproveitei para comprar dois livros: *O Morro dos Ventos Uivantes* e uma biografia de Hitler.

Às cinco e meia, fizemos *check in* e despachamos as bagagens. Então, fomos à Pizza Hut comer algo e, depois, dirigimo-nos à sala de embarque. Na vistoria, fui obrigado a abrir a mochila e deixar que o policial examinasse o vaso com as cinzas do meu pai.

— Achei que esse tipo de coisa só acontecesse em filme — disse o sujeito, um homem mulato que parecia um lutador de boxe.

— O quê?

— Isto. — Ele me devolveu o vaso. — Isso de jogar as cinzas de um parente no mar ou numa montanha. Acho legal. O senhor viajará somente para isso?

— Não, não — respondi. — Tenho outros assuntos para resolver.

Por fim, livre dos detectores de metais e da esteira, e depois de passar pelo controle da Polícia Federal, encontrei Valesca no *free shop* e, de lá, seguimos para uma lanchonete, onde pedimos duas cervejas *long neck*.

Continuamos a conversar sobre trivialidades. Era incrível como os assuntos brotavam de modo espontâneo e fácil. Nossa conversa era descomplicada, e nunca havia hiatos de silêncio.

Quando o nosso voo foi anunciado, dirigimo-nos ao portão de embarque e, após vencer a fila, embarcamos. Valesca colocou os fones de ouvido e eu abri a biografia de Hitler para iniciar a leitura.

— Tu vai ler essa *merda* mesmo? — perguntou ela, olhando de soslaio para meu livro.

— Por quê?

— Esse cara foi um crápula sanguinário. Matou uma porrada de gente e ainda tem historiador que se dedica a estudar e a escrever sobre esse filho da puta. Se fosse por mim, ele e toda a história do nazismo estariam enterrados no anonimato.

— Acho que se enterramos a história — eu disse — também deixamos de compreender por que somos como somos, e de poder planejar para onde vamos.

— Que seja — Valesca fechou os olhos e cruzou as mãos sobre o colo. — Só acho que gente como Hitler não merece confete.

— Os caras que estão atrás de mim não pensam assim.

— Para mim, isso só prova que não passam de um bando de malucos.

Valesca ligou a música e eu me entretive com a leitura. O autor, de origem alemã, havia se proposto a fazer uma biografia do cidadão Adolf Hitler, e não do chefe de Estado, que tinha ordenado a morte de milhares de pessoas e virado a Europa de ponta-cabeça.

Depois de quase 45 minutos de espera, o comandante anunciou o fechamento das portas e o início da decolagem. Em minutos estávamos no ar, rumo à Alemanha.

Então, ao olhar pela janela, depois de ter lido quase 100 páginas do livro, pensei que as milhas de oceano Atlântico que separavam o Brasil da Alemanha eram a distância que eu tinha para conhecer meu pai de verdade.

Capítulo 26

Frankfurt, Alemanha
5 de janeiro de 2007

A viagem transcorreu tranquilamente, a não ser pelo fato de, por duas vezes, eu ter que chamar a aeromoça para pedir um pouco de água e tomar meus analgésicos. A permanência em uma só posição por um tempo prolongado maltratou minha costela ferida, mas os medicamentos deram conta do recado — inclusive me dando sono, fazendo com que eu dormisse boa parte do trajeto sobre o oceano.

Valesca *apagou* durante quase toda a viagem, acordando apenas quando o jantar e o café da manhã foram servidos.

— Admiro a capacidade que você tem de dormir num voo tão longo — eu disse, quando, enfim, a luminosidade se fez constante, obrigando-nos a fechar a janelinha da aeronave. O mapa de voo digital à nossa frente acusava que sobrevoávamos o território alemão.

— Devo estar com uma cara péssima — ela falou, passando as mãos pelo cabelo e colocando os óculos que, até o momento, estavam pendurados na blusa. — Como vai tua leitura?

— É um bom livro — respondi, pegando o exemplar da biografia de Hitler nas mãos. — Você sabia que Hitler era um cara sensível para os padrões masculinos da época?

— Desde quando matar pessoas a sangue-frio é sensibilidade?

— Tem esse lado — argumentei. — Mas, nos círculos sociais de Berlim, o *Führer* era considerado um *gentleman*. Pelo menos, é o que o autor fala.

— Que esse autor vá pros diabos! — Valesca prendeu o cabelo num rabo de cavalo. — Minha opinião sobre Hitler, e sobre todos os doidos que o seguiam, não muda.

— Também aproveitei a viagem para estudar um pouco do guia de turismo e aprender mais sobre a cidade de Colônia. Você sabia que ela se localiza na Renânia do Norte e é a sexta maior cidade da Alemanha em população, bem como um importante centro comercial? Também aprendi que é uma cidade medieval que foi quase toda destruída na Segunda Guerra, mas foi reconstruída e, hoje, é um dos principais polos comerciais da União Europeia.

— Sério? Será que consigo encontrar alguma liquidação de bolsa ou sapato por lá? — brincou Valesca. Ela desafivelou o cinto e ficou em pé, dizendo: — Dá licença, mas preciso esvaziar a bexiga e escovar os dentes. Não fui ao banheiro a viagem toda!

Novamente, a espontaneidade embrutecida de Valesca veio à tona e eu não pude fazer nada, senão rir.

Poucos minutos depois, o comandante anunciou, em inglês, que o tempo em Frankfurt era de céu azul, com temperatura de 6 ºC. Também instruiu a tripulação para que iniciasse os procedimentos de pouso. Na sequência, os passageiros foram orientados a ajustar as poltronas e afivelar os cintos.

— Seis graus — Valesca disse. — Espero que o mísero casaco que tu trouxe na tua malinha seja potente.

— Você verá — eu disse, piscando. — Nunca mais *gozará* do meu casaco.

O pouso ocorreu de maneira tranquila e logo caminhávamos pelos corredores do moderno aeroporto de Frankfurt, com sua arquitetura arrojada e amplos espaços. Na imigração, Valesca e eu tomamos filas diferentes; ela tinha passaporte da Comunidade Europeia por ter conseguido cidadania portuguesa por parte do pai (Proença). Do meu lado, tive que enfrentar uma fila quilométrica com outros latino-americanos, africanos, asiáticos (sobretudo chineses) e europeus de países do leste. Quando chegou minha vez, não tive problemas para explicar, em inglês, o objetivo de minha viagem. Apresentei o comprovante da reserva e de pagamento que havia feito numa pousada chamada *Rhein Inn*, juntamente com meu passaporte. Ao ser liberado, observei uma mulher negra com uma criança de cerca de 5 anos ser retirada da fila por duas policiais loiras que pareciam ter saído de um ringue de luta livre. A pobre coitada com certeza estava com a deportação consumada e seria despachada no próximo voo para algum país da África.

A próxima etapa foi pegar as malas na esteira. Tudo transcorreu de modo meticuloso e organizado, com a precisão tipicamente germânica e bem diferente dos procedimentos brasileiros, conhecidos pela demora e desorganização. Atravessamos os longos e amplos corredores de forma ovalada, que conectavam uma ala a outra do aeroporto, até chegarmos ao guichê da Lufthansa, onde comprei duas passagens no trem expresso para Colônia.

— Bom, temos uma hora e dez para esperar — eu disse, conferindo os bilhetes. — Que tal uma cerveja?

Procuramos um restaurante e pedimos duas *long necks* da Waldhaus.

— Como está se sentindo? — perguntou Valesca, tomando um grande gole de cerveja.

— Sobre o quê? — indaguei, estranhando a pergunta. — Por beber cerveja no café da manhã?

— Não! Sobre estar na terra do teu pai, *tonto*! — Ela colocou a garrafa sobre a mesa.

— *Estranho*. Me sinto estranho — eu respondi. — Sinto que, aqui, não só conhecerei mais sobre meu pai, mas também sobre mim mesmo.

— Uma viagem de autoconhecimento?

— Por aí — falei, entornando a cerveja.

— E a costela? Está melhor?

Valesca fez aquela pergunta com uma meiguice atípica. Parecia verdadeiramente preocupada e não estava sendo nem um pouco sarcástica.

— Só dói quando eu rio, ando e falo. Tirando isso, está tudo bem.

Terminamos a cerveja. Ficamos a maior parte do tempo calados. Valesca percorria o olhar vívido pela estrutura do aeroporto, um projeto arquitetônico *clean*, que unia ferro e vidro, dando-lhe um aspecto futurista. Parecia maravilhada.

Quanto a mim, eu me limitava a observá-la.

Confesso que me sentia excitado ao lado de Valesca; simplesmente roçar em sua pele já me deixava aturdido. Isso era um problema, porque eu não pensava, de modo algum, em me envolver com ela. Tínhamos três dias para resolver os assuntos do meu pai, encontrar Mesut, Mariele Goldberg (se de fato ela estivesse viva) e voltar para o Brasil. Simples, prático e objetivo.

Dirigimo-nos para as escadas rolantes rumo à estação, que ficava no piso inferior. Um grande número de pessoas, enfiadas em grossos agasalhos, se aglomerava atrás da linha amarela, traçada no prolongamento do percurso do trem.

Abrimos as malas e pegamos os casacos. Valesca colocou luvas de lã e um casaco bege com pele sintética na gola. Também enfiou um gorro marrom na cabeça, o que lhe conferiu um aspecto um tanto colegial.

— Tá frio à beça aqui — reclamei.

— Não trouxe luvas?

— Não, não lembrei — eu disse, batendo os joelhos.

— Acho que teremos tempo para desfrutar a estrutura comercial de Colônia, que tu disse que é do *cacete*, e comprar um par para ti — Valesca brincou.

— É... acho que teremos — falei, assoprando as mãos. O termômetro digital indicava 3 ºC. — Viajar para a Alemanha no inverno não foi uma boa ideia. E acho que o comandante errou na temperatura.

Valesca riu de modo descontraído e eu me sentei sobre a mala enquanto esperava nosso trem apontar. Olhei ao nosso redor, ao longo de toda a linha. Não havia sinal de rostos suspeitos. Aliás, era a primeira vez nos últimos dias que eu esquecia por completo que estava sendo vigiado e seguido. Desde que chegara à Alemanha, praticamente não havia pensado no assunto.

No horário previsto, o trem da ICE[15] para Colônia chegou. Os passageiros de primeira classe entraram, depois os de classe econômica, na qual nós nos incluíamos. Depois da atribulação de colocar as três malas de Valesca dentro do trem e de acomodá-las em um canto, conseguimos encontrar dois lugares vagos. Ela olhava constantemente em direção às malas, temendo que sumissem. Um senhor, que usava uma boina que lhe conferia uma aparência cômica, notou a preocupação de Valesca e, cutucando seu braço, disse, sorrindo, com forte sotaque alemão:

— *There is no reason to worry. No one will move the bags.* [Não há motivo para preocupação. Ninguém vai levar as malas.]

Valesca respondeu com um sorriso e um aceno de cabeça.

— *Where are you from?* [De onde você é?] — prosseguiu o homem.

— *Brazil* — ela respondeu.

— *Oh, Brazil?!* — ele sorriu. — *Well, in Brazil it may be dangerous to leave the luggage out of sight, but here, it isn't.* [Bem, no Brasil pode ser perigoso deixar as bagagens fora de vista, mas aqui, não é.]

Retribuímos o comentário, balançando a cabeça positivamente. Eu me senti como se estivesse tendo uma inconveniente aula de civismo; como se alguém com sutileza sugerisse que morávamos em um país atrasado, inseguro e desorganizado, mas que, naquele momento, estávamos prestes a tomar um banho de civilização.

Pensei em comentar que não era bem assim; que a Alemanha também tinha seus problemas, assim como o Brasil tinha muitas vantagens. Eu havia tido um pai alemão e, por isso, tinha uma pilha

---

[15] Intercity Train Express.

de argumentos para comprovar que o povo germânico não era o centro do universo nem sinônimo de perfeição. Contudo, preferi sorrir amistosamente.

— *I'm from Poland. I've been in Germany since 1943, when I was a kid. So, I'm German too* [Eu sou da Polônia. Eu moro na Alemanha desde 1943, quando eu era garoto. Então, sou alemão também.] — disse o homem, despedindo-se de nós. — *Have a nice day. And a good trip to Köln.* [Tenham um excelente dia. E uma boa viagem a Colônia.]

— Depois dizem que os alemães são frios — falou Valesca. — Esse senhor foi super simpático.

— Ele é polonês — retruquei.

— Tu e tua birra com a Alemanha! — ela disse. — Tudo por causa do teu pai. Sabe o que dizem sobre os poloneses na Europa, senhor Sabe-Tudo?

— Que eles são da terra do papa?

— Não! — Valesca riu. — Que eles são alemães criativos, porque não nascem com manual de instrução.

— Acho que os alemães não gostarão de ouvir isso. Você não seria muito popular aqui. — Eu observei pela janela a paisagem que passava diante de meus olhos. Uma vasta planície se estendia até o horizonte, na qual se alternavam áreas verdes meticulosamente cuidadas e complexos industriais.

Passava do meio-dia e, no entanto, fazia frio e o ar parecia ter ganhado uma tonalidade branca, com pequenas gotículas de gelo caindo como se fossem floquinhos de algodão.

No total, a viagem estava programada para acontecer em cinquenta e oito minutos. Meus olhos já estavam se fechando. Do meu lado, Valesca já havia se entregado ao sono. Um funcionário da Deutsche Bahn[16] passou, requerendo os tíquetes de viagem. Entreguei a ele os nossos e, então, algo me ocorreu. Foi como um *flash*,

---

[16] Companhia estatal alemã que opera os trens.

que, de súbito, iluminou meu pensamento, causando-me mal-estar. Eu havia deixado minha mochila no chão, perto dos meus pés. Abri o zíper e olhei diretamente para o vaso com as cinzas do meu pai. Tirei da mochila o guia de viagens. Eu estava certo!

— Valesca, acorda!

Resmungando, ela olhou para mim com os olhos entreabertos.

— O que foi, merda? Eu estava sonhando.

— Você se lembra do que o senhor polonês falou?

— Sei lá! Que o Brasil é uma merda?

— Não! — reparei que tinha exagerado no tom de voz e, falando mais baixo, completei: — Ele nos desejou boa estada em Köln. Ou seja, em Colônia. A cidade é o destino final desta linha, mas também ponto de entroncamento para outras linhas que vão para várias cidades, incluindo pontos turísticos, como Bonn e Düsseldorf.

— E daí?

— Como ele sabia que ficaríamos em Colônia, oras?! Poderíamos estar indo para qualquer canto.

Valesca me olhou com estranheza.

— Tu acha que o velho está metido com aquela organização de que me falou? A... a... *Vesteck... studium...* alguma coisa?

— *Verstecktstudiumliga* — corrigi, ficando em pé e pulando por sobre o colo de Valesca.

— Seu doido! Aonde vai, *porra*?

Não respondi. Segui pelo corredor na mesma direção que o senhor polonês havia tomado. Ele disse que vivia na Alemanha desde 1943; segundo o professor Wilson Keller, os registros das ações da *Verstecktstudiumliga* iam até 1945, ano da queda do Terceiro Reich. As datas batiam perfeitamente.

Passei de um vagão a outro; depois, para o seguinte. Cheguei ao vagão de primeira classe e espiei pela janela da porta. Abri e segui pelo corredor, olhando os passageiros. A maioria parecia aproveitar a viagem; outros, apenas pareciam *estar* ali, sendo levados pelo trem como se este fosse a corrente do destino.

Por mais que procurasse, não havia sinal do velho. Teria ele subido e descido do trem? O papo antes da partida, falando sobre as malas e tudo mais, teria sido apenas um pretexto para se aproximar de mim? Ou ele apenas estava sendo gentil e era eu que estava enxergando fantasmas? Afinal, era plausível deduzir que Colônia seria o destino final da maioria dos passageiros.

De punhos fechados, bati contra o encosto de um dos assentos.

— Que merda! — praguejei.

A mulher que ocupava o lugar olhou para mim com espanto, como se minha atitude fosse totalmente inconveniente (e era).

— *Sorry* [Desculpe] — eu disse, sentindo-me um estúpido e fazendo o percurso de volta para o meu lugar.

Capítulo 27

Colônia, Alemanha
5 de janeiro de 2007

Descemos na estação de Colônia no horário previsto. A pontualidade era mesmo algo levado a sério pela companhia de trens alemã.

Valesca ainda disparava palavras duras pela minha atitude de minutos antes, quando desembestei a correr pelo corredor do trem atrás do velho polonês — que parecia ter simplesmente evaporado no ar.

Descemos pelas escadas rolantes. Fui na frente, equilibrando-me com as três malas de bagagem de Valesca, enquanto ela se encarregava de levar a minha única mala. No saguão, cruzamos a estação em direção à saída para a Praça da Catedral, uma construção gótica do século XIII, que era um dos marcos da cidade. Parte do imponente templo estava em reforma, coberto por tapumes. Nas escadarias, jovens com roupas descoladas conversavam e fumavam, e pareciam não se incomodar com o frio. Uma garota de cabelo multicolorido, com maquiagem pesada e vestida em estilo grunge, tocava uma canção popular no violão, atraindo a atenção de alguns transeuntes.

Meus olhos corriam por todos aqueles rostos à procura de uma possível ameaça.

— A arquitetura daqui é estupenda! Do *caralho* mesmo! — disse Valesca, visivelmente absorta no cenário urbano. Eu já estava me habituando com a forma como ela introduzia palavrões nas interjeições mais banais, até mesmo quando eram positivas.

— Segundo o guia — eu folheava o livreto, sentado sobre uma das malas de Valesca —, nossa pousada fica a duas ruas daqui.

Cruzamos a praça e pegamos a rua à esquerda. Dois quarteirões para cima, viramos à direita, seguindo exatamente as indicações do guia. Não foi difícil localizar a fachada da Rhein Inn, uma construção assobradada do início do século XX.

Paramos diante da porta rebuscada de madeira com vidro jateado e tocamos a campainha antiga. Um homem loiro de meia-idade, com as têmporas embranquecidas, nos atendeu. Após confirmarmos que éramos os hóspedes do Brasil, ele nos retribuiu o cumprimento em inglês e, logo, nos ajudou a levar as bagagens pelo corredor até a pequena recepção, sobre cujo balcão havia uma cesta de vidro com maçãs verdes, um MacBook, um telefone sem fio e uma pilha de papéis.

— *Your rooms* [Seus quartos] — me disse, de modo simpático, porém formal, entregando duas chaves com os números 12 e 13 grafados nos chaveiros de madeira com as iniciais RI.

Eu agradeci, e Valesca repetiu o agradecimento, porém, em alemão, fazendo ecoar um sonoro *"Danke"*. O sujeito, que se apresentou como Chris, nos explicou rapidamente o funcionamento da pousada: café da manhã das seis às dez; as portas eram trancadas às onze da noite, mas teríamos as chaves para entrar. Era proibido fumar nos quartos. Qualquer objeto quebrado seria incluído na conta no momento do *check out*. Ele, Chris, era o atendente da manhã. Deixava o posto às sete da noite e era substituído por uma tal Evelyn, que ficava na recepção até as nove da manhã seguinte.

Tudo nos foi explicado de modo polido e objetivo, como se o cara declamasse as instruções de um manual.

Antes de abandonar nossas bagagens diante das portas de nossos respectivos quartos e se despedir, Chris ainda fez questão de ressaltar que, embora estivéssemos em quartos separados, deveríamos ser discretos se fizéssemos sexo. Isso porque as paredes eram finas e o som ecoava nos quartos vizinhos.

Valesca agradeceu enquanto eu preferi me calar — apesar de a ideia me parecer bastante atraente.

— Bom, estou quebrado! — falei, estendendo os braços para cima. — Acho que podemos tomar um banho e tirar um cochilo antes de nos ocuparmos com nossas tarefas. O que acha?

— Para mim, perfeito — disse Valesca, limpando as lentes dos óculos com a barra do pulôver. — Nada como dormir numa cama. Quem fez os projetos das poltronas da classe econômica dos aviões com certeza não pensava em usá-las um dia.

Concordei e nos despedimos. Ajudei-a a pôr as malas dentro do quarto 13, e eu fiquei com o 12. Girei a chave na fechadura e dei uma boa olhada no local. Não era ruim. Pequeno, mas confortável. O cheiro de lustra-móveis predominava e tudo parecia de uma limpeza meticulosa. O banheiro, também pequeno, era aconchegante. O único problema estava no fato de ser impossível abrir a porta sem esbarrar no vaso sanitário.

Coloquei minha mala ao lado da cama e a mochila, sobre ela. Tirei o vaso com as cinzas do meu pai de dentro da mochila e deixei-o sobre o criado-mudo.

— Bem-vindo de volta ao lar, Olaf — eu disse, sentindo um nó na garganta.

Capítulo 28

Plaszow (Cracóvia), Polônia
30 de novembro de 1943

As ordens para a execução sumária de prisioneiros prosseguiam à medida que mais judeus — bem como homens sentenciados por outros crimes contra o Reich — chegavam em caminhões abarrotados, amontoados como porcos. As informações eram desconexas, e nós, soldados, não sabíamos ao certo de onde vinha toda aquela gente. Muitos comentavam que eram prisioneiros de campos localizados em outros países do leste, como Hungria e Romênia. Talvez isso fosse verídico, já que muitos eram estrangeiros.

Eu passava meus dias dividido entre meu trabalho como soldado da SS e a vigília (ainda que a distância) de Mariele. Ela havia recebido alta, mas não voltara aos trabalhos forçados. Obtivera permissão para ficar no alojamento, e eu temia que as péssimas condições de higiene e o contato diário com prisioneiras doentes deteriorassem sua saúde.

Poucos dias depois, ela retornou aos trabalhos, porém, apresentava grande abatimento. Por várias vezes flagrei-a observando as fileiras de prisioneiros, todos com olhares atônitos, sendo encaminhadas para o fuzilamento. Ela limitava-se a enxugar os olhos com a manga do uniforme e seguir trabalhando.

Por duas vezes nesse meio-tempo, fui convocado para fazer parte do pelotão de fuzilamento; na primeira vez, agradeci a Deus quando todas as vítimas tombaram imediatamente sem vida. Porém, na segunda, duas mulheres resistiram às balas. Uma delas balbuciava palavras sem nexo, remexendo os olhos como se procurasse se apegar a um pequeno sopro de vida. Por fim, sucumbira. A outra, mais nova, esticou a mão na direção de um colega do pelotão, pedindo clemência. Ele, sem pestanejar, sacou a pistola e atirou na cabeça da jovem, que tombou morta. Depois, permaneceu alguns segundos parado, como se o tempo tivesse congelado para ele.

Aproximei-me e coloquei a mão sobre seu ombro.

— Pense que está apenas cumprindo seu dever — eu disse, em voz baixa, quase inaudível. — Fica mais fácil aguentar quando pensamos assim. Acredite em mim.

Ele me fitou com seus olhos verdes enormes e notei que estavam marejados. O garoto era mais jovem do que eu e, provavelmente, estava havia um ou dois meses em Plaszow.

O jovem sorriu e se afastou. Acendi um cigarro. Eu me sentia velho. Era como se o cotidiano naquele inferno tivesse roubado minha juventude e minha alma. O que havia sobrado era apenas uma casca dura e seca, oca por dentro.

Caminhei pela neve branca que já forrava o chão de terra. Outros soldados faziam o mesmo, arrumando os casacos e as luvas.

— Seemann, quero você de patrulha na ala leste — ordenou o tenente, um homem baixo com uma cicatriz funda no lado esquerdo do rosto.

— Sim, senhor! — respondi, batendo continência.

Caminhava para meu posto quando vi Heinz se aproximando na direção contrária. Ele sorriu ao me ver e deu tapinhas no meu peito.

— Olaf, bom te ver — disse ele.

O homem, que outrora fora meu melhor amigo, tinha envelhecido, assim como eu. Ainda que a barba estivesse meticulosamente bem-feita, sua pele havia ressecado e seus olhos, perdido o brilho, tornando-se opacos, sem vida.

— Tem um cigarro? O meu acabou.

— Claro — eu disse, estendendo o maço aberto.

Peguei mais um e ambos acendemos os cigarros presos à boca.

— *O inverno deste ano será duro* — *Heinz disse, olhando a neve fina que começava a cair outra vez.* — *Aposto que mais da metade desses maltrapilhos cairá morta antes de o ano-novo chegar. A maioria está doente e faminta. Não aguentará o frio.*

Heinz admirava o cenário desolador de Plaszow com uma indiferença fria. O branco do chão era o palco em que prisioneiros enfraquecidos desfilavam para lá e para cá como formigas. Trabalhavam na pedreira, realizando movimentos mecânicos, como marionetes conduzidas por um fio invisível. A mão de Deus ou do diabo. Como saber?

— *Notei que está me evitando desde aquela noite, Olaf* — *disse Heinz, soltando a fumaça pelas narinas.* — *Foi apenas uma brincadeira, está bem? Estávamos todos bêbados, a coisa fugiu um pouco do controle. Mas, tecnicamente, não fizemos nada ilegal, já que a prisioneira era judia. Nossas leis não abrangem direitos a judeus, correto? Ainda assim, Marcus quer que fiquemos de bico calado sobre o que houve. Ele pensa que podemos ser punidos pelos oficiais por nos divertirmos com uma vagabunda judia. Como se os oficiais não fizessem isso...*

Heinz tinha uma expressão nostálgica e distante.

Respondi com um grunhido. Lembrar o que havia acontecido fazia eu me sentir sujo, contaminado por algum tipo de doença degenerativa.

— *Espero que ainda sejamos amigos, Olaf* — *disse Heinz, tragando e voltando a olhar na minha direção.* — *Odiaria perder sua amizade.*

— *Tenho que ir para o meu posto* — *eu disse, acenando com a cabeça e me despedindo de Heinz com discrição.*

Prossegui, dando as costas para ele. Senti, por alguns segundos, que Heinz olhava para minha nuca; depois, também virou as costas e seguiu seu caminho. Definitivamente, aquele não era o amigo em quem eu aprendera a confiar e amar. Era alguém muito diferente; sem vida, sem humanidade.

Talvez o Heinz de Plaszow e eu fôssemos reflexos em um espelho. Cada qual em seu respectivo lado, mas refletindo o mesmo conteúdo.

Pensar sobre isso me fez desejar orar. Pisei o cigarro e arrumei o capacete sobre a cabeça. A temperatura despencava com rapidez.

Capítulo 29

Colônia, Alemanha
5 de janeiro de 2007

Chris, o recepcionista faz-tudo da pousada, estava coberto de razão. As paredes eram finas. Finas o suficiente para fazer com que os gemidos de um casal numa tórrida noite de amor se tornassem uma atração erótica para mais da metade dos hóspedes. E, também, finas o bastante para que, debaixo do chuveiro, eu pudesse ouvir sem dificuldade Valesca ligar a água e fechar a cortina de plástico que isolava a área da banheira do restante do cômodo.

Deixei a água cair sobre meu rosto e, depois, escorrer sobre meu corpo. Imaginava Valesca nua sob o chuveiro, fazendo exatamente o mesmo. Apenas uma parede nos separava.

Passei as mãos pelos cabelos, lançando-os para trás. O impacto da água contra minha testa fazia meu ferimento doer. A região machucada das costelas também doía e me fazia lembrar que era hora do analgésico.

Devidamente limpo, fechei o chuveiro e me enxuguei. Graças à calefação, a temperatura dentro do quarto era muitíssimo agradável. Pela janela, desfilava uma sequência de construções, todas em estilo antigo, enquanto carros modernos iam e vinham. O passado e a vida cosmopolita se encontrando.

Pendurei a toalha e vesti uma camiseta. Sentia falta de algo para ler. Sentia falta das anotações do meu pai. Estiquei-me sobre a cama e perdi a noção do tempo. Tampouco notei quando caí no sono, acordando com batidas na porta. Por um instante, imaginei estar sonhando; mas as pancadas eram reais.

Zonzo, caminhei até a porta e abri.

— Uau, tu vieste me receber de ceroulas? — perguntou Valesca. Ela havia trocado de roupa; usava um suéter com gola rolê vinho, calça de malha e botas. Nas mãos, tinha um casaco grosso e gorro. Presa à cintura, havia uma pochete, que devia conter documentos e dinheiro. — Estou faminta e pensei em sair para comer algo.

— Que horas são? — perguntei enquanto me dirigia apressadamente para dentro do quarto para vestir uma calça.

— Cinco e meia. Tu dormiu pra *cacete*! — ela disse, entrando no meu quarto. — Típico quarto de homem. Tu nem desfizeste a mala!

— Caí no sono — justifiquei. — Posso desfazer quando voltarmos.

— Ótimo! Estou faminta! — Valesca soltou o corpo sobre a cama e sentou-se. Ficou olhando enquanto eu me trocava, deixando-me um tanto encabulado.

— Estou pronto — falei, puxando o zíper do casaco. — Queria fazer uma coisa antes de comermos.

— O que é? — ela perguntou, impaciente.

Peguei o vaso com as cinzas do velho Olaf e apontei para ela.

— Preciso deixar meu pai em casa. Afinal, foi para isso que vim.

━━━❦━━━

Antes de sairmos, Valesca pôde exercitar um pouco do seu conhecimento de alemão numa conversa com Chris. Ela perguntou a ele sobre o rio Reno e ele nos indicou como chegar lá. Estávamos muito bem localizados, e tudo parecia perto.

Seguimos as instruções de Chris e colocamo-nos em marcha. Cruzamos novamente a Praça da Catedral, passando pelo interior da estação até sairmos do outro lado.

Um grupo grande de pessoas se aglomerava ao redor de uma barraquinha de lanche. Havia vários africanos e jovens de pele parda encostados nos cantos, conversando ou apenas se protegendo do frio.

O mostrador digital indicava temperatura de menos um grau, e a tendência era que esfriasse mais à noite.

— Será que veremos neve? — perguntou Valesca, animada.

— Difícil — respondi. — Mas passaremos muito frio; disso tenho certeza.

Descemos uma ladeira e caímos na avenida que margeava o rio Reno, que surgiu, imponente, no horizonte.

— Que cara é essa, Hugo? — O ar gelado saía da boca de Valesca conforme ela falava.

— Nada. É que — eu disse, com o olhar vidrado no rio — meu pai passou boa parte da infância dele aqui, às margens desse rio. E, agora, eu estou aqui. Acho que é como dizem... a vida é feita de ciclos.

— Ora, ora! Estou notando certo ar de sentimentalismo em ti! Isso é muito bom!

— Não é isso! — neguei, com veemência. — É que... Só acho diferente. E *legal*. Só isso.

— Legal?! Sei...

— Vamos logo terminar isso — eu disse, precipitando-me à frente de Valesca.

Caminhamos à direita da margem, passando por uma praça, onde, certamente, os jovens se encontravam para beber e conversar no verão, mas que, no rígido inverno alemão, servia apenas como passagem para pessoas apressadas, que iam a pé ou de bicicleta rumo às suas casas.

— Tu tá engraçado, Hugo — Valesca falou, tentando acompanhar meus passos apressados.

— Jura? Por quê?

— Porque tu parece brasileiro, oras! — Ela ria com descontração. — Tá na cara para qualquer um que tu é dos trópicos. Estás branco de frio e caminhas de uma forma totalmente desajeitada.

Dei de ombros enquanto Valesca falava:

— Tá escrito na tua testa: "turista".

— Engraçadinha — eu disse. — Vem, ali tem acesso à margem do rio.

Descemos uma pequena rampa de concreto e lá estávamos nós. Sentia minhas pernas tremerem; a princípio, pensei ser o frio, mas logo notei que era outra coisa. Meu corpo todo balançava como se tomado por uma corrente elétrica. Eu quase não conseguia segurar o vaso com as cinzas.

— Precisa de ajuda? — Valesca fez a pergunta num tom sério.

— Não. Preciso só de alguns minutos, ok? — falei, afastando-me dela e caminhando em direção à beira do rio.

No horizonte, pequenas embarcações se distanciavam. Olhei para a direita, depois para a esquerda. Sobre as águas, uma fina camada de vapor se elevava. Mas lá estava ele, correndo, vivo e ligeiro. O rio Reno das histórias do meu pai.

Fechei os olhos e imaginei o pequeno Olaf Seemann brincando com seu melhor amigo Heinz Gröner à beira do rio numa primavera de 1930. Ambos corriam, trocando passos apressados como se chegar em primeiro lugar fosse a única coisa que lhes importasse.

Eu não havia conseguido descobrir por que (e como) meu pai deixara a Alemanha, mas tentava imaginar o que seu coração havia sentido ao abandonar o Reno para trás. Olhando os telhados das casas ao longe, refleti se os olhos do meu pai, ainda com vida, teriam visto o mesmo que eu estava vendo.

Dobrei os joelhos e abri o vaso. Tombei ligeiramente o objeto em direção às águas turvas. Havia começado a ventar forte e minhas mãos tremiam muito.

Passos cuidadosos se aproximavam de mim. De soslaio, vi os bicos das botas de Valesca bem ao meu lado. Ela se ajoelhou e colocou as mãos sobre as minhas. Seus cabelos esvoaçavam sob o gorro.

— Tu tá chorando, Hugo — ela disse, sorrindo. — E estou achando isso lindo. De verdade, guri!

Foi só então que notei que lágrimas escorriam pelo meu rosto. Escorriam em abundância. Meu corpo estava congelando, mas, por dentro, eu estava em chamas. Das minhas entranhas, subindo pelo meu corpo, um calor estranho tocava meu coração; um calor que imaginei ser minha mãe. Naquele momento, eu podia ouvi-la claramente dizer: "Hugo, perdoe seu pai, filho. Ele era um homem fechado, mas bom. Só Deus sabe o que ele passou na guerra, quando ainda morava na Alemanha. Talvez nós nunca descubramos o que de fato há naquele coração confuso. Mas acredite: ele te ama, assim como eu".

Quase num murmúrio, eu disse, como se conversasse com minha mãe:

— Mas ele te abandonou, mãe. E me deixou também. Eu só tinha 9 anos. Nove anos! Eu precisava dele... Eu precisava...

— E o que você acha que fazer isso custou ao teu pai, Hugo? Pense bem...

— Como assim?

— Ele nunca me disse, mas estou certa de que te abandonar naquele dia foi a coisa mais difícil que seu pai fez na vida. Muito mais difícil do que lutar na guerra ou ver colegas morrerem.

— Ou, ainda, deixar Mariele Goldberg para trás?... — perguntei para as sombras. Eu conversava, agora, com as águas do Reno.

— O que teu pai sempre teve dentro do coração foi amor. E, onde há amor, não há espaço para o mal, Hugo.

A voz de minha mãe era terna e, ainda assim, queimava em meu peito.

— Agora ele se foi, mãe... E eu nunca consegui perdoá-lo enquanto ele estava vivo.

— Nunca é tarde, Hugo. Tu vieste até aqui com um propósito e tu vai cumprí-lo. Vai realizar o desejo do teu pai. Depois, verá: vai se sentir em paz com ele e consigo mesmo.

Eu me virei para o lado. Era Valesca quem falava. Tinha os olhos marejados.

Acenei positivamente com a cabeça. Retirei por completo a tampa e deixei o vaso escorregar pelas minhas mãos. As cinzas começaram a voar e sobrevoar as águas do rio Reno, sumindo durante o percurso.

À medida que iam embora, um vazio crescente se instalava dentro de mim. Um vazio incômodo, seguido por uma vontade desesperadora de abraçar meu pai.

— Adeus, Olaf — eu disse, deixando as lágrimas caírem livremente. — Eu vou descobrir o que houve no passado; vou encontrar Mariele Goldberg para você entregar-lhe a sua última carta.

Quando as cinzas acabaram, coloquei o vaso no chão e fiquei em pé. Valesca me abraçou com força e eu entrelacei os dedos em seus cabelos, que tinham perfume de xampu floral.

— E ninguém vai me impedir, pai. Eu juro.

Aquela era a primeira vez, em muitos anos, que eu chamava Olaf Seemann de pai.

Escolhemos uma cantina italiana à margem do rio Reno para jantar. Ambos estávamos famintos. Pedimos uma garrafa de vinho tinto e dois pratos de espaguete ao sugo. Era a primeira refeição decente que fazíamos em dois dias; então, comemos com disposição.

Provavelmente devido ao estresse e ao pico emocional, a bebida não tardou a me deixar entorpecido, enquanto Valesca parecia ter uma resistência maior. Ela encheu minha taça pela terceira vez e virou o restante do vinho na sua. Pelas minhas contas, era a quarta ou quinta dose.

— Sabe, Hugo, eu tenho que te confessar — ela disse, bebericando. — Fiquei orgulhosa de ti agora há pouco.

— De mim?! — perguntei. Eu me sentia relaxado e o frio havia ido embora.

— Não são todos que têm uma história como a tua, que têm a oportunidade de fazer as pazes com seus pais. E tu fez as pazes com o teu pai! Sem dúvida, ele tá vendo isso.

— Você acredita?

— No quê?

Apoiei os cotovelos sobre a mesa e fiquei olhando o líquido grená em minha taça.

— Acredita nessa coisa de "estar num lugar melhor"?

— Vida após a morte? Claro! Tu não tem religião, não?

Suspirei, encolhendo os ombros.

— Nunca me preocupei muito com isso, na verdade. Você tem?

— Tive uma formação espírita. Quer dizer, minha mãe se converteu quando eu ainda era pequena — ela disse. — De algum modo, ajuda a acreditar que a vida é cíclica e que teremos sucessivas oportunidades de melhorar e evoluir.

— Reencarnação? — perguntei, tomando um gole.

— Sim. Se tu pensar, é lógico que reencarnaremos. A vida é muito curta para que vivamos aqui todo o nosso potencial. Eu enxergo muito potencial em mim, mas não serei capaz de fazer tudo o que quero numa vida só. Como minha mãe dizia — Valesca terminou o vinho e abandonou a taça sobre a mesa —, tenho muitos planos para uma única existência. Precisarei de umas cinco vidas pelo menos para fazer tudo o que eu quero!

Rimos e chamei o garçom, um jovem croata totalmente inexperiente no trabalho de servir mesas. Pedi a conta e, em menos de um minuto, o rapaz nos trouxe o valor em euros. Paguei com cartão de crédito e fomos embora.

A temperatura havia caído ainda mais. Apesar do agasalho grosso, o ar frio parecia encontrar brechas e penetrar no meu corpo.

— Puta que pariu! Tá frio — disse Valesca, trançando o braço no meu. — Teremos que caminhar assim, de braços dados, até a pousada se não quisermos congelar. Aceita o desafio?

— De andar de braços dados contigo? Claro!

— Posso ser perigosa, *tchê*! — ela disse, rindo de um jeito doce e deixando a fumaça de ar condensado sair pela boca.

— Eu sei me defender — respondi. — Podemos até aproveitar mais o passeio, fazendo um caminho mais longo. Que tal irmos por ali?

Apontei para o trajeto oposto ao que havíamos feito para chegar às margens do Reno, um caminho pelo qual se viam vários restaurantes e lojas e que desembocava sob um viaduto.

Andamos animadamente, ignorando o frio. A bebida fazia com que eu me sentisse entorpecido, caminhando sobre as nuvens.

— Tem certeza de que tá bem, homem?! Nunca vi um marmanjo tão fraco para beber, *cacete*! — Valesca me puxava pelo braço e me chacoalhava, parecendo tentar me derrubar.

— Não sou fraco para bebidas. Eu só estava muito tempo em jejum — eu disse, justificando-me. — Além disso, não estou *alto*. Só um pouco *alegre*. Eu poderia...

Valesca não me deixou terminar de falar. Segurou meu rosto e me beijou, pressionando seus lábios contra os meus. Depois se afastou e me encarou nos olhos. No segundo beijo, ela me beijou com desejo, colocando a língua em minha boca. Demoramos um tempo.

— Eu tava louca pra fazer isso — disse ela, rindo. — Que tal sairmos deste frio e voltarmos para a pousada? Estou morrendo de vontade de testar finas são as paredes daquele lugar.

— Acho uma ótima ideia — eu disse, beijando-a mais uma vez. Havia muito tempo eu não me sentia tão bem.

Revigorado, lacei Valesca com o braço e, juntos, vencemos o bonito caminho pontilhado por restaurantes e cafés, chegando ao pontilhão. Viramos à direita e, diante de nós, alguns metros à frente, havia uma escadaria. Subimos, passando em frente a um grande sebo de livros e pela entrada de um teatro, que exibia uma ópera em cartaz. Pelo bueiro, subia uma fumaça de ar gelado, cortando a escuridão com fios brancos que pareciam formar um grande algodão.

Foi então que reparei, com a visão periférica, um homem metido em um casaco grosso preto, caminhando apressadamente atrás de nós. Até então, estávamos sozinhos na rua.

— O que foi? — perguntou Valesca.

— Tem alguém atrás de nós.

— *Atrás* de nós como? — ela perguntou. — Não existe lei que impeça as pessoas de andarem na rua.

— Eu sei — suspirei. — Acho que estou ficando paranoico com essa história toda.

O homem, que continuava caminhando a passos largos, passou por nós sem mover a cabeça, subiu as escadas e sumiu.

— Tá vendo? — Valesca me cutucou. E, mudando o foco da conversa, perguntou: — Agora que jogou as cinzas do teu pai no Reno, o que pensas em fazer?

— O próximo passo será encontrar o amigo do meu pai, Mesut, e saber como ele poderá nos ajudar a encontrar Mariele Goldberg.

— Tu vai mesmo a fundo nisso tudo?

Assenti com a cabeça.

— Tenho que ir. Pelo meu pai e, também, por mim.

Duas crianças negras passaram correndo no sentido contrário ao nosso. Pareciam ignorar o frio e brincavam com uma bola imaginária. Logo atrás, dois jovens adultos, que deviam ser seus pais, seguiam tranquilamente. A mulher usava um turbante que lhe cobria quase todo o rosto.

Viramos a esquina, esbarrando em um homem que vinha na direção contrária. Fiz menção de pedir desculpas, mas calei-me quando notei que o sujeito apontava uma arma automática para minha barriga.

Valesca arregalou os olhos e me encarou. Mordi os lábios, torcendo para que ela não fizesse nenhuma besteira, como sair correndo.

— *Come on with me*, *Herr Seemann* — o homem disse com um forte sotaque alemão. Então notei que parte de seu rosto estava coberta por um gorro de lã cinza.

Passos lentos e precisos se aproximavam atrás de nós. Virei o rosto e logo reconheci a mulher que chegava cada vez mais perto. Sem dúvida alguma era a mesma pessoa que me agredira quando roubaram o caderno do meu pai.

— Como *che* diz em *porthugues*?... — ela falou, enrolando a língua. — O *chenhor* gosta de brincar com fogo, *Herr* Seemann.

Estávamos sozinhos. Nenhuma vivalma estava prestes a passar por ali. Supus que estavam nos seguindo e escolheram um local discreto para nos abordar. Eram profissionais.

— *Pedji parra* que esquecesse esta *histórria*, *Herr* Seemann. Mas o senhor é... como se diz em *porthugues*?... Teimoso! Mas nós somos mais persistentes. *Enthon*, acho que chegou a *horra* de conversarmos um *poquinho*.

Valesca parecia tremer. Encarei o homem à minha frente. Ele tinha um olhar profundo e parecia mesmo pronto para atirar.

Sem hesitar, o sujeito me acertou na têmpora direita, lançando-me no chão.

— Hugo! — gritou Valesca.

De joelhos, levei as mãos para a lateral da cabeça. Eu não acreditava. Era a segunda vez que eu estava apanhando em menos de trinta dias.

— *Stand up!* — falou a mulher com autoridade. Era evidente que era ela quem estava no comando ali.

O homem me puxou pelo braço, colocando-me em pé à força. Pressionou a arma na altura do meu rim e me empurrou pelas costas.

— Já passeou por Köln, *Herr* Seemann? — a mulher perguntou, como se fôssemos velhos amigos. — É uma cidade *impreschionante*. Uma das minhas *preferridas* em *Alemania*. *Serrá* um prazer levar o *tchenhor* para um *tour* pela cidade esta *noiche*.

Lentamente, começamos a subir as escadas laterais da catedral. Estávamos próximos à praça, onde, apesar do frio, grupos de jovens e famílias conversavam, ouviam música ou tomavam bebidas quentes nos bistrôs.

Eu e Valesca trocamos olhares. Quase num sussurro, ela disse:
— Tu tá sangrando...

Passei a mão na têmpora direita e notei meus dedos sujos de sangue. Eu precisava pensar em algo ou seríamos mortos. Acho que Valesca leu meus pensamentos, porque num instante sua expressão deixou de ser vulnerável e assustada e tornou-se firme.

Notei que ela mexia a mão sob o casaco grosso e rezei para que ela não arriscasse nada. Eu ainda estava tentando imaginar o que se passava naquela cabeça quando Valesca, girando o corpo, estendeu os braços na direção do rosto da mulher e pressionou o botão de um pequeno tubo, soltando um jato de *spray*.

Levando as mãos aos olhos, a mulher gritou algum palavrão em alemão. Ela contorceu o corpo e parecia sentir muita dor. Foi o tempo de Valesca pegá-la pelos cabelos e puxá-la.

— *Fuck*! [Merda!] — disse o homem, aturdido com o que estava acontecendo.

Eu não tinha mais tempo para pensar, nem para hesitar. Com toda a minha força, usei meus braços como alavanca e enterrei os cotovelos na região das costelas do sujeito. Apoiando os joelhos em sua barriga, soltei o peso do corpo contra ele, fazendo com que rolássemos escadaria abaixo. Como eu estava em cima, o corpo do meu adversário absorveu a maior parte do impacto contra os degraus.

Ligeiro, ele tentou recuperar o equilíbrio, mas o peso do meu corpo e o piso escorregadio acabaram por impedir. Quando seu braço acertou a quina de um dos degraus, pude ouvir claramente o barulho do osso se partindo. Nossos corpos rolaram, juntos, alguns lances de escada, o que pareceu levar uma eternidade.

— Hugo! — ouvi Valesca chamar. Eu estava estendido no chão e, quando ergui a cabeça, vi meu adversário tentando ficar em pé, apoiando-se no braço bom. Sem pensar, desferi um chute certeiro no braço machucado, fazendo-o soltar um urro de dor e cair outra vez.

— Isto é pelo meu pai, seu filho da puta! — falei. — E *isto* é pela minha tartaruga! — dizendo isso, acertei outro chute no rosto do sujeito, lançando-o por fim contra o piso de pedra. Então, meus olhos percorreram o chão à procura da arma que tinha caído.

Mas não havia tempo. Um burburinho se formava ao nosso redor. Nisso, alguém gritou:

— *Polizei!*

— Vamos dar o fora daqui, Hugo! Já! — disse Valesca, descendo rapidamente as escadas e me puxando pelo braço.

Tudo aconteceu muito rápido. Talvez em menos de um minuto. Com certeza, eles não esperavam qualquer reação de nossa parte e o fator surpresa havia jogado a nosso favor.

Sem olhar para trás, corremos em direção ao Reno, procurando passar pelos locais mais escuros. Quando chegamos a uma avenida, diminuímos os passos, tentando agir com aparente naturalidade.

— Tu está bem? — Valesca olhava em direção ao horizonte e estava ofegante. Um fio de suor lhe escorria pelo rosto.

— Estou sim. Mas não pare de andar — eu disse. Minhas costelas latejavam. — O que foi aquilo?

— *Spray* de pimenta. — Ela esboçou um sorriso. — Nunca se sabe quando uma dama como eu vai ter que lidar com algum homem metido a besta. Como espirrei a uma curta distância, deve ter doído um bocado. Aquela bruaca loira demorará algumas horas para voltar a enxergar.

Não consegui deixar de sorrir.

— Realmente, mulher sempre anda prevenida.

— Tu não faz ideia do que uma mulher carrega na bolsa. Ou na pochete.

— Você é maluca... — eu começava a sentir falta de ar.

— Se eu não fizesse algo, iríamos morrer, *caralho*!

Eu sabia que Valesca estava coberta de razão.

— Acho que não estão atrás de nós; vamos subir por ali.

Cruzamos a avenida e tomamos o caminho em direção à parte central da cidade. Ainda caminhávamos a passos apressados. Ao longe, sirenes da polícia sibilavam.

— Será que alguém nos viu? — perguntou Valesca, soltando o corpo sobre um banco de concreto. Estávamos em uma viela, ao lado de uma igreja.

— Pode ser, mas será difícil nos identificarem. Foi tudo muito rápido.

— Precisa fazer um curativo nisso aí — disse ela, apontando para o meu ferimento.

Toquei a têmpora direita e notei o sangue pegajoso.

— O que faremos? — ela perguntou.

— Vamos esperar mais um pouco — respondi, ainda ofegante — e, depois, voltar para a pousada, agindo naturalmente. Pouca gente viu algo e, sem identificação, a polícia não saberá quem procurar. Nem terá por onde começar. Pelo menos, eu acho.

— Ainda vai atrás do tal turco amigo do teu pai?

— Com toda a certeza — respondi, olhando para a imagem em pedra de um santo posicionada em uma das paredes laterais da igreja.

Aos poucos, tudo foi se acalmando. Lentamente, o som choroso das sirenes tornou-se distante e morreu como um mero gemido.

Capítulo 30

Colônia, Alemanha
6 de janeiro de 2007

Retornamos à pousada, caminhando do modo mais discreto que conseguimos. Porém, cada barulho, cada ruído de passos nos deixava alardeados, como se algo ruim estivesse para acontecer.

Valesca me emprestou seu gorro para que eu cobrisse o ferimento na cabeça. Assim, evitaria perguntas e suspeitas.

Caminhamos até a pousada e entramos. No balcão, uma moça, vestindo uma jaqueta de náilon cinza com gola de lã bege, lia e empilhava alguns papéis. Lembrei-me do que Chris explicara. Evelyn, a garota do turno da noite.

Ela era extremamente magra e seu cabelo tinha cor dourada. Usava batom preto e seus olhos tinham contornos negros, conferindo-lhe uma aparência gótica. Ao seu lado, sobre um banco, uma pequena tevê portátil mostrava um programa de auditório. Ao nos ver, acenou com um cumprimento discreto e frio.

— *Good evening* [Boa noite] — respondeu Valesca, tomando a iniciativa da conversa. Então, começou a falar em alemão. Ao ouvir seu idioma nativo, Evelyn mostrou-se mais solícita. Respondia às frases de Valesca assentiu com a cabeça e sorrindo. Depois, pediu que esperássemos e foi para a cozinha.

— O que você disse para ela? — perguntei.

— Pedi uma bacia com água quente. Disse que tu escorregou e caiu, e que bateu a costela.

— Água quente?

— Tu nunca fez uma compressa, não?

— *Você* vai fazer uma compressa em mim?

Valesca piscou.

— Não acha uma boa ideia?

Evelyn retornou com uma bacia com água. Segurava o objeto protegendo as mãos com uma toalha. Uma cortina de fumaça saía da água e subia em direção ao teto.

— *Danke!* — agradeceu Valesca. Depois, trocaram mais algumas palavras. A atendente parecia ter perdido a inibição inicial e fazia perguntas a Valesca. Ela, por sua vez, respondia a tudo com simpatia, vez ou outra, rindo de modo gostoso. Por fim, se despediram e subimos.

Paramos diante do quarto de Valesca e ela abriu a porta.

— Acho que a tal Evelyn gostou de mim — ela disse.

— Sério? Por quê?

— Perguntou se éramos namorados. Eu disse que não. Então, ela me falou que amanhã é folga dela e me convidou para ir a uma boate famosa daqui.

— Assim, tão *direta*?! Você acha que a Evelyn é lésbica?

— Ou é isso, ou estou usando o perfume errado — Valesca riu. — Vamos, entra!

— No seu quarto?

— Sim, lógico, *porra*! Vou cuidar de ti. — Valesca me empurrou para dentro e fechou a porta. Pediu que eu tirasse o agasalho e a camisa. Colocou a bacia com água quente sobre o criado-mudo, encharcou a toalha e torceu. — Deita na cama. Está bastante inchado.

Valesca limpou o sangue seco de minha têmpora e depois pressionou a toalha no lado da costela ferida, fazendo com que eu visse estrelas. A dor me fez perder o fôlego.

— Segura a toalha enquanto eu examino essa cabeça — disse, retirando o gorro de lã.

— Está muito feio? — perguntei, sentindo o toque de seus dedos.

— Foi só um pequeno corte. Nem precisará de pontos. Mas está inchado e ficará roxo.

— Todo guerreiro tem suas cicatrizes, não é? — eu disse, acomodando melhor o corpo sobre a cama.

Ela jogou o gorro no chão e se debruçou sobre mim. Encostou a boca no meu rosto e disse baixinho:

— Eu sei como te deixar melhor.

Então, beijou meus lábios com avidez. Escorregou a boca pelo meu pescoço, passando pelo meu peito e barriga. Desafivelou meu cinto e livrou-se de minhas calças.

Com destreza, tirou a blusa e abriu o sutiã. Seus seios, que tinham o tamanho perfeito, me disseram olá; seus mamilos eram grandes e apontavam para mim, rijos. Deixou os óculos sobre o criado-mudo, ao lado da bacia. Em segundos, Valesca estava em cima de mim, e eu podia tocar sua pele e seios. Ela se movimentava de um jeito insinuante e um calor gostoso tomou conta do meu corpo quando senti que estava dentro dela.

Perto de atingir o clímax, Valesca mordeu o dedo de uma das mãos e, com a outra, tapou minha boca. Ao final, soltou o corpo, tombando ao meu lado.

— Sem barulho, lembra? — observou ela, ofegante. Beijei sua boca e acomodei sua cabeça no meu peito. — Se sente melhor?

— Sou um novo homem — eu disse, afagando seus cabelos.

— Está arrependido?

— Para ser sincero, estou — eu disse, rindo. — Mas, como não acredito nesse negócio de céu mesmo, vou conviver com a culpa. Até aceito repetir a dose.

Então voltamos a nos beijar.

Acordei com a claridade entrando pela janela e com o barulho do secador de cabelos. Valesca estava sentada na cama, vestida com roupão e manuseando o aparelho enquanto remexia os fios com os dedos.

— Nossa, eu apaguei — eu disse, começando a me vestir.

— Eu percebi. Já são nove e quinze. Anda logo ou perderemos o café da manhã.

Eu me inclinei e beijei seus lábios mais uma vez.

— Vou para o meu quarto tomar um banho e trocar de roupa.

— Te espero lá embaixo — ela disse, desligando o secador.

No quarto, tomei um banho e me sequei. Eu me sentia renovado e vibrante. Parecia que nada no mundo poderia me deter. Desci as escadas em direção ao cômodo onde era servido o café da manhã. Valesca já estava lá; distraidamente, passava manteiga em um pedaço de pão.

Servi-me de café preto, peguei duas fatias de pão com cereais e me sentei.

— Tu está com uma aparência ótima! — ela disse, olhando por cima da xícara de café com leite, suspensa junto à boca.

— Você também não está mal — falei.

Com os dedos, ela empurrou em minha direção um pedaço de papel dobrado, no qual se lia, escrito em tinta azul: *Anjodeplaszow*.

No mesmo instante, meu estômago embrulhou.

— Onde conseguiu isso? — perguntei.

— Chris me entregou quando desci. Disse que um senhor deixou com Evelyn hoje bem cedinho e, como ela não nos encontrou, deu a ele para que entregasse a ti.

— Você leu?

— Tenho cara de quem abre e lê correspondência dos outros, *cacete*!?

Peguei o bilhete e desdobrei o papel.

— O que foi Hugo? Tu tá pálido!

O bilhete era conciso e escrito com letra caligráfica.

Encontre-me em frente à catedral. Venha sozinho. Eu era amigo do seu pai, posso ajudar. Ele corria perigo. Você também corre. Espero por você até as 10h.

— O que foi, Hugo? Puta merda, está me assustando? — insistiu Valesca, controlando-se para não erguer a voz.

Dobrei o papel e guardei-o no bolso do casaco.

— Me espere aqui e não saia! — falei, levantando-me abruptamente da mesa.

— Hugo, o que foi?! — Valesca perguntou, erguendo a voz. — Hugo!

Sem dar ouvidos a ela, deixei a pousada; assim que pisei a calçada, o ar frio me golpeou. Desci a rua, virei a esquina e atravessei na faixa de pedestres. À minha frente, eu podia ver as torres góticas da catedral.

Caminhei pela praça, parando ao lado da enorme construção medieval. A cidade havia acordado e as pessoas perambulavam pelas ruas, parecendo ignorar o frio intenso.

Dei mais alguns passos. Senti minhas pernas tremerem quando, enfim, reconheci a figura que me aguardava. Usando uma grossa jaqueta vermelha e um boné de lã preto com protetores de orelhas, ele se virou para mim e abriu um sorriso discreto. Depois, estendeu a mão, embrulhada em uma luva de couro.

— *Willkommen to Deutschland, junge Seemann* — disse, quebrando o silêncio. — Bem-vindo à Alemanha.

— O "anjodeplaszow" é você, Klaus Schneider — eu disse, encarando o senhor octogenário que estava à minha frente.

Capítulo 31

— Cedo ou tarde você descobriria, meu jovem — Klaus Schneider disse, olhando para a ponta dos pés. Seu sotaque era perceptível, mas ele falava incrivelmente bem o português. Melhor do que meu pai. — Achei o nome criativo, já que é disso que se trata, não é mesmo?

— Se trata?! — Eu estava imóvel. Minha vontade era partir para cima do velho e quebrá-lo em mil pedacinhos. Mas também sabia que isso atrairia a atenção para nós e não queria correr o risco de ser um brasileiro deportado antes de cumprir minha promessa. — Do que está falando, seu...

— Milagres. Você sabe, como as pessoas chamam aquilo que não conseguem explicar... — Klaus Schneider suspirou fundo e caminhou devagar na minha direção. Parecia calmo, porém atento. — Quando o assunto é Mariele Goldberg, há muita coisa sem explicação.

Eu respirava com dificuldade. O ar que saía de minha boca e narinas era tão frio e denso que eu quase podia tocá-lo.

— Você não quer se sentar e tomar um café na estação? Não precisa ter medo. Antes de encontrá-lo, certifiquei-me de que não estava sendo seguido.

— Pro diabo! — eu disse, cerrando os dentes. — O que você fez com meu pai, velho desgraçado?

— Olaf? — Ele pareceu surpreso com a pergunta. — Olaf e eu éramos velhos conhecidos. Se serve de consolo a você, eu não fiz nada com ele. Senti muitíssimo a sua morte. Era um dos poucos homens realmente bons que conheci.

— Balela! — eu disse em tom baixo, mas firme. Estávamos tão próximos um do outro que era possível sentir o hálito de pasta de dente e café do velho. — Ele estava com medo e me deixou uma carta. A mulher que tomava conta dele também confirmou.

Senti meus olhos marejarem. Eu precisava me controlar.

— Ele... ele me falou sobre Mariele. Mariele Goldberg, a menina de Plaszow — continuei. — O que fez com ele, velho bastardo? O que disse a ele para assustá-lo tanto?

— Por que acha que eu...?

— Porque tenho quase certeza de que meu pai se matou. Ou foi *levado* ao suicídio!— Deixei os ombros caírem e falei com um fio de voz: — Tomou uma *overdose* de insulina. E tudo... tudo aconteceu depois que vocês dois foram vistos conversando.

Klaus Schneider colocou os braços atrás das costas e abaixou a cabeça. Parecia pensativo e, por alguns segundos, questionei sobre quem de fato era aquele homem — e se ele não seria realmente inocente da morte do meu pai.

— Eu não imaginei que Olaf faria tal coisa — por fim, ele disse. — Aquele idiota! Sempre se culpando por todas as desgraças do mundo.

Klaus Schneider ergueu os olhos e me fitou com firmeza antes de continuar:

— Eu não queria que as coisas acabassem assim para o pobre Olaf. Acredite em mim — disse. — Havia anos eu vinha seguindo os passos dele. Em Porto Alegre e, depois, em Nova Petrópolis. Era meu trabalho.

— Você é do grupo *deles*? — Cerrei os punhos. Eu estava pronto para nocautear aquele sujeito.— Você faz parte da *Verstecktstudiumliga*?

— Sim e não — Klaus Schneider prosseguiu falando com uma tranquilidade espetacular. — Tudo é mais complexo do que você imagina, garoto. Mas, acredite: eu quero ajudar você, assim como quis ajudar seu pai. Na minha idade, eu não preciso mais mentir.

— Ajudar meu pai? Me ajudar?

O velho suspirou.

— Vou te dizer o mesmo que disse a Olaf: fique longe de Mariele. Esqueça que já ouviu falar dela, volte ao Brasil e viva sua vida.

— Infelizmente, não dá — eu falei. — Acho que esta conversa deveria seguir o rumo contrário. Se você é amigo do meu pai, como diz ser, por que então não me explica o que está havendo? Qual é a ligação entre você, meu pai e Mariele? O que aconteceu em Plaszow?

— Você é jovem e é compreensível que tenha muitas perguntas. Por que não vamos tomar um café e...

— Vá à merda com o seu café! — eu gritei. Depois, respirei fundo e me recompus. — Eu só quero entender no que me meti. Meu pai me pediu para encontrar Mariele Goldberg e entregar a ela uma coisa. Foi o último pedido dele. E a única coisa que ele me pediu em toda a sua vida.

Uma lágrima brotou no canto do meu olho.

— Também sei que seu nome verdadeiro não é Klaus Schneider. A polícia está atrás de você no Brasil. Sua filha deu queixa de seu desaparecimento, mas estão descobrindo mais coisas na investigação. Por exemplo, que sua identidade é uma farsa. Ou seja, eu posso me ferrar, mas as coisas não serão simples para você também. Então, sou eu quem pergunta: Quem é você? E qual é sua relação com meu pai?

Klaus Schneider me olhava com um misto de piedade e curiosidade.

— Eu e seu pai nos conhecemos em Plaszow. Servimos juntos na SS — disse o velho. Seu olhar era distante, como se procurasse imagens do passado. — Foi uma outra época, uma outra vida. Éramos jovens...

— Você e meu pai...? — murmurei. — Então você também conheceu Mariele Goldberg?

— Seu pai me disse que estava registrando suas memórias para que você continuasse com seu legado — disse Klaus Schneider. — Eu o adverti que era perigoso, mas ele não me deu ouvidos.

— Ele me deixou um caderno com anotações, mas me roubaram. Acho que você já sabe disso também, porque estava lá. Eu te vi.

Ele balançou a cabeça afirmativamente.

— Onde está Mariele Goldberg? O que a *Verstecktstudiumliga* quer com ela?

— Mesmo que eu soubesse, não poderia te dizer — respondeu. — Você pode tentar encontrá-la; porém, é minha missão continuar a impedi-lo de fazer isso.

— Me impedir? Como ontem à noite?

Klaus Schneider encolheu os ombros.

— Fiquei sabendo de seu... *infortúnio*. Mas eu não tive nada a ver com aquilo, jovem Seemann — o velho falava com calma, mas algo em sua voz havia mudado. — Você é igual a seu pai. Tem a mesma teimosia dele. Eu te chamei aqui para lhe dar o último alerta: a *Verstecktstudiumliga* continua ativa e está de olho em você. E em sua amiga também.

Olhando sobre os ombros, vi a figura de Valesca atrás de mim. Ela estava imóvel e era muito provável que tivesse ouvido boa parte da conversa.

— Se você for ajuizado, esquecerá essa história e voltará ao Brasil. Caso contrário, colocará sua segurança em risco. E a dela também.

— Isso é uma ameaça?

— Pense como quiser. — Ele deu de ombros. — Mas saiba que eu também estou me arriscando ao vir me encontrar com você aqui e lhe dar esse alerta.

— Você ainda não respondeu... Quem é você, de fato? — arrisquei.

Klaus Schneider virou-se de costas para mim e começou a andar calmamente em direção à estação.

— Heinz Gröner? É você? — falei em voz alta, com a intenção de provocá-lo.

O velho parou de andar e ficou imóvel por alguns segundos. Ouvir o nome de Heinz Gröner havia mexido com ele.

— Li sobre você. Você e meu pai eram amigos. Melhores amigos. Ele confiava em você — prossegui. — Até você e os outros malucos da SS estuprarem Mariele Goldberg.

Devagar, Klaus Schneider virou a cabeça na minha direção. Ele sorriu e soltou um longo suspiro.

— Você não sabe de nada, garoto. Nada. — E, voltando a andar, completou: — Esqueça o nome de Heinz Gröner. E esqueça Mariele. É para o seu bem. É meu último aviso. *Auf Wiedersehen!*[17]

— Espere, seu filho da... — Eu ia correr atrás do velho, mas Valesca surgiu e me segurou pelo casaco. — O que significa isso? — perguntei, virando-me para ela. — Por que está me segurando? Desde que meu pai morreu, estou atrás de respostas. Aquele velho desgraçado sabe tudo o que está havendo! Ele sabe onde Mariele Goldberg está! Eu preciso...

— Talvez... — Valesca disse, com calma. Era a primeira vez que eu a via realmente calma. Parecia outra pessoa, alguém que se *importava* de fato comigo. — Talvez tu devesse *mesmo* esquecer tudo isso. *Nós* devêssemos. Afinal, que diferença fará saber quem é essa Mariele agora? Teu pai está morto e minha mãe também! Tu não precisa morrer por causa disso.

Ela me soltou e, então, me abraçou.

Valesca ergueu os olhos e me encarou. Arrumou os óculos no rosto e então disse, com firmeza:

— Entrei nesta contigo. E irei até o final.

Ela me soltou e estendeu os braços em direção ao céu, como se estivesse se alongando.

---

[17] Adeus, em alemão.

— Está um belo dia de céu azul! — disse. — Então, senhor valentão, o que faremos agora?

— Bom... — eu respondi. — Que tal começarmos reunindo muita coragem e procurando pela Tabakladen Kadife e pelo tal Mesut?

Encontrar uma lista telefônica foi um trabalho hercúleo. Caminhamos quase uma hora por Colônia até acharmos um café e bistrô na Hohe Strasse, cujo dono nos forneceu uma lista com endereços.

Então, sentamo-nos em uma das mesas dispostas de modo charmoso do lado de fora e pedimos dois cafés. Valesca também pediu uma torta de nozes.

Folheei a lista enquanto bebericava meu café, mas minha total ignorância do alemão dificultava as coisas. Valesca assumiu a missão e, com destreza, em poucos segundos encontrou.

— Aqui está. Tabakladen Kadife. Fica em Ehrenfeld.

— Isso é um bairro?

— Parece que sim. — Valesca pegou a lista e caminhou para o interior da cafeteria. — Vou verificar.

Pegando o guia, procurei por Ehrenfeld. O local era um dos bairros mais agitados de Colônia, onde também acontecia um importante evento de arte de rua chamado City Leaks Festival.

Valesca não demorou para retornar. Trazia na mão um papel com anotação.

— Consegui. O lugar que procuramos fica numa rua chamada Marien Strasse.

— Ele explicou como chegamos lá?

Valesca abriu um sorriso e balançou a cabeça afirmativamente.

— Bingo! — falei, já em pé.

Seguindo as coordenadas que nos haviam sido passadas, pegamos o metrô e chegamos à Marien Strasse. Era uma rua estreita com casas assobradadas no mais puro estilo alemão. Alguns estabelecimentos comerciais estavam fechados e haviam sido vítimas de pichadores.

— É ali. — Valesca identificou a placa amarela na qual estava escrito, em fonte que simulava letra cursiva: Tabakladen Kadife. Era uma porta estreita ao lado de um restaurante italiano chamado Gran Sasso, e que podia facilmente passar despercebida.

Parei diante da porta, aberta de modo convidativo aos clientes. O interior da pequena loja era escuro, decorado com prateleiras de madeira e um balcão antigo. Na parede do fundo, além de cartazes com propaganda de marcas de fumo importadas, havia um pôster de Hakan Sükür com o uniforme da seleção turca de futebol.

Assim que entrei, um dispositivo soou. De imediato, um rapaz com cerca de 30 anos surgiu dos fundos da loja. Tinha cabelos compridos, na altura dos ombros, presos por uma tiara. Usava um cavanhaque fino e tinha um olhar simpático.

Ele me cumprimentou em alemão e eu respondi em inglês.

— *English*? [Inglês?] — ele perguntou. — *Where are you from?* [De onde você é?]

— *Brazil* — respondi.

— *Brazil?! Alex!* — disse ele, abrindo um largo sorriso, referindo-se ao meia-esquerda que fazia sucesso no Fenerbahçe.[18]

Trocamos sorrisos e, por fim, deixei que Valesca assumisse. Em alemão, ela explicou a ele que procurávamos por Mesut, causando estranheza no rapaz. Depois de um pouco de hesitação, pedi a Valesca que dissesse ao homem que viemos pela parte de Olaf Seemann.

— *I'm his son* [Eu sou filho dele] — completei.

---

[18] Clube de futebol turco da primeira divisão. O jogador em questão é o meia--armador Alex, com passagens pelo Coritiba e Palmeiras, e ídolo na Turquia.

— *Mesut is my father* [Mesut é meu pai] — o rapaz disse. — *I'm Osman.* [Sou Osman.]

Então, ele pediu que aguardássemos e retornou para o fundo da loja.

— Acha que deu certo? — perguntei a Valesca.

— Ele foi ver se o pai pode atender. Me disse que ele está com muita idade e tem a saúde frágil. Mas parece que hesitou ao ouvir o nome do seu pai.

— Vamos cruzar os dedos — falei. — Se esse Mesut não nos atender, toda a nossa viagem terá sido em vão.

Em menos de cinco minutos, Osman retornou ao balcão da loja. Sua expressão havia deixado de ser amigável e tornara-se preocupada. Ele falou em alemão com Valesca e olhava de modo desconfiado para mim.

— O que ele está dizendo? — perguntei.

— *Cacete!* Que afobação! — ela ralhou. — Ele disse que podemos falar com o pai dele, mas, se Mesut se cansar, devemos ir embora. Parece que o velho tem algum problema no pulmão.

Abri um sorriso e agradeci. Porém, Osman continuou sério, gesticulando para que o seguíssemos. Ele nos conduziu por um corredor estreito e escuro, que desembocava em um jardim interno. Lá, havia alguns brinquedos de criança jogados na grama e caixas de madeira. Tudo cheirava a fumo adocicado.

Seguimos Osman por uma porta de ferro que dava acesso a um sobradinho antigo. O interior tinha paredes pintadas de verde-água e odor de tempero.

Uma mulher de meia-idade passou por nós, acenando com a cabeça, e saiu. Ouvi vozes de crianças, porém, sem conseguir identificar de onde vinham exatamente.

Depois de cruzarmos a cozinha e a sala de jantar, chegamos à sala de estar, onde um senhor bastante magro, de bigode branco e farto, nos aguardava, afundado em uma poltrona velha. No braço do móvel, havia um cinzeiro de pedra cheio de bitucas de cigarro.

Osman falou algo em turco com o velho e, depois, saiu, despedindo-se de nós.

— *Mister Mesut?* [Senhor Mesut?] — perguntei, quando por fim nos vimos sozinhos.

— Eu falo português — disse ele, de modo pausado e com um sotaque fortíssimo. — Cresci em Portugal. *Baba* mudou para lá quando eu tinha 4 anos. Procurava emprego. Foi em 1925. As coisas estavam agitadas politicamente na Turquia. Vivi no Porto até 1940, quando me uni à luta contra a expansão do nazismo. Tolices de jovem.

Mesut acendeu um cigarro. A fumaça lhe provocou uma tosse aguda.

— Sentem-se. Faz tempo que não falo português.

Sentei no sofá e Valesca escolheu a outra poltrona.

— Não estou bem do pulmão. Câncer. O médico disse ser sorte eu ter 86 anos. Câncer é menos agressivo em velhos. Meus filhos não gostam que eu fume, mas cigarro é a única diversão que me resta.

Ele tragou mais uma vez e depois perguntou:

— Osman disse que vocês são parentes de Olaf. Olaf Seemann. Como está Olaf?

— Olaf é meu pai — eu disse. — Infelizmente, ele morreu no dia 23 de dezembro.

A notícia pareceu entristecer Mesut, que mais uma vez levou o cigarro à boca e tragou.

— Pobrezinho — murmurou.

— Senhor Mesut, meu nome é Hugo, e vim do Brasil para conversar com o senhor. Antes de morrer, meu pai escreveu um caderno com suas memórias da época em que era soldado da SS no Campo de Trabalhos Forçados de Plaszow, na Cracóvia. Também me deixou uma carta, pedindo que procurasse o senhor e encontrasse uma pessoa.

— Pessoa? — Mesut me fitou com os olhos miúdos.

— Mariele Goldberg. O senhor sabe quem é ela?

— Não devia estar atrás dela, rapaz — ele disse, tragando novamente. — O passado tem uma única casa: o esquecimento. E é lá que ele deve ficar.

— Eu sei. Mas foi meu pai que pediu para procurá-lo — insisti. — Desde que comecei a ler o caderno, muita coisa aconteceu em minha vida. Parece que uma organização neonazista chamada *Verstecktstudiumliga* está atrás de mim e não quer que eu encontre Mariele Goldberg de modo algum.

Mesut respirou fundo com dificuldade. Depois, tossiu. Parecia que seus pulmões sairiam pela boca.

— Por favor, senhor Mesut. Eu preciso saber a verdade sobre meu pai e sobre Mariele Goldberg.

— Olaf não lhe contou o que precisa saber no caderno de que me falou?

Mordi o lábio inferior.

— Me roubaram o caderno. Não consegui terminar de ler.

Mesut apagou o cigarro.

— Talvez tenha sido o destino que lhe impediu de lê-lo, jovem. Às vezes, é melhor não sabermos das coisas.

— Cheguei a um ponto do qual não posso retornar, senhor Mesut. O senhor conheceu meu pai, sabe do que estou falando. Talvez saiba melhor do que qualquer um envolvido nessa história maluca.

O velho turco pareceu refletir por um instante. Fechou os olhos e coçou a testa.

— Se Olaf lhe pediu que me procurasse, é porque de fato queria que você soubesse a verdade. O que vou lhe dizer — ele falou, pronunciando cada palavra com cuidado —, o faço unicamente por amizade a Olaf. Entendeu?

— Claro!

— Conheci seu pai quando fazia parte de um grupo de resistência antinazista na Polônia. Agíamos de forma clandestina, praticando o que hoje convém chamar de atos terroristas. Havia jovens de várias nacionalidades. Franceses, ingleses, espanhóis, poloneses e até mesmo alemães. Muitos tinham origem judaica. Eu tinha 22 anos na época. Como disse, eu era jovem e achava que podia mudar o mundo.

Mesut acendeu outro cigarro e tragou com vontade.

— Em 1943, logo no início do ano, nosso grupo começou a trabalhar em um plano audacioso: atacar o campo de prisioneiros de Plaszow, um dos maiores da Polônia. Os atos cruéis do miserável Amon Göth tinham começado a chegar ao conhecimento público, mas, é óbvio, ninguém parecia se importar. Então, Plaszow era um pilar importante. Achávamos que, atacando Plaszow, iríamos ferir a honra de Göth e enfurecer Hitler. Então, planejamos. E planejamos. Muito. Apesar de jovens, não éramos amadores. Tínhamos gente de confiança infiltrada em vários setores do governo alemão. Inclusive, em Plaszow.

— Espiões?

— Se quiser chamar assim... — Mesut abandonou o cigarro no cinzeiro e prosseguiu: — No final do ano, concluímos os preparativos. Atacaríamos o campo de Plaszow. Queríamos fazer bagunça. Matar alguns nazistas. Não tenho religião, jovem; não simpatizo com cristianismo ou islamismo. Para mim, ambas são formas de dominação do povo. Ainda assim, escolhemos uma data significativa do calendário ocidental: 25 de dezembro de 1943. Nesse dia, acertaríamos o orgulho de Göth e do *Führer*.

Mesut pegou o cigarro de novo e tragou. Soltou a fumaça e continuou:

— Foi nessa época também que soubemos de uma menina especial, que era prisioneira em Plaszow. Diziam que fazia milagres. Curava gente. Coisas assim.

— Mariele Goldberg? — perguntei.

— Na época, não dei importância. Queria atacar Göth. Matar nazistas. Só isso. Mas o que houve depois me fez mudar de ideia.

Capítulo 32

Plaszow (Cracóvia), Polônia
22 de dezembro de 1943

Era noite. *A neve cobria o chão e dificultava a visão noturna, tornando o patrulhamento um verdadeiro ato de coragem. Comentava-se, à boca pequena, que nós da SS, tropa de confiança do Führer, recebíamos provimentos melhores do que nossos colegas do exército. Fosse como fosse, eu sabia que só não congelava de frio graças ao grosso casaco negro e às botas reforçadas. Caminhando pela neve ao lado de um colega, enquanto realizava o patrulhamento do setor leste do campo de Plaszow, eu imaginava como seria possível que os soldados que lutavam no front leste, na Ucrânia e na Rússia, sobrevivessem ao rigoroso inverno, mais terrível e impiedoso do que o polonês.*

Apesar do clima inóspito, os treinamentos se intensificaram, assim como os castigos aos prisioneiros. Heinz estava certo; eles morriam como moscas. Mas não eram apenas os judeus ou os presos políticos que sofriam. Nós, soldados, estávamos sendo submetidos todos os dias a um treinamento desumano. Aprimoramento de batalha, os oficiais diziam. Entretanto, sabíamos que havia algo errado. Era como se uma tenebrosa nuvem negra pairasse sobre a cabeça do alto comando do campo.

Muito se especulava sobre a falta de sorte do nosso exército nas batalhas. Inclusive, alguns criticavam a iniciativa de se ter escolhido mexer com a

União Soviética de Stalin. A coisa seria mais fácil se houvesse um acordo entre Berlim e Moscou. Mas eu era jovem e, ainda que meu fervor patriótico tivesse se diluído por completo, não me interessava por política. A vida como militar e membro da SS era a única realidade que eu conhecia, assim como Heinz e muitos outros da minha idade. Portanto, dissessem o que dissessem, meu dever era estar pronto para pegar em arma e lutar.

Quando cheguei a Plaszow, eu nunca havia matado uma pessoa. Mas eu havia me tornado um homem bastante diferente. Participara de diversos pelotões de fuzilamento. Havia ceifado a vida de prisioneiros, fossem eles inocentes ou não.

Na época, eu invejava meus colegas que lutavam, matavam e morriam no front. *Pelo menos eles tiravam vidas que estavam na igual situação de matar ou morrer. Eu, ao contrário, atirava em prisioneiros indefesos, desmilinguidos, tão fracos e doentes a ponto de já estarem condenados — minhas balas só precipitavam o inevitável.*

Eu estava parado ao lado do meu colega, fumando um cigarro sob a luz de uma das torres, quando vi um oficial caminhando em minha direção. Era o Scharführer *Kurt Kirsten, cuja história de superação era amplamente comentada entre os soldados mais jovens. Dizia-se que Kirsten era filho bastardo de uma família de camponeses de Essen. Ele crescera sob os maus-tratos do pai alcoólatra e a conivência da mãe, preocupada em criar bem seus outros quatro filhos legítimos.*

Certo dia, aos 19 anos, decidiu reagir às agressões do pai, cravando-lhe um tridente no abdome. Depois, arrastou o corpo do homem pelo celeiro, cruzou o território da pequena propriedade da família e deixou-o na mata. Tudo teria corrido bem se o jovem Kurt não tivesse sido flagrado por um vizinho.

Então, ele foi para a cadeia. Lá, aprendeu a lutar boxe e se destacou pela cultura e educação. Kirsten era um autodidata, com inteligência superior à da maioria. Isso chamou a atenção de algumas pessoas, em especial, de membros da SS, que solicitaram seu recrutamento. A partir daí, a Schutzstaffel *tornara-se sua verdadeira família.*

— *Soldado Seemann* — *ele disse, deixando o ar frio sair pela boca.*
— *Preciso falar com você.*

Respeitosamente, bati continência e segui o Scharführer *até o refeitório. Uma vez lá, ele tirou o capacete e arrumou os cabelos ruivos, umedecidos pela neve.*

— *Descansar, soldado* — *ele me disse.* — *Sente-se.*

Acomodei-me no banco, junto à mesa de refeição. O Scharführer *Kirsten colocou a mão no bolso e tirou de lá um pequeno crucifixo de madeira, suspendendo-o à altura dos meus olhos.*

— *Sabe o que isto simboliza, Seemann?*

Eu não sabia o que responder. Pensei que, talvez, eu estivesse sendo testado. Era possível que tivessem descoberto que eu era católico praticante e estavam me colocando à prova.

— *Senhor, eu... Bem...* — *engasguei, procurando as palavras certas.* — *Apesar de eu não frequentar uma religião em especial, conheci alguns cristãos, senhor. Isso é um crucifixo, usado particularmente por católicos.*

— *Não precisa mentir para mim, garoto.* — *Kirsten suspirou, voltando a guardar o pequeno crucifixo no bolso.* — *Não cresci em uma família religiosa, mas, onde eu morava, havia um padre que era muito querido. Foi ele que me ensinou sobre Deus, Jesus Cristo e Maria. E não precisa mentir para mim. Eu sei que você é católico. E também tomei conhecimento detalhado sobre o episódio envolvendo uma prisioneira e uma aparente cura milagrosa.*

— *S... senhor, eu... Eu não sei o que...*

— *Não tente negar* — *o* Scharführer *Kirsten se sentou, deixando cair os ombros. Parecia abatido.* — *Aliás, eu me orgulho por você ter algo maior em que acreditar. Sabe, Seemann...* — *ele deu um longo suspiro.* — *Se Deus mora em algum lugar, com certeza não é aqui. Já parou para imaginar que, neste uniforme, trabalhamos para o diabo? Ou seja, para Hitler?*

Eu não podia acreditar no que ouvia. Kurt Kirsten, uma lenda e exemplo para os jovens da SS, dizendo aquilo sobre o Führer.

— *Sabe por que continuo nesta vida, Seemann?*

— Não faço ideia, senhor — respondi, ainda temeroso com os rumos da conversa.

— Porque, às vezes, para destruirmos o demônio, temos que estar ao seu lado — ele disse, sem rodeios. — Sem dúvida você conhece um prisioneiro, professor universitário, chamado Guinle?

— Sim, senhor. Todos conhecem Guinle, senhor.

O Scharführer Kirsten me olhava de modo sombrio. Ele não mirava meus olhos; olhava minha alma.

— Ele está internado em nosso posto médico desde ontem à tarde. Problemas estomacais, dizem. Mas eu sei que ele foi envenenado.

— Como, senhor? — perguntei, atônito. Era verdade que havia alguns dias eu não via Guinle, nem sabia dele. Mas tampouco havia me preocupado com o fato.

— Seemann, você deve ter reparado que, de uns meses para cá, o comandante tornou-se mais incisivo em suas ordens. O número de execuções aumentou exponencialmente, e novos prisioneiros vindos de Auschwitz e de outros campos da Alemanha e da Polônia têm chegado a Plaszow. Isso só tem uma explicação: estão querendo jogar a sujeira sob o tapete.

— Eu não compreendo, senhor...

— A queda do Terceiro Reich é iminente. Nossos homens já estão batendo retirada do front leste e o número de baixas no oeste cresce. As tentativas de ataque à Grã-Bretanha são infrutíferas e temos perdido espaço dia após dia na África. Hitler quis conquistar um mundo muito maior do que na realidade pode digerir. Mas não é só. Já ouviu falar de um grupo chamado Befreiende Schatten?[19]

— Befreiende Schatten? Não, não senhor.

— Para todo veneno, deve-se, antes, criar um antídoto. Senão, cairemos vítimas de um mal irreversível. Essa é uma grande verdade e o ponto de partida da Befreiende Schatten. Atualmente, é um grupo que age não apenas nos países conquistados, como também dentro da Alemanha e no seio do Reich. Claro que ele é financiado pelos inimigos de Hitler, sobretudo Inglaterra e

---

[19] Sombra da liberdade, em alemão.

Estados Unidos, e pelos judeus residentes nesses países. O objetivo é um só: agir de forma secreta e enfraquecer o Terceiro Reich em suas entranhas.

— Senhor, se o que o senhor diz é verdade, então...

— Eu sou membro do Befreiende Schatten. Guinle também. Há outros tantos, inclusive, aqui em Plaszow. Vou ser franco e direto, garoto: queremos você conosco, Seemann.

Eu estava atônito. Nunca poderia imaginar, no auge de minha inocência juvenil, tal articulação, que havia nascido e crescido como um câncer dentro da Alemanha.

— Você não tem tempo para pensar. — O Scharführer Kirsten apontava uma pistola em minha direção. — Guinle me contou tudo sobre você, Seemann. Sobre seu envolvimento com a judia Mariele Goldberg. Ele também me revelou uma coisa bem interessante hoje cedo, antes de perder a consciência: a jovem está grávida.

A informação me atingiu como um soco.

— Grávida, senhor? Mariele está grávida?

— Não precisarei entrar em detalhes. Acho que sabe do que estou falando.

Minhas mãos tremiam; eu suava frio. Sim, eu sabia perfeitamente a que o Scharführer Kirsten se referia.

— É impossível, senhor... — murmurei. Pelo tempo em que aquele episódio tenebroso aconteceu, não era possível Mariele saber que estava grávida. A não ser...

— Leia isto, Seemann. Guinle pediu que lhe entregasse. — Ele me empurrou uma carta, escrita num papel dobrado ao meio.

Com as mãos trêmulas, abri e li. Reconheci a letra de Guinle.

Seemann, recentemente Mariele me contou que teve um sonho. Nele, um anjo revelou que ela estava grávida. Também havia uma matilha de cães pronta para devorar o bebê assim que nascesse. As engrenagens estão em movimento. Você precisa nos ajudar a tirá-la deste inferno.

Grávida. Mariele estava grávida.

Uma quantidade infinita de informações passou como um tornado pela minha cabeça. O que Heinz e Marcus haviam dito sobre Mariele se deitar com outros soldados em troca da proteção de seus companheiros; os milagres; a cura do meu pé; a noite em que ela foi estuprada; a sensação de ter seu corpo contra o meu; seu olhar de perdão; a possibilidade de o filho ser meu. Meu!

— O que quer que eu faça, senhor? — perguntei, soltando o papel e esfregando a testa com as mãos. Eu suava frio.

— Estaria disposto a ajudar? — o Scharführer Kirsten guardou a arma. De algum modo, ele já sabia de que lado eu estava.

— Mariele... Mariele é especial. Ela tem um dom. Um dom divino — eu disse. — Nem mesmo o próprio comandante conseguiu colocar as mãos nela, ou fazer-lhe mal. Os boatos sobre os milagres que ela vem realizando aqui em Plaszow já chegaram a Berlim, pelo que ouvi.

Eu rememorava as palavras do comandante Amon Göth com o senhor Oskar Schindler.

— Eu faria qualquer coisa por ela, senhor — por fim, eu disse, com uma determinação que surpreendeu até mesmo a mim.

— Pois bem. — O Scharführer Kirsten acendeu um cigarro e me deu outro, estendendo o isqueiro em minha direção. — O Befreiende Schatten está coordenando um ataque a Plaszow daqui a três dias. A intenção é matar gente e soltar o maior número de prisioneiros possível.

— Atacar Plaszow?! — eu me surpreendi. — Senhor, isso é arriscado, para não dizer impossível!

— Tudo foi muito bem pensado, Seemann. E, como Guinle disse, as engrenagens já estão em movimento.

Kirsten bateu a brasa no chão e voltou a pôr o cigarro na boca.

— Não se preocupe, você não estará sozinho. Mas, quando chegar a hora — ele tragou e soltou a fumaça; em pé, apanhou o capacete e começou a caminhar —, quero que esteja pronto para tirar a garota daqui, bem como o maior número de prisioneiros que conseguir.

— Senhor...

— *Dispensado, soldado. Volte para seu posto* — *disse o* Scharführer, *com voz autoritária.*

Respondi um "sim, senhor" carregado de incerteza e saí do recinto. Do lado de fora, rente à sombra do muro, notei uma brasa de cigarro acesa. Olhei com atenção e vi Marcus fumando. Não tive certeza se ele me encarava ou não, tampouco do tempo em que estivera ali ou se tinha ouvido alguma coisa. Conversamos em voz baixa, e o recinto estava fechado. Ainda assim, era impossível me certificar de algo.

Ele me lançou um sorriso irônico, esmagou o cigarro com a bota, afundando-o na neve e, virando sobre o calcanhar, caminhou no sentido contrário.

Capítulo 33

Colônia, Alemanha
6 de janeiro de 2007

— O senhor era membro dessa... como é mesmo o nome? — perguntei a Mesut, ao mesmo tempo que abria espaço para que uma senhora de rosto redondo colocasse uma xícara de chá na mesa de centro, bem à minha frente.

— *Befreiende Schatten* — repetiu Mesut, pegando sua xícara e bebericando um gole com cuidado. — Provem o chá. É chá-preto — ele disse. — Espero que gostem. É típico da Turquia.

Eu e Valesca provamos. Era amargo, quase intragável. Esforcei-me para sorrir. Olhei de soslaio para Valesca, que parecia não se incomodar com o sabor e bebia tranquilamente.

— Se você quiser arrumar briga com um turco, basta questionar quem popularizou o chá. Se fomos nós ou os indianos — disse Mesut, recolocando com cuidado a xícara sobre a mesa de centro. — O ser humano é assim; briga por bobagens, como a origem do chá.

Ele acendeu outro cigarro e tragou. O cheiro de chá e tabaco que impregnava o ambiente começava a me dar enjoo.

— Respondendo à sua pergunta, rapaz; sim, eu era membro da *Befreiende Schatten*. Se há algo de que me orgulho nestes mais de 80 anos de vida, é ter dado uns bons tiros em alguns desgraçados nazistas.

— E foi assim que o senhor conheceu meu pai?

— Olaf foi um dos melhores homens que conheci, jovem — disse Mesut, com olhar distante. — Você deve ter muito orgulho do seu pai.

Um nó formou-se em minha garganta.

— Na verdade — falei —, eu e meu pai éramos bem distantes. Eu quase posso dizer que não o conhecia até sua morte.

— Sério? É uma pena. — Mesut deu outro trago. — Olaf tinha um bom coração, não havia nascido para a guerra, muito menos para um lugar como Plaszow. O uniforme da SS não caía bem nele.

— Hoje, também me arrependo de não tê-lo conhecido melhor — eu disse. — Mas, por favor, conte o que houve quando vocês atacaram Plaszow.

Mesut bateu a cinza no chão e segurou o cigarro entre os dedos magros e tortos.

— Tudo aconteceu como planejado. Nós éramos poucos, mas muito organizados. No cair da noite do dia 25 de dezembro, fizemos aqueles nazistas sentirem um pouco do gostinho do inferno.

Plaszow (Cracóvia), Polônia
25 de dezembro de 1943

Com o tempo, passei a me questionar por que Hitler e seus seguidores comemoravam o Natal. Como católico de rígida formação, de início fiquei feliz quando, ainda nos tempos de Juventude Hitlerista, podíamos orar e ler a Bíblia. Como eu era inocente! Tolo! A cortina de fumaça que cobria meus olhos se desfizera em Plaszow e, então, eu passei a me sentir como o pior dos pecadores.

A opção religiosa do Führer *era amplamente divulgada e ele se autodenominava católico para quem quisesse ouvir. Porém, na prática, não havia lugar para Cristo no mundo real que o Terceiro Reich estava construindo.*

No dia 25, a maioria dos soldados foi dispensada para confraternizar. Poucos ficaram na guarda, patrulhando os muros externos.

Ainda que não houvesse um banquete propriamente dito, a refeição do dia foi mais caprichada. Cerveja e vinho foram liberados, ainda que com a instrução de que fossem consumidos com moderação.

Eu permanecia sem notícias de Guinle, mas supunha que ainda estivesse vivo. Ele era conhecido entre todos e sua morte não passaria livre de algum tipo de comentário. Contudo, não tinha mais sido visto no refeitório, fazendo suas brincadeiras de costume, o que significava que ainda estava na enfermaria.

Naquela tarde, os oficiais se uniram a nós ao redor da mesa. Um major puxou algumas orações e, depois, houve um brinde e cumprimentos.

"Ao Natal! E ao Führer*!", ele gritou, sendo seguido pela tradicional saudação: "Heil, Hitler!".*[20]

Alguns soldados tinham os olhos marejados, talvez por imaginarem o clima natalino de suas casas — momento esse que estavam perdendo. Por isso, a companhia dos colegas de farda era tão importante, pois servia de alento à saudade dos familiares. Não que, durante o governo do Führer*, a comemoração do Natal tivesse o mesmo sentido católico-cristão. Na verdade, o evento tornara-se muito mais uma celebração da superioridade da raça ariana e da Alemanha do que um momento religioso.*

Desde a Juventude Hitlerista, eu e Heinz havíamos sido ensinados que os traços arianos de Cristo amplamente retratados nas pinturas e ilustrações, seriam mais uma das tantas provas que atestavam a evidente superioridade germânica, impregnando a missão do Führer *e de nosso exército com uma espécie de "causa divina". Uma cruzada ariana que varreria a*

---

[20] Saudação nazista que significa "Salve, Hitler".

Europa e construiria um novo mundo, onde a verdadeira superioridade alemã poderia florescer.

É óbvio que nunca comentei sobre a versão ariana do Natal com minha mãe. Ela teria ficado triste. Ainda que de modo bastante discreto, ela continuava a professar a religião que herdara de meus avós, a qual também havia passado para os filhos.

— Feliz Natal, Olaf. — Heinz suspendeu a taça diante de mim. Parecia leve e bem-humorado.

— Feliz Natal — retribuí, com um sorriso sem graça.

O Scharführer *Kirsten cumprimentava a todos com um abraço discreto. Ele abraçava os soldados na altura dos ombros e, depois, dava alguns tapinhas no pescoço, dizendo palavras de incentivo.*

Quando se aproximou de mim, Kirsten repetiu os mesmos gestos. Perto de meus ouvidos, disse, em tom quase inaudível:

— Prepare-se. Quando o sol se puser, você deve estar preparado — e, depois, em tom mais alto, segurou minhas orelhas e abriu um largo sorriso. — A Alemanha conta com você, junger mann.[21]

Sentamos em volta das mesas e comemos. Eu mal toquei no peru ou no vinho. Meu estômago estava embrulhado. Temia por minha vida, é óbvio. Eu seria hipócrita se não deixasse isso claro e registrado em palavras. Contudo, o que mais me angustiava era não saber, ao certo, no que eu estava mergulhando. Em anos de Juventude Hitlerista e de SS, eu nunca tinha pensado em trair meus colegas, ainda que estivesse óbvio para mim que eu não compartilhava mais os mesmos ideais.

— Tem um cigarro, Seemann? — Marcus se aproximou de mim sem que eu notasse e sentou-se ao meu lado. — O meu acabou. No frio, acabo fumando como uma chaminé.

— Tome — eu disse, estendendo o maço a ele.

— Obrigado. — Marcus prendeu o cigarro entre os lábios e acendeu. Quando tragou, parecia aliviado, em êxtase. — Nunca conversamos direito,

---

[21] "Meu jovem", em alemão.

Seemann. Estamos no mesmo pelotão, mas não passamos de desconhecidos. Já reparou nisso?

— Sim, já reparei, sim — respondi, também acendendo um cigarro.

— Confesso que sou mais chegado a Heinz e aos outros rapazes. Mas você não deixa de me... intrigar. Sabia disso, Seemann?

Suspirei e encolhi os ombros. Havia tempos, eu notara que Marcus tinha uma espécie de liderança velada sobre nosso grupo e que, também, não tardaria para ser promovido para postos mais altos na SS. Isso, se houvesse tempo. Posso afirmar que o Natal de 1943 foi o mais pesaroso já vivido entre as tropas. Havia uma sombra negra sobre a cabeça de todos; uma espécie de premonição ruim, a qual todos pareciam querer ignorar: estávamos perdendo a guerra e, logo, o sonho nazista não passaria de cinzas. Isso aconteceria cedo ou tarde, não importando quão alto gritássemos "Heil, Hitler!".

— Não sabia que você tinha esse tipo de interesse por mim, Marcus — eu disse.

Ele riu. Bateu as cinzas e recolocou o cigarro na boca.

— Você tem alguém te esperando em casa, Seemann?

— Minha mãe. E minhas irmãs — respondi. — Recebi uma carta delas ontem, contando como estão as coisas em Colônia. Nenhuma novidade aparente.

— Que bom. Que bom — ele disse isso com ar nostálgico. — Sabe quantas cartas recebi, Seemann?

Dei de ombros. Eu não fazia ideia.

— Nenhuma. — Marcus pegou minha taça, ainda cheia de vinho, e bebeu. — Vou lhe contar uma coisa. Acho que nunca disse isso a ninguém. Pelo menos, não para alguém da minha idade. Meu pai morreu na guerra, em 1940. França. Em casa, ninguém chorou sua morte. Sabe por quê?

— Não.

— Porque é um orgulho morrer pelo Führer. Foi isso que aprendi. Ao morrer em Marselha, meu pai se tornou um herói para todos nós. Para mim, para minha irmã e para minha mãe. Enquanto eu recebia meu treinamento, eu também pensava assim. Eu repetia para mim mesmo: se eu morrer, *que se dane! Melhor morrer como um herói. Não é assim que funcionam as coisas, Seemann?*

— Eu acho que a morte é uma merda para todos, Marcus — eu disse. — É isso que eu penso.

— Pois é. Hoje, eu penso assim também. — *Marcus tragou outra vez e depois apagou o cigarro no tampo da mesa.* — E quero um dia sair daqui, voltar para casa e constituir uma família. Sério, Seemann, eu quero isso mesmo! Quando esta merda de guerra tiver acabado e tivermos vencido a praga dos judeus, teremos um mundo melhor e em paz.

Marcus colocou sua mão pesada sobre meu ombro e sorriu.

— E você também poderá voltar para sua família em Colônia.

Balancei a cabeça afirmativamente enquanto Marcus se levantava, dando tapas no meu ombro.

— Feliz Natal, Seemann, seu maricas.

— Feliz Natal, Marcus — *respondi, entornando o restante do vinho que sobrara na taça.*

O sol se escondeu bastante cedo, como é típico acontecer no inverno. Aos poucos, os soldados reassumiam seus postos, e o clima natalino bem como a generosidade entorpecida se diluíam e lentamente se transformavam na realidade dura: estávamos todos confinados em um Campo de Trabalhos Forçados na Cracóvia.

Fui designado para o patrulhamento do portão leste e, já no escuro, fazia minha ronda, cobrindo a área que me era destinada. Sob a torre de vigilância, um jovem soldado fumava, mantendo a metralhadora em riste, pronta para ser usada.

Eu ainda imaginava o que aquela noite me reservava quando, num espocar, a fraca luz que iluminava a torre de vigilância apagou. Em seguida, o jovem soldado gritou algo e, após um estrondo, seu corpo foi arremessado para o chão.

Segurei a metralhadora e corri os olhos para todos os lados. Em segundos, uma ampla movimentação de soldados se deslocando para a ala leste teve início.

— Estamos sendo atacados! Estamos sendo atacados! — era o que ecoavam os gritos de alerta.

— Seemann, mexa essa bunda daí! — ralhou um colega, passando correndo por mim.

Um forte clarão explodiu bem próximo a mim, fazendo com que uma coluna de luz, terra e fumaça se erguesse.

— Eles estão atirando com morteiros! — berrou um soldado enquanto disparava sua metralhadora pela cerca, atirando para o breu que dominava o outro lado.

Só então minha mente clareou totalmente para o que estava havendo. E, também, para o que eu deveria fazer.

Disparei, correndo o mais rápido que pude, em direção aos dormitórios dos prisioneiros. A frequência dos tiros aumentava, bem como as explosões que rasgavam a escuridão da noite. Ao longe, notei que outra torre de vigilância havia sido atacada e estava sem luz.

Distante, eu já avistava os alojamentos. Eles estavam à minha frente. Acelerei a corrida, esforçando-me ao máximo para fazer com que meus pés, metidos nas botas pesadas que afundavam na neve, se mexessem.

Uma saraivada de balas zuniu rente à minha orelha, levando-me a me atirar ao chão. Apontei a metralhadora, mas não sabia para onde, ou em que, disparar. Uma voz falou próxima a mim, ao mesmo tempo que uma mão me puxava pelo braço:

— Está ferido, Seemann?

Olhei para cima e vi o rosto do Scharführer Kurt Kirsten.

— Scharführer Kirsten...?

— Corra para os alojamentos. Lá, haverá segurança reforçada. Diga que estamos sob ataque inimigo e que o objetivo é libertar prisioneiros. Fale que recebeu ordens minhas para remover os prisioneiros e colocá-los no caminhão. Por fim, diga que as ordens são para que todos fiquem preparados para tirar os judeus do campo caso o inimigo cruze os muros. Você entendeu?

— S... senhor?... — Eu estava zonzo e morrendo de medo. — Estamos mesmo sob ataque? O que está havendo de fato?

— Faça o que estou mandando, Seemann! Todos estão tão confusos quanto você e vão demorar para questionar a ordem. Vá!

Sem contestar, coloquei-me em disparada em direção aos alojamentos.

Uma grande explosão próxima dali fez parte do muro voar pelos ares. Quando a fumaça dissipou, era possível notar que a forte muralha ainda estava em pé, contudo, faltava uma porção de concreto na parte superior. Uma extensão considerável do arame farpado também tinha ido pelos ares.

Tentei ignorar o pânico dos soldados mais jovens que, perdidos, corriam sem direção, à procura de uma ordem a ser seguida. Afinal, não passávamos de crianças brincando de guerra.

Percorri o corredor que interligava os alojamentos. Todo o trajeto era iluminado por holofotes. Aproximei-me dos três soldados que faziam guarda diante do alojamento masculino e transmiti a ordem do Scharführer Kirsten.

— O Scharführer Kirsten me transmitiu ordens superiores para que removamos os prisioneiros imediatamente — eu disse, ofegante. — Parece que há uma tentativa de libertá-los.

Um dos soldados, pelo jeito mais experiente e bruto, empurrou-me com a metralhadora.

— Quem é você, merdinha? Por que ordenariam isso?

Respondi o mais rápido que consegui:

— São minhas ordens — enfatizei. — Se não é para libertar os judeus, então, por que nos atacariam? Pense, idiota!

Encaramos-nos por alguns segundos e, resignado, o soldado bufou e destravou a porta do alojamento masculino, deixando sair um forte fedor de urina e suor.

— Vamos começar por aqueles que podem andar — improvisei. — Levem eles para os caminhões. Há guarda no alojamento feminino?

— Claro! Schulz e os outros estão lá — me respondeu o soldado enquanto puxava os prisioneiros das camas. Aquelas sombras humanas tinham olhares confusos e não compreendiam o que acontecia.

— Andem! Rápido! Façam fila e vão em direção aos veículos — eu disse, abandonando a ala masculina e correndo para o alojamento feminino. Poucos metros me separavam de Mariele agora. Em pouco tempo, pensei, ela estaria livre. Eu só tinha uma coisa em mente: tirá-la daquele inferno.

Parei diante do grupo de soldados que patrulhavam o alojamento das prisioneiras. Eram mais jovens e pareciam mais assustados do que os colegas da ala masculina. Repeti as ordens de Kirsten e não houve contestação. Duas mulheres, também parte da SS, abriram as portas do alojamento e os soldados entraram.

As prisioneiras, enroladas em cobertas e tremendo, caminhavam trôpegas para fora, afundando os pés descalços na neve. Uma a uma, eu procurava o rosto de Mariele.

— Comecem pelas que podem andar! Pelas saudáveis! — eu repetia a ordem.

O barulho dos tiros se tornara mais próximo. Os gritos de soldados sendo alvejados também. Algo estava acontecendo na ala masculina dos alojamentos, o que atraiu a atenção dos soldados que patrulhavam o setor feminino.

Um grupo de três jovens correu em direção aos tiros, mas, após poucos passos, foram alvejados, caindo mortos.

Correndo em nossa direção, o Scharführer Kurt Kirsten e outros cinco soldados apontavam armas para os colegas de farda, ordenando que não resistissem.

— Joguem as armas. Agora! — ordenava Kirsten em tom autoritário.

Assim que vi o cerco se fechar, corri para o interior do alojamento.

— Mariele! Mariele Goldberg! — eu gritava desesperado.

Uma senhora muito magra e de aspecto doente me segurou pela mão e apontou para os fundos. Estranhamente, apesar do meu uniforme e de minha arma, ela não parecia ter medo.

Atravessei o corredor ladeado por beliches e treliches e encontrei Mariele ajoelhada diante de sua cama, rezando. Parecia em transe e nem notara minha presença. Segurei-a pela mão, trazendo-a de volta à realidade.

— Olaf?!

— Vem comigo. Hora de sair daqui — eu disse, sentindo uma onda de calor tomar conta do meu peito.

Puxei Mariele para o lado de fora, enrolando-a em um cobertor surrado. Meus colegas estavam rendidos, deitados de barriga para baixo na neve, com as mãos sobre a cabeça.

— Somos poucos, e eles são maioria. Temos que agir logo — disse o Scharführer Kirsten, aproximando-se de mim.

— Quantos caminhões são?

— Conseguimos dois. É o máximo.— Ele deu um longo suspiro e cravou o olhar em mim. — Leve essas mulheres para lá e tente colocar o máximo de gente possível nos caminhões. Nosso motorista já está a postos. Eu e os rapazes vamos cuidar de tudo aqui.

— Scharführer Kirsten... — eu murmurei, prevendo o que aconteceria. Em número menor, logo o Scharführer Kirsten e os outros teriam que enfrentar a fúria dos soldados assim que eles notassem a traição.

— Anda logo, Seemann! É uma ordem! — ele gritou.

Então, algo impensável ocorreu. Mariele esticou o braço e tocou o ombro do Scharführer, bem na altura em que ficava presa a tarja com a suástica. Seus olhos marejaram, mas a energia que ela irradiava era intensa.

— Sua alma estará em paz. Deus me disse isso — ela pronunciou com uma alegria misteriosa.

O Scharführer Kirsten não sorriu, nem esboçou qualquer reação. Puxando Mariele, levei-a em direção ao local em que os caminhões estavam estacionados. Dois deles tinham motoristas ao volante, prontos para partir. No chão, havia seis ou sete corpos sem vida de soldados, alvejados na cabeça.

Gritando, ordenei que os prisioneiros abrissem espaço. Então, puxei Mariele para cima do caminhão, acomodando-a em um canto, onde um grupo de mulheres se amontoava.

— Vai dar tudo certo. Logo, estarão livres — eu disse, pulando da caçamba e correndo em direção ao banco da frente.

Colônia, Alemanha
6 de janeiro de 2007

Mesut esvaziou sua xícara de chá e serviu-se de mais. Eu e Valesca ouvíamos tudo, calados.

— Obtivemos um tremendo sucesso — ele disse, tomando um gole da bebida. — Infelizmente, Kirsten e vários outros jovens alemães, fiéis aos nossos ideais de derrubar Hitler, morreram. Mas foi a morte deles que abriu caminho para que quase cinquenta prisioneiros deixassem Plaszow.

— Isso é incrível — eu disse. — Nunca tinha ouvido falar dessa ofensiva.

— Claro que não. — Mesut riu. — No dia seguinte, Amon Göth promoveu uma verdadeira caça às bruxas. Dentro e fora de Plaszow. Dizem que alguns soldados inocentes foram executados, acusados de traição. Um grupo enorme de prisioneiros também foi morto. Então, Göth proibiu que qualquer menção ao grupo de fugitivos saísse dos muros de Plaszow. Eles comunicariam o ataque a Berlim, mas informariam que se tratara de uma tentativa frustrada de libertar prisioneiros. O mais irônico é que, segundo as informações oficiais, Kirsten morrera como herói.

— Eles não quiseram dar o braço a torcer — observou Valesca.

— Mais do que isso — disse Mesut. — Kurt Kirsten era um exemplo para muitos jovens alemães da SS. Não se pode meramente destruir a imagem de um ícone de uma hora para outra. Isso seria um golpe terrível para o nazismo e para as jovens fileiras de soldados.

— Senhor Mesut, e Mariele Goldberg? Ela conseguiu escapar? — perguntei.

— Sim, ela e seu pai conseguiram fugir. Foi em nosso esconderijo que conheci o jovem Olaf Seemann. A forma delicada como ele tratava a garota judia era comovente.

— O senhor disse que Mariele tinha recebido a mensagem, em sonho, de que estaria grávida. Isso é real? — perguntou Valesca.

Mesut sorriu.

— Há coisas que, mesmo que eu vivesse cem anos, não conseguiria explicar, menina. — Ele colocou a xícara sobre a mesa de centro e acomodou o corpo magro na poltrona. — Sim, a jovem Mariele Goldberg estava mesmo grávida. Ela deu à luz em nosso esconderijo. Infelizmente, o parto foi complicado e sua saúde estava frágil. Houve complicações.

— Ela sobreviveu? — perguntei. — Meu... meu pai... A criança era do meu pai?

Mesut fechou os olhos. Só então notei a presença de Osman, em pé, diante da porta da sala. Ele tinha a expressão séria.

— O que está havendo, Mesut? — perguntei, pressentindo algo estranho. Olhei para Valesca, que também tinha um olhar aflito.

Uma sombra se deslocou atrás de Osman. O turco afastou o corpo, dando passagem a um senhor corpulento e careca. Para meu espanto, a figura de Klaus Schneider se materializou diante de nós.

— *Heinz Gröner*?... — perguntei, com os dentes cerrados. Então, virando-me para Mesut, murmurei: — Vocês chamaram esse velho aqui? Vocês... nos traíram!

Eu não sabia mais o que pensar. Segurei firme a mão de Valesca e, num salto, posicionei-me ao seu lado.

— Meu pai era seu amigo, Mesut. Por quê?...

Klaus Schneider, ou fosse lá como fosse seu verdadeiro nome, olhava tudo impassível. Mesut permanecia com os olhos fechados, como se sentisse vergonha do que acabara de fazer.

— Podemos conversar em português? — O velho Schneider quebrou o silêncio. — Pode ser, Mesut? Assim, todo mundo pode compreender o que dizemos.

O turco abriu os olhos e concordou.

— Ótimo, estamos de acordo, então — disse Klaus Schneider. E, virando-se para mim, disse: — Eu falei que era melhor ir embora da

Alemanha, jovem Seemann. Você podia até ter passeado por aí, contanto que deixasse Mariele Goldberg em paz e essa história toda devidamente enterrada. A Alemanha é um país lindíssimo e há lugares bem românticos para se visitar no inverno. — Ele olhou para Valesca e, depois, voltou a me encarar, estendendo a mão em minha direção: — Mas agora vamos resolver tudo. Me entregue a carta que Olaf lhe deu e tudo estará resolvido.

— Vá pro inferno — eu disse. — Você era amigo do meu pai. Mesut também. Ele confiava em vocês dois!

— Olaf era ingênuo como uma criança — disse Klaus Schneider. — E era isso o que eu mais admirava nele. Mas não posso permitir que você encontre Mariele e traga toda essa história à tona. Entenda, demoramos anos para deixar tudo cair no esquecimento. Eu mesmo arrisquei minha vida para isso.

— Arriscou sua vida? O que quer dizer? Você e sua organização de doidos teriam matado Mariele se pudessem. Talvez até já a tenham matado!

Klaus Schneider olhou para Mesut. Ambos trocaram olhares, por meio dos quais podia se sentir uma estranha confidência. Não havia dúvidas de que os dois escondiam algo.

— Vou lhe dizer uma coisa, Hugo — o velho alemão começou a falar. — Tenho dois agentes lá fora. Foi difícil convencê-los a me deixar entrar aqui sozinho, mas enfim consegui. Sabe, depois de anos de bons serviços, eu gozo de certa... *posição* na *Verstecktstudiumliga*. Ou Liga de Estudos do Oculto, se preferir. Mas não conseguirei mantê-los lá fora por muito tempo. Você sabe como são os jovens... são arrogantes e impetuosos.

Eu estava ofegante. Minha costela doía, e um fio de suor escorria pelas costas.

— Um deles, aliás, você já conheceu em Nova Petrópolis. Fritz, o de cabelo loiro, quase branco. Ele tem um futuro promissor na *Verstecktstudiumliga,* apesar de ser um tanto violento.

— Vocês são um bando de assassinos — eu disse.

Klaus Schneider balançou a cabeça negativamente, abrindo os braços.

— Não, não somos. E a prova disso é que, mesmo eu estando armado, e atirando muito bem, não tenho uma arma apontada para você, jovem Seemann. A *Verstecktstudiumliga* é uma organização de estudos que prima pela preservação da história do Terceiro Reich. Não somos a SS.

— Quer dizer que não vai nos matar? — eu perguntei, rindo com ironia. — Duvido muito que nos deixe sair vivos daqui, Gröner.

— Tudo teria terminado logo, lá em Nova Petrópolis. Mas erramos ao confiar num ladrãozinho. Lembra-se do assalto? — O velho alemão falava com uma tranquilidade assombrosa. — Era para termos pegado a carta e o caderno e pronto! Tudo estaria resolvido. Pagamos a um rapaz bastante conhecido por roubos de residências para que fizesse o trabalho. É claro que eu não apareci. Foi o tolo do Fritz que conduziu o negócio. E acho que ele não se expressou direito, já que fala muito mal o português. O rapaz já estava dentro da casa de Olaf quando você o surpreendeu. Assustado, ele apanhou a primeira coisa que lhe pareceu de valor e correu.

— O vaso com as cinzas do meu pai?...

— Isso mesmo. — Klaus Schneider riu. — Que absurdo! Violar as cinzas de um amigo morto.

— Pare de chamar meu pai de seu amigo, seu filho da puta!

Como se minhas pernas se mexessem sozinhas, cruzei a distância que me separava de Klaus Schneider e segurei-o pelo colarinho da blusa. Porém, Osman, que observava a tudo, interveio, empurrando-me com força. Caí sentado no chão e, quando fiz menção de me levantar, o velho alemão já estava com uma arma apontada para meu rosto.

— Não seja idiota, Hugo — ele disse. — Não quero que acabe assim. Juro. Acredite ou não, eu só quero proteger Mariele. E farei isso, custe o que custar.

— Me matando? Vai em frente! Você não passa de um estuprador de meninas, Gröner! Um porco estuprador de meninas! É assim que vocês, soldados, se sentem machos?

O rosto de Klaus Schneider tornou-se vermelho-sangue. As veias em suas têmporas saltaram como se fossem explodir. Estava claro que a menção ao episódio com Mariele em Plaszow o tirara do controle.

— E então... você seguiu meu pai até o Brasil. Ficou na cola dele até que, enfim, destruiu o restante de equilíbrio emocional que ele tinha, fazendo com que se matasse. — Eu continuei falando, sem saber ao certo se o velho atiraria em mim ou não. — É uma pena, Gröner. Se tivesse lido as memórias do meu pai, saberia que ele te considerava muito. Você era o melhor amigo dele!

— Pare de usar o nome de Heinz Gröner em vão, rapaz — a voz de Mesut soou forte pela sala.

Virando-me, lancei para ele um olhar questionador. Mesut foi acometido por um acesso de tosse. Mais uma vez, parecia que iria expelir os pulmões. Aos poucos, a crise foi cedendo e, tirando um cigarro do maço, Mesut o acendeu e tragou.

— Eu não entendo. Juro — eu disse, ainda caído no chão. — Meu pai te ajudou em Plaszow, Mesut. Você e seus amigos. Você mesmo acaba de me contar isso! E você, Gröner?... O que te fez perseguir meu pai todos esses anos? Orgulho ferido? Foi porque ele chutou sua bunda em Plaszow e fugiu?

Klaus Schneider respirou fundo. Engatilhou a arma e mirou em mim.

— A carta, Hugo. Ou eu juro que atiro.

Capítulo 34

Plaszow (Cracóvia), Polônia
25 de dezembro de 1943

— Não seja estúpido, Olaf — disse Heinz, apontando a pistola em direção ao motorista do caminhão, um jovem que envergava o uniforme da SS como nós. — Eu vou atirar. Depois, dou o alerta e logo isto aqui estará cheio de soldados. Ninguém sairá daqui vivo.

— Heinz, não seja idiota! — O tom da minha voz era de súplica. — Por favor, eu imploro: não me impeça de fazer isso.

Heinz cuspiu no chão. Tinha um semblante abatido e estava visivelmente desapontado comigo.

— Estou de olho em você há bastante tempo, Olaf. Você sabe; somos amigos. Sei quase tudo sobre você. E também sei como você pensa. O que está fazendo é idiotice, e sabe disso. Não conseguirá cruzar o portão e, ainda que consiga, vamos caçar vocês até o inferno se for preciso. Acha que esses mortos-vivos sobreviverão no meio da floresta em pleno inverno polonês? Quanto tempo durarão antes de morrerem como as baratas que são!

— Heinz, pare com isso e me deixe ir! Temos alguns segundos. — Limpei os lábios com a manga do uniforme. — Se é meu amigo mesmo, por favor, me deixe ir embora daqui e salvar essas vidas.

— Você é uma decepção para seu país, Olaf. Um cretino filho da puta. Um traidor.

— Não! Você é que está errado! Não enxerga essa mortandade toda, Heinz?! Eu... — As lágrimas começaram a cair sem que eu conseguisse controlá-las. Alguém, ou algo, saltou do caminhão. Era Mariele.

— Então essa puta judia fez sua cabeça, Olaf? Foi isso? — Naquele instante, o olhar de Heinz era de ódio. Ele apontou a pistola em direção a Mariele e engatilhou. — Quem sabe, me livrando dela, você recobra seu juízo?

— Heinz, por favor, eu imploro! Pare com isso! Me deixe ir! Mariele... ela está grávida.

— Ela é uma prisioneira que abriu as pernas para vários soldados. — Heinz mantinha Mariele na mira. — Acorde, Olaf! Essa menina é uma putinha mentirosa, que virou sua cabeça com essa história de milagre. Mas eu vou acabar com isso agora. Tudo termina aqui.

Colônia, Alemanha
6 de janeiro de 2007

— Me entregue a carta, Hugo. E juro que tudo termina aqui — repetiu Klaus Schneider, estendendo a mão outra vez. — O conteúdo dessa carta não lhe servirá de nada. Não conseguirá encontrar Mariele Goldberg com ela.

— Se quiser a carta, venha pegar, velho desgraçado. — Segurando a costela ferida, eu finalmente tinha conseguido ficar em pé.

— Você não entende? Se meus colegas entrarem aqui, você estará morto e... — dizendo isso, quase em desespero, o velho alemão precipitou-se sobre mim, puxando meu casaco e pressionando a arma contra minha cabeça. — A carta, Seemann!

— Hugo, cuidado!!! — Valesca gritou, olhando em direção à porta da sala.

Sob olhares atônitos de Osman e Mesut, os dois agentes da *Verstecktstudiumliga* entraram, apontando suas armas na minha direção. Eu de imediato reconheci o tal Fritz, o mesmo sujeito albino que me atacara em Nova Petrópolis. Com ele, estava outro rapaz de cabelos longos e negros com gel, que tinha a fisionomia de pessoas do leste europeu.

Ofegante, Klaus Schneider esqueceu-se de mim por um instante e, virando-se para seus colegas, gritou:

— *Nicht schießen!*[22]

Os dois capangas se entreolharam, meio que sem entender o que estava havendo. Sem hesitar, o velho alemão ergueu o braço e, com extrema precisão, alvejou o sujeito moreno com um tiro certeiro na testa.

— *Hurensohn!*[23]— gritou o loiro, apontando a arma e disparando duas vezes.

Todos na sala se lançaram ao chão. Ao cair, Klaus Schneider bateu a cabeça na quina da mesa. Gritos se fizeram ouvir por toda a casa. Vendo o pai em perigo, Osman lançou-se contra o albino, segurando-lhe o braço.

Com o rosto rente ao tapete persa que decorava a sala, espiei o velho alemão tombado ao meu lado. Ele se mexia, sinal de que estava vivo. Ao seu lado, estava a arma automática.

Respirei fundo e agi. Peguei a arma e, trôpego, ajoelhei-me, mirando o albino, que havia acabado de se desvencilhar de Osman e estava pronto para atirar no turco.

---

[22] Não atirem, em alemão.
[23] Filho da puta, em alemão.

— Chega! — gritei, disparando. Após o estampido, uma discreta fumaça ergueu-se da blusa preta do albino Fritz, que olhava para mim parecendo não acreditar no que via. Ele colocou a mão sobre o buraco da bala, cravada no meio de seu tórax e, cambaleando, apoiou-se em uma mesinha de canto, levando ao chão os porta-retratos e os vasos de flores. Por fim, tombou.

— *Baba!* — Osman correu em direção a Mesut e o abraçou. No entanto, em vez de retribuir o abraço, o turco colocou-se em pé com dificuldade e disse:

— A moça! A moça está ferida.

Eu ainda estava digerindo tudo o que tinha acontecido quando, ao ouvir tais palavras, virei-me. Atrás de mim, caída sobre o sofá, Valesca sangrava no abdome e gemia de dor.

— Valesca, não! — gritei, soltando a arma e sentando-me imediatamente ao seu lado. — Valesca, fala comigo! Você está bem?

— Estou ficando gelada, Hugo... — ela disse, com um fio de voz.

— Sangrando. Sangrando muito. — Mesut balançava a cabeça, quase em desespero. — Precisa de um médico.

— Então vamos, porra! Vamos logo! Alguém tem um carro aí?! Mesut me deteve, colocando a mão no meu ombro.

— Médico, não. Médico não vai adiantar, jovem Seemann.

Klaus Schneider já havia se levantado. Tinha um corte profundo na testa e sangrava no ombro esquerdo, que havia sido ferido por uma bala.

— É tudo culpa sua, velho desgraçado! — De pé, agarrei Klaus Schneider pelo pescoço, mas Osman me segurou.

— Tem um jeito apenas. — Mesut olhou de modo resignado para o velho alemão, que levava a mão sobre o ombro ferido. Era com ele que falava: — Tem uma pessoa que pode salvar a menina, e você sabe quem é.

— Não posso fazer isso, Mesut. É perigoso! — ralhou o alemão.

— Não tem outro jeito! O jovem Seemann salvou meu filho Osman do *seu* capanga. Ele tem razão. Você e eu somos culpados. E devemos isso a ele. E à moça, também.

Klaus Schneider mordeu o lábio e abaixou o olhar.

— Somente *ela* pode salvar a menina e você sabe muito bem disso — repetiu Mesut.

— Merda, do que vocês estão falando?! Valesca vai... — Eu me desesperava ao ver o sangue se esvaindo do corpo de Valesca sem nada poder fazer.

— São vinte minutos de carro se pegarmos trânsito bom — disse Mesut. — Se você não for, eu irei. E você terá que atirar em mim para me impedir, *Marcus*.

Aquele nome soou como uma explosão em meus ouvidos.

— Marcus? — eu perguntei, olhando para o velho alemão. — Você é Marcus, que serviu com meu pai em Plaszow?

— Não há tempo para explicação — o velho que conheci como Klaus Schneider disse, suspirando. — Temos que correr, senão, a menina morre.

Osman pegou Valesca nos braços e suspendeu-a. Ela havia perdido a consciência e, pela expressão de todos, seria praticamente impossível salvá-la. Um verdadeiro milagre.

— Vai com eles, jovem Seemann. Vai! — insistiu Mesut. — Eu fico aqui e cuido desta bagunça. Com certeza, a vizinhança ouviu os tiros. Haverá polícia. Vão depressa!

Eu apenas obedeci. Atravessamos vários cômodos da casa até chegarmos a uma porta que dava para a loja e, por fim, para a rua. Klaus Schneider, ou Marcus, sangrava bastante, mas parecia bem resistente à dor — o que era algo incrível para sua idade avançada. Antes de ele fechar a porta da tabacaria, cuidou para virar a plaqueta pendurada na fechadura, trocando os dizeres de aberto para fechado. Depois, bateu a porta.

Acionando o chaveiro, o velho alemão destravou o Mercedes Benz preto que estava parado em frente à tabacaria e, com cuidado, Osman colocou Valesca no banco de trás. Eu sentei-me junto dela, acomodando sua cabeça em meu colo.

— Vai ficar tudo bem, Valesca. Aguente firme — eu murmurava, querendo me convencer de que ela escaparia da morte e que, como num passe de mágica, tudo se resolveria. É incrível como a nossa mente pode fabricar falsas esperanças e argumentos imbecis quando estamos imersos no desespero.

Osman sentou-se ao volante, com Klaus Schneider ao seu lado.

— *Wir Werden! Ich werde dich führen*[24] — disse o alemão ao turco, que obedeceu.

— Aonde estamos indo, Marcus? — perguntei. — Esse é mesmo seu nome?

O velho alemão não respondeu.

— O que houve com Heinz Gröner, o amigo do meu pai? Ele...?

— Heinz está morto — Marcus respondeu. — Olaf o matou.

―――

Colônia, Alemanha
25 de dezembro de 1943

— M*ariele, volte para o caminhão* — *eu gritei. Porém, minhas palavras pareciam se perder no ar congelante e Mariele permanecia parada, ao meu lado, enrolada no cobertor e encarando Heinz nos olhos.*

Heinz a manteve na mira, mas, por algum motivo, não puxou o gatilho. Foram segundos de um silêncio perturbador; um silêncio que gritava muito mais em meus ouvidos do que os gemidos e urros dos soldados, que trocavam tiros com guerrilheiros escondidos nas sombras e que atacavam Plaszow.

— Eu já rezei a Deus, soldado — Mariele pronunciou aquelas palavras com extrema doçura —, para que Ele o acolha e tenha piedade de sua alma.

---

[24] Vamos! Vou guiá-lo, em alemão.

Ao ouvir aquelas palavras, o olhar de Heinz tornou-se raivoso. Ele mantinha Mariele em mira, com a pistola engatilhada. Porém, sua mão tremia, como se estivesse possuído por algo ruim, muito ruim.

— Eu não queria fazer isso, Olaf. Mas você pediu. Você é o culpado — ele disse.

Com um movimento rápido, o motorista abriu a porta do caminhão, acertando Heinz lateralmente e fazendo com que perdesse o equilíbrio. Ágil, ele cambaleou, mas não caiu. Fixou as botas na neve e endireitou o corpo, olhando para mim e para a pistola que eu segurava. Naquele momento, era eu que tinha Heinz na mira.

— Deixe a gente ir, Heinz — eu disse. — É a última vez que peço a você. Você é meu amigo. Não me obrigue...

Com um riso irônico, Heinz ergueu a arma na minha direção. Mirávamos um ao outro e, então, um tiro cortou o ar.

Em todos esses anos, rebobinei inúmeras vezes a mesma cena em minha memória. Minha arma disparando, acertando Heinz fulminantemente no peito. Seu corpo tombando na neve. E, juro por tudo o que me é mais sagrado: até hoje, não sei quem apertou aquele gatilho; se fui eu ou uma força maior do que eu, que me segurou pela mão e disparou. Isso porque eu não me recordo de ter atirado. Apenas ouvi o barulho do tiro, senti o impacto da pistola e vi Heinz desabar.

Então, as lágrimas rolaram em profusão. Eu chorei; chorei copiosamente como criança. Quis correr em direção a Heinz, mas Mariele me deteve. Desvencilhei-me dela e, vencendo a neve, lancei-me sobre Heinz.

Um fio de sangue lhe escorria pelo canto da boca. Seus olhos estavam fechados e eu o sacudia, como se desejasse enfiar vida à força em seu corpo.

— Heinz! Heinz! Por favor... Vamos, vamos! Abra esses olhos! Vamos! Venha... — Coloquei o braço de Heinz sobre meu ombro, tentando levantá-lo.

— Lembra de quando me carregou no dia em que torci o pé na corrida? Agora, eu vou carregar você. Venha... Heinz...

Naquele momento, senti Mariele puxar meu braço. Tudo demorou apenas alguns segundos, mas, para mim, pareceu levar uma eternidade. Ergui os olhos e notei que alguém nos observava, mantendo a metralhadora apontada para nós durante todo o tempo.

— Marcus? — indaguei, vendo meu colega de pelotão emergir das sombras.

Ele caminhava em nossa direção com determinação. Estava pronto para atirar.

Mas seus olhos não estavam voltados para mim, e sim para Mariele.

— Mariele, entre no caminhão — eu pedi, quase em um clamor.

Ela, no entanto, esticou o braço a ponto de tocar com o dedo o cano da metralhadora que Marcus tinha apontada em nossa direção.

— Você podia ter nos matado. Mas não fez — ela disse, sorrindo. — Por favor, nos deixe ir, soldado.

O que presenciei a seguir eu nunca esquecerei. Lentamente, o semblante de Marcus foi se tornando relaxado. Seus olhos, antes miúdos diante da mira da arma, se abriram e ele soltou a metralhadora.

— Marcus, Heinz precisa de um médico. Por favor, salve ele — eu disse, puxando Mariele pelo braço. — Por favor, Marcus!

Foi meu último pedido. O motorista do caminhão voltou a fechar a porta enquanto eu e Mariele subimos na caçamba. Notei que todos os prisioneiros tinham um olhar de espanto; alguns rezavam; outros, choravam copiosamente.

O caminhão partiu, deixando a figura inerte de Marcus para trás, e o corpo de Heinz estirado no chão.

Tudo o que aconteceu pareceu levar uma eternidade. No entanto, apenas dois ou três minutos haviam transcorrido. Atrás de nós, outro caminhão, lotado de prisioneiros, seguia em direção ao portão. Os guardas demoraram para perceber o que estava acontecendo. Sem dúvida estranharam a movimentação dos caminhões, mas pensaram se tratar de soldados saindo à caça daqueles que estavam atacando o campo.

No entanto, quando perceberam que o veículo seguia acelerado em direção ao portão, ignorando as ordens para que parasse, dispararam várias vezes, destruindo o vidro da frente e cravejando a carroceria com balas.

— Segurem-se! — gritou o jovem soldado que estava ao volante.

Quando ocorreu o impacto do veículo contra a grade, todos gritaram. Mas, ao mesmo tempo, pude ver vários rostos se iluminarem quando, por fim, seguimos o trajeto para fora de Plaszow. Todos ali sabiam que estavam condenados à morte; mas, naquele momento, estávamos lhes dando uma esperança de vida, e essa nova luz brilhava em cada olhar.

Os tiros continuaram atrás de nós. O colega que conduzia o caminhão de trás recebeu a maioria das balas. Na sombra que engolia a estrada de cascalho, pude notar corpos de prisioneiros caindo do outro veículo e sendo deixados para trás.

— Fiquem abaixados! — ordenei.

Tinha as mãos miúdas e feridas de Mariele presas nas minhas. Sua cabeça estava encostada em meu peito. Deixando o queixo escorregar, toquei os lábios contra seu cabelo ralo e seu couro cabeludo cravejado por ferimentos. Imaginei como ficariam lindos seus cabelos quando voltassem a crescer.

Um rastro de luz cortou o céu, culminando em uma forte explosão na direção de Plaszow.

— Deus do céu... — murmurei. — Eles têm morteiros.

— Quem são eles, Olaf? — perguntou Mariele, mantendo o rosto acomodado em meu peito.

— Eu não sei. Talvez sejam anjos, Mariele — eu disse, rendendo-me ao cansaço e soltando o corpo.

Eu me sentia letárgico, com mãos e pés adormecidos. Meu corpo havia sido invadido por uma tranquilidade que, havia muito tempo, eu não sentia. Porém, um tranco me despertou. Havíamos parado.

— Desçam, rápido! — ordenou nosso jovem motorista. O outro caminhão também havia parado.

Estávamos em uma estrada de cascalho que desembocava na entrada da mata. Da escuridão, homens armados com metralhadoras apareceram, auxiliando os prisioneiros a descerem dos caminhões.

Um jovem com aparência de estrangeiro (que eu deduzi ser turco) aproximou-se de nosso motorista e lhe deu um abraço. Depois, falou em alemão:

— Vocês conseguiram! Nós conseguimos!

Dirigindo-se a mim, apertou com força a minha mão, abrindo um largo sorriso.

— Obrigado pela ajuda, companheiro. Ainda bem que ainda existem humanos entre o povo alemão.

Sem qualquer cerimônia, ele pegou meu maço do bolso do uniforme e retirou um cigarro. Acendeu e, dando tapinhas em meu braço, disse:

— Eu sou Mesut. Esses homens são meus companheiros da Befreiende Schatten. Nós venceremos esta guerra, meu amigo. Nós venceremos, você verá!

O jovem turco, talvez um pouco mais velho do que eu, falava com entusiasmo.

Também acendi um cigarro e dei algumas boas tragadas. Além de Mesut, ao todo, contei cinco homens que tinham feito parte de nosso comitê de boas-vindas da Befreiende Schatten.

Um dos homens, que trajava preto da cabeça aos pés e se comportava como líder, ordenou que apagássemos os cigarros.

— A brasa funciona como um sinalizador no meio das árvores, seus idiotas! — *ele ralhou. Em seguida, ordenou:* — Organizem os prisioneiros. A fuga só começou. A SS virá atrás de nós, mas conhecemos esta mata melhor do que eles. Se agirmos rápido, ganharemos vantagem.

Depois, estendeu a mão para mim.

— Eu sou Pierre. Bem-vindo a bordo.

— Olaf. Olaf Seemann — *retribuí.*

Logo colocamo-nos em movimento no meio da mata. Tudo parecia muitíssimo bem planejado. Afinal, não era fácil guiar um grupo de quarenta e tantos prisioneiros combalidos pela floresta em pleno inverno.

Pierre e outros quatro homens foram na frente do grupo. Eu, outro jovem soldado desertor da SS chamado Bruno, e Mesut, ficamos na retaguarda. Mariele se misturara ao grupo de prisioneiros, mas eu me esforçava para não a perder de vista.

— Cuidado! Na trilha adiante tem armadilhas — *disse Mesut, apontando para o caminho alternativo que nos levava para um trecho de floresta* mais densa. — Deixamos algumas minas terrestres e armadilhas de caça para os nazistas se divertirem quando vierem atrás de nós.

Como era previsto, as péssimas condições físicas dos prisioneiros começavam a nos retardar. Alguns tombavam pelo caminho, exauridos e sem vida, e a ordem de Pierre era que os deixássemos para trás.

— Achei que vocês tinham sido orientados para trazer os prisioneiros em melhores condições físicas — me disse Mesut, em tom de ironia. — A maioria aqui não consegue nem ficar de pé.

— Esses são os que estão em melhores condições físicas. Acredite — eu retruquei.

Mesut se calou. Por mais que odiasse nazistas, aparentemente nem mesmo a Befreiende Schatten tinha noção total da realidade dos campos de trabalhos forçados.

Do grupo inicial de prisioneiros, em uma hora de caminhada, havíamos deixado quase a metade para trás. Todos mortos, esgotados em suas condições físicas. Quando um prisioneiro tombava, agonizante, Mesut, Pierre e os outros aliviavam o sofrimento, atirando neles, utilizando armas com silenciadores.

Vi Mariele fraquejar e tombar várias vezes. Em algumas delas, segurei-a pelo braço, dizendo-lhe palavras de incentivo. Ela retribuía com um sorriso silencioso e continuava a andar.

Eu já havia perdido a noção de quanto tempo estávamos no meio da mata. Em um determinado ponto, Pierre ordenou que parássemos.

— Temos companheiros esperando em nosso esconderijo a meio quilômetro daqui, em direção ao norte. Vamos dividir o grupo.

Ele, Mesut e os outros membros da Befreiende Schatten rapidamente afastaram-se dos prisioneiros, reunindo-se em círculo, do qual eu também fiz parte.

— Mesut, você conduz o primeiro grupo para o norte junto com Seemann e Bruno. Eu, Otto e Charlie seguiremos para oeste com o segundo grupo.

— Divididos, seremos mais fracos. Acha uma boa ideia, Pierre? — perguntou aquele identificado como Charlie que, pelo sotaque, era da Grã-Bretanha; escocês, possivelmente.

— É o melhor jeito. — Pierre olhou para mim e para Bruno. — Não esperávamos que os prisioneiros estivessem em condições tão ruins. Os corpos vão deixando uma trilha pelo caminho e, assim, será fácil nos localizarem.

— A essa altura, os nazistas já devem ter acordado e percebido que levaram um chute na bunda — disse Mesut. — Virão atrás de nós com toda a força.

Pierre colocou as mãos na cintura e respirou fundo. Olhou para o grupo de prisioneiros, já reduzido a 29 pessoas.

— Seemann e Bruno, separem os prisioneiros que estão com melhor aparência e mais fortes — ordenou Pierre.

Obedecendo, eu e meu jovem colega da SS separamos onze prisioneiros com aparência mais saudável. Mesut olhou para Mariele, em pé ao meu lado, e me perguntou:

— Essa menina está péssima, Seemann. Vi ela cair pelo menos três vezes pelo caminho. Mal consegue ficar em pé.

— Ela está grávida — eu disse. — Deixe-a sob minha responsabilidade, Mesut.

— Se você diz... — Mesut deu de ombros e se afastou. — Mas, a meu ver, é impossível uma mulher grávida sobreviver nessas condições. Ela e o bebê estão condenados.

Em outro canto, os prisioneiros fisicamente esgotados ou doentes permaneceram sentados, à espera de uma decisão de Pierre. Ele chamou Otto para um canto e cochicharam algo. Depois, Pierre esfregou a testa e sacou a arma.

— O que vai fazer? — Bruno perguntou.

Sem responder, Pierre e Otto atiraram nos prisioneiros feridos, acertando a maioria na cabeça.

— Meu Deus, parem! — Mariele gritou e tentou correr em direção aos companheiros que tombavam mortos.

Eu a segurei com firmeza sem, no entanto, tirar os olhos daquela cena horrenda. Exausta, Mariele deixou o corpo tombar e explodiu em um choro incontrolável.

— Não há outro jeito — disse Pierre. — Esses nem conseguem se mexer direito. Só nos atrasariam. Pior: acabaríamos sendo pegos.

Todos permaneceram alguns minutos em silêncio. Depois, como se soubessem muito bem o que deveria ser feito, Mesut, Otto, Pierre e Charlie dividiram os prisioneiros em dois grupos. Pierre mais uma vez foi o responsável por quebrar o silêncio. Ele falava diretamente com Mesut.

— *Siga para o sul. Já sabe o que fazer.* — *Ele abraçou o jovem turco com força.* — *Não entre em contato. Eu também não entrarei. Cuide do seu grupo; agora, você é o líder.*

Mesut retribuiu o abraço e, logo, os dois grupos se separaram. O nosso grupo contava com cinco prisioneiros, além de mim, Mesut e Bruno. Dos cinco prisioneiros, havia três homens jovens e duas mulheres um pouco mais velhas do que Mariele.

— *Quem é esse Pierre, afinal?* — *perguntei, aproximando-me de Mesut.* — *Por que ele fez aquilo? Poderíamos...*

— *Aprenda algo, Seemann* — *disse ele, aparentando calma.* — *Numa guerra contra um inimigo como Hitler e seus homens, temos que nos preocupar em minimizar as baixas. O que fizemos hoje em Plaszow entrará para a história, mas ninguém ficará sabendo de nosso feito se todos morrermos. Entende?*

— *Não, eu não posso...*

— *Perder todos os prisioneiros é pior do que salvar apenas um. Se pudermos salvar onze, ainda melhor. Você viu Pierre executar prisioneiros que já estavam mortos, Seemann. Condenados. Eles não conseguiriam. No entanto, você não viu, e nem faz ideia, de quantos de nós da* **Befreiende Schatten** *morreram há poucas horas em Plaszow para que eu, você e os outros pudéssemos estar aqui.*

Lembrei-me de Kurt Kirsten. E de Heinz.

— *Eu matei meu melhor amigo.*

— *Se você precisou matá-lo, talvez ele não fosse nem seu amigo* — *disse Mesut, tomando a dianteira do grupo.*

— *E para onde iremos?*

— *Encontrar outro amigo. Ele nos levará para um lugar seguro na Eslováquia.*

— *Eslováquia? Como chegaremos até lá?*

Mesut virou-se para mim, rindo.

— Confie em nós, Seemann. Aqui, sua missão é apenas cuidar para que os prisioneiros saiam dessa com vida.

— E o grupo de Pierre?

— Ele tentará tirar os prisioneiros da Polônia pela Boêmia.

Caminhamos por mais uma hora em silêncio. O frio se intensificava e tornava a trilha mais difícil. Se Mesut e os outros estivessem certos, os alemães haviam seguido a trilha falsa pela floresta; muitos teriam morrido nas armadilhas. Mas, com certeza, não tardariam a notar que tinham sido enganados.

— Este é o pior trecho — disse Mesut, parando diante de um morro íngreme. Eu subo na frente. Bruno ajuda os prisioneiros a subirem. E você, Seemann, vigia a retaguarda.

Um a um, os prisioneiros foram escalando o morro com a ajuda de Mesut e Bruno. Mariele foi a última a subir. Visivelmente, ela era a que estava em pior estado físico do grupo.

— Aguente mais um pouquinho, está bem? — eu disse baixinho em sua orelha.

Ela respondeu com um sorriso abatido.

Quando todos os prisioneiros já haviam subido, eu, Mesut e Bruno escalamos o morro. Adiante de nós, uma estrada de terra em parte coberta por neve, e ladeada por árvores secas, nos esperava. O restante do cenário era escuridão pura.

— Cadê ele? — perguntou Bruno, aflito. — Se demorar, os prisioneiros vão congelar.

— Ele virá — respondeu Mesut.

— Preciso de um cigarro — disse Bruno, esfregando as mãos.

Um par de faróis despontou no horizonte escuro em nossa direção. Logo, os pontos luminosos tomaram a forma de uma caminhonete, que transportava fardos de feno. Ela saiu da estrada, estacionando próximo ao nosso grupo.

Do veículo desceu um homem que devia ter mais do que um metro e noventa, com barba ruiva e um casaco bem grosso. Ele cumprimentou Mesut e acenou para nós com a cabeça.

— São eles? — ele perguntou, expondo forte sotaque estrangeiro.
— Sim — disse Mesut. — Trouxe os agasalhos?
— Estão comigo.

Rapidamente, Mesut e Bruno tiraram da caminhonete roupas grossas e casacos de lã e os entregaram para os prisioneiros.

— Livrem-se desses uniformes também — disse o homem ruivo, dirigindo-se a mim e a Bruno.

Tiramos os uniformes da SS e vestimos as roupas.

— Este é Rudolph Stanski — disse Mesut. — Ele nos levará em segurança até a Eslováquia.

Os cinco prisioneiros subiram na carroceria da caminhonete e se misturaram ao feno. Mesut ordenou que eu e Bruno fizéssemos o mesmo.

— Vocês são soldados. Será fácil reconhecê-los — ele argumentou.

Obedecemos. Eu procurei ficar próximo a Mariele.

— Você está bem? — perguntei.
— Sim.
— Posso lhe perguntar uma coisa? — indaguei assim que o caminhão se colocou em movimento.

Ela balançou a cabeça afirmativamente.

— Você está mesmo grávida?
— Eu vi num sonho — ela disse. — E Deus nunca mentiu para mim.

Eu queria perguntar quem era o pai. Se seria eu ou qualquer outro. Mas decidi me calar. Mariele já sofrera demais e não havia necessidade de fazê-la lembrar-se dos abusos que lhe tinham sido infligidos em Plaszow. Mesmo porque estávamos prestes a começar uma nova vida.

Capítulo 35

Liptovský Svätý Mikuláš, Eslováquia

Caí em sono profundo durante grande parte do trajeto. As novas roupas, mais adequadas ao frio, trazidas por Stanski, junto com o feno e o calor dos corpos, nos fez aguentar de modo mais razoável o frio da região das Montanhas Tatras.

Seguíamos calados. Talvez fosse o medo que inibisse a língua dos prisioneiros; ou, ainda, é possível que eles não se importassem com o destino. Qualquer lugar era melhor do que estar em Plaszow.

A poucos quilômetros da fronteira com a Eslováquia, após passarmos por Zakopane, Stanski parou a caminhonete.

— Vou ver o que está acontecendo — eu disse, livrando-me dos fardos de feno.

Mesut havia descido do veículo. Tinha uma aparência cansada.

— O que houve? Por que paramos? — perguntei.

— Está tudo bem — ele disse. — Acabamos de passar por Zakopane e estamos prontos para cruzar a fronteira com a Eslováquia. O mais seguro seria fazer o trajeto a pé. Ainda que a Eslováquia não tenha caído nas garras nazistas, estamos na Polônia, praticamente o quintal de Hitler.

— Esse Stanski sabe o que está fazendo? — perguntei, erguendo a gola do casaco.

— Ele é membro da Befreiende Schatten. Neto de alemães pelos dois lados da família. A mãe dele nasceu em Friburg. O pai nasceu em Sainkt-Nikolau, onde a família tem propriedade até hoje. Os dois irmãos de Rudolph são simpatizantes do Partido Nazista. Um deles mora em Berlim. Ele próprio o finge ser, o que, de certo modo, lhe permitia transitar tranquilamente em território polonês.

— Então, qual o problema?

Mesut acendeu um cigarro. Provavelmente, tinha apanhado um maço de Stanski.

— Chegamos ao ponto crucial. Se cruzarmos a fronteira, você e os prisioneiros estarão a salvo.

— Entendi. Então, é agora ou nunca.

— Isso mesmo. Mantenham a calma e não façam bobagem. — Mesut tragou e entrou de novo na caminhonete. — Está na hora de chutarmos de vez a bunda do Führer.

O veículo recomeçou a andar e eu me cobri com fardos de feno. Mariele abriu os olhos e fitou meu rosto. Deu um leve sorriso e, depois, voltou a dormir. Toquei sua testa, que ardia como se estivesse em chamas.

"Febre", pensei.

Enfiei a mão no bolso da calça e senti o crucifixo, presente de minha mãe, entre meus dedos. Apertei o objeto com força e rezei.

Sim, eu sabia que não era digno da misericórdia de Deus. Eu havia matado pessoas a sangue frio. Violentado Mariele quando meu coração fora tomado pela fúria. Atirado em Heinz e matado meu melhor amigo. Por que, então, Ele ainda me mantinha vivo? Qual era o propósito?

Cerca de vinte minutos após nossa parada, a caminhonete estacionou. Ouvi vozes. Os outros quatro prisioneiros que estavam comigo na parte de trás da caminhonete se entreolharam, tensos. Estávamos em alguma barreira na região fronteiriça. A porta da caminhonete se abriu e fechou. Identifiquei a voz de Rudolph Stanski. Ele falava em polonês; pronunciava algumas frases em alemão, também. Dizia algo sobre Mesut ser seu novo empregado e sobre os turcos serem bons trabalhadores, apesar de preguiçosos. Houve risos. Stanski também comentou de modo amistoso sobre o aumento no fornecimento de leite para Zakopane.

— Essa gente toma leite como bezerros — ele disse, rindo. Depois, falou algo sobre os negócios irem bem.

De repente, tudo ficou em silêncio. Senti meu coração acelerar. Estaria algo dando errado?

Só me senti aliviado quando ouvi a voz de Stanski novamente. Ele se despediu e bateu a porta da caminhonete. Logo, o veículo começou a se mover, entrando em território eslovaco.

Mais ou menos meia hora depois, Stanski parou a caminhonete. Mesut desceu e pediu que fizéssemos o mesmo.

— Estiquem as pernas. Andem! — ele dizia. — Vocês estão a salvo!

Os prisioneiros caminhavam de modo trôpego. O sol havia raiado e o céu estava azul, apesar do frio. No horizonte, uma cadeia de montanhas que parecia interminável seguia de leste a oeste.

— As Montanhas Tatras. Elas separam a Polônia da Eslováquia — disse Stanski, aproximando-se de mim. — Acho que é um dos lugares mais belos do mundo. Pelo menos, do mundo que eu conheço.

Ajudei Mariele a descer da caminhonete e a se livrar do feno preso à roupa.

— Veja, Mariele. Estamos na Eslováquia. Vocês estão a salvo.

Ela me abraçou e começou a chorar.

— Por que está chorando? — perguntei. — Não está feliz?

— Claro... claro que estou — ela disse, enxugando o rosto. — Eu só não entendo por que Deus me deu a chance de provar a liberdade e privou tantos do meu povo de fazerem o mesmo.

As palavras de Mariele me acertaram como um tiro à queima-roupa. Por mais que eu renegasse as ações da SS, eu não podia fugir do fato de que eu era parte daquilo tudo. Eu era alemão, membro da SS. Eu havia matado judeus e saudado Adolf Hitler.

— Eu sinto muito, Mariele. Juro, eu sinto muitíssimo.

— Não deve sentir. Você fez o que lhe ordenaram. Mas seu coração nunca se corrompeu.

Rudolph Stanski e Mesut tiraram uma grande cesta da parte traseira do veículo e começaram a distribuir pão para os ex-prisioneiros. Os homens e as mulheres agarraram-se aos pães como animais, comendo como se aquilo fosse sua última refeição.

— Temos água também. Agora estamos fora de perigo — disse Mesut.

— Venham, bebam água — falou, pegando dois cantis.

Mariele sentou-se junto ao pneu da caminhonete e fechou os olhos. Sentei-me ao seu lado.

— Está tudo bem? — perguntei.

— Sim. Estou exausta. Só isso. Preciso descansar.

Deixei que ela encostasse a cabeça em meu ombro e passei os dedos pela sua cabeça. Eu poderia ficar assim minha vida toda. Virando os olhos em direção ao céu, agradeci a Deus.

Foram poucos, mas bons, dias de paz em Liptau-Sankt-Nikolaus, nome alemão para a cidade de Liptovský Mikuláš. A propriedade da família Stanski ficava afastada da zona urbana, relativamente efervescente graças às atividades culturais.

Hans nos alojou em uma das casas destinadas aos funcionários. Não era espaçosa, mas tinha certo conforto. E calefação. Era a nítida amostra de que a família Stanski ainda dispunha de um razoável poder aquisitivo, tirando proveito da época de guerra.

Os judeus dormiram em colchonetes em um dos quartos. Mariele e eu ficamos alojados em outro quarto, um privilégio que Mesut havia conseguido para nós. Quanto a ele próprio, optou por dormir no sofá, sempre mantendo uma arma ao alcance das mãos.

Stanski também havia solicitado a vinda de um médico eslovaco de Sankt-Nikolaus para dar uma olhada no estado físico dos prisioneiros. Doutor Sven Kovak. Havia estudado em Praga na juventude, onde também aprendera a falar alemão. Nunca me esquecerei desse nome. Foi ele que, após deixar Mariele a sós no quarto, me encontrou junto à soleira da porta da casa. Eu fumava um cigarro e olhava para a grama tingida de branco pela neve. Em poucos dias, entraríamos em 1944.

— Não é minha especialidade — ele disse, arrumando os óculos —, mas a senhorita Goldberg está grávida. Posso afirmar com certeza.

Meu coração disparou. Mariele estava certa. Certa sobre tudo. Sobre o anjo, sobre o sonho.

— E como está o estado geral de saúde dela, doutor Kovak?

— Ruim — ele não escondeu a preocupação. — Em geral, a mulher perde muitos nutrientes na gravidez. O corpo da garota sofreu muitas agressões durante o tempo em que esteve presa. Suspeito também que esteja com anemia profunda.

— Há algo que possamos fazer? — perguntei, sentindo uma ponta de aflição.

— Cuidar para que se alimente bem. E, se o senhor acredita em coisas do tipo, rezar bastante — ele respondeu. — Mas meu dever como médico me leva a aconselhar que o ideal seria levá-la para um hospital em Bratislava.

— Isso é impossível no momento. O senhor sabe da realidade dessa gente — argumentei. — Eles têm sorte de terem conseguido chegar aqui vivos.

Dr. Kovak suspirou, encolhendo os ombros.

— Sei bem disso, meu jovem. E, quanto à condição de fugitivos, vocês podem contar com a minha discrição. Praticamente vi Rudolph e os outros Stanski crescerem e nunca faria algo que prejudicasse essa família.

— Muito obrigado — agradeci, apertando a mão do doutor.

— Ainda assim, se ela não receber os cuidados adequados em um grande centro, eu terei que lavar minhas mãos quanto ao que possa acontecer a ela e à criança.

Ele se despediu, deixando a casa. Terminei o cigarro e me dirigi ao quarto de Mariele. Nos poucos dias em que estávamos em Liptau-Sankt-Nikolaus, vivíamos como marido e mulher. Pelo menos, eu logo me habituara a ver as coisas sob esse prisma.

Entrei no quarto e notei que Mariele dormia. Agachei-me e beijei sua testa. Não importava de quem era seu filho; eu cuidaria da criança como se fosse minha. Foi a promessa que fiz naquele dia. A mesma promessa que nunca consegui cumprir.

Capítulo 36

Liptovský Svätý Mikuláš, Eslováquia
14 de março de 1944

Os meses passaram de modo tranquilo na propriedade da família de Rudolph Stanski. Com o fim do inverno, a neve gradualmente deu lugar ao renascimento de flores e árvores.

Ao contrário do meu cotidiano no exército, todos os dias em Liptau--Sankt-Nikolaus pareciam iguais. Eu me habituei com os trabalhos do campo, como ordenhar vacas, carregar feno e juntar tudo em fardos, cuidar e arrumar as caminhonetes com mantimentos para serem vendidos nas cidades próximas.

Também conheci Sasha, esposa de Rudolph, e suas filhas Monike e Suzanna, de 11 e 7 anos, respectivamente. Nunca entramos nos limites da propriedade principal, tampouco Stanski permitia que a família se aproximasse da casa de empregados que ocupávamos. Contudo, devido aos trabalhos, eu e os outros cinco ex-prisioneiros judeus acabamos por ter contato com Sasha e as meninas. Fomos apresentados como novos empregados e, ao que parecia, não houve questionamento.

A intimidade e a necessidade de nos protegermos mutuamente não tardaram, ainda, a fazer com que nos apresentássemos e nos tornássemos uma espécie de família. Sendo assim, eu passei a ser chamado de Olaf, uma vez superado o medo que o uniforme da SS, que um dia eu envergara, provocava. Os demais também deixaram de ser ex-prisioneiros e eram chamados pelo nome: as duas mulheres eram Ariela, judia-alemã de 23 anos, e Dalice, polonesa de 22. Os rapazes eram Ben, de 35 anos, um ex-dentista, Wladmir, um judeu ucraniano ex-professor de Matemática de 28 anos, e Levi, o mais jovem, com 24 anos, ex-estudante de Direito em Varsóvia.

Bruno, outro jovem desertor como eu, deixou, Liptau-Sankt-Nikolaus no início de janeiro rumo a Zylina, uma cidade ao norte da Eslováquia onde pretendia encontrar e articular um novo grupo de resistência contra as ações alemãs no país e na República Tcheca.[25]

Meu relacionamento com Mesut também se estreitou. Passamos a conversar constantemente sobre a guerra e a política europeia. Ele tinha uma visão de mundo que me era desconhecida — e de quem havia nascido em um país pobre, a Turquia, e conhecera a ebulição política desde muito cedo. Emigrara com os pais para Portugal muito novo, onde, contou, tinha aprendido a falar português. Retornou à Turquia e foi para a Alemanha a fim de lutar contra Hitler, unindo-se à Befreiende Schatten. Mesut desenvolveu um carinho e uma atenção especiais com Mariele, e sempre perguntava sobre seu estado de saúde.

Vez ou outra ele sumia, retornando duas semanas depois. Nunca falava sobre o que ia fazer, e eu também não perguntava.

Quanto a Mariele, sua barriga ia crescendo, sua saúde havia melhorado e a cor retornara a seu rosto. Seu cabelo voltara a crescer, com fios lisos cor de mel que formavam pequenos cachos nas pontas. No entanto, suas pernas continuavam fracas. O Dr. Kovak suspeitava de um problema nas vértebras, porém, sem equipamentos adequados, só podia se limitar ao diagnóstico e a receitar medicamentos paliativos.

Todos os dias, quando eu terminava o trabalho no campo, retornava à casa e a encontrava deitada, costurando algo. Era seu passatempo predileto:

---

[25] Unidas em 1918 como Tchecoslováquia, a República Tcheca, antiga Boêmia (ocupada pela Alemanha), e a Eslováquia se separaram em 1939, ano da invasão alemã.

costurar roupinhas para o nenê. Também tinha feito duas camisas novas para mim com panos que a senhora Stanski nos arrumara.

As coisas começaram a mudar em março, quando Mesut retornou de uma de suas viagens. Ao contrário do que costumava fazer, o jovem turco dirigiu-se diretamente à casa dos Stanski, reunindo-se por um longo tempo com Rudolph. Depois, veio até a casa em que morávamos.

Quando o vi, recebi-o com carinho. Sempre me preocupavam as viagens de Mesut, mas, quando retornava, meu amigo sempre trazia boas notícias do front. A principal delas dizia respeito ao avanço das tropas inglesas e norte-americanas contra Berlim.

Mas, naquele dia, seria diferente.

— *Olaf, preciso falar com você a sós. Pode ser?* — *ele perguntou assim que me viu. Não quis saber sobre Mariele, o bebê, nem sobre os outros.*

— *Aconteceu algo?* — *questionei, seguindo-o para o lado de fora.*

Ambos acendemos um cigarro e caminhamos por um instante em silêncio. Mesut foi o primeiro a falar:

— *Venha, quero lhe mostrar uma coisa.*

Segui Mesut a pé através dos campos que começavam a readquirir o tom verde, sinal de que a primavera batia à porta. Chegamos a uma trilha íngreme de cascalho e atravessamos o percurso sem trocar uma palavra um com o outro. O vento fresco açoitou meu rosto e o sol me fez cerrar os olhos. Havíamos chegado a um ponto bastante alto, talvez o de maior altitude dentro da propriedade de Stanski.

— *Olhe para aquilo, Olaf* — *disse Mesut, apontando adiante.*

Estreitei a visão para conseguir enxergar além dos raios de sol. Atrás da forte luz, havia um lago muito grande, cujo limite parecia se fundir com a cadeia de montanhas na linha do horizonte.

— *O povo daqui chama esse lugar de Vodné Zrkadlo. Em alemão, seria algo como Wasser-Spiegel, Espelho D'Água. Confesso que demorei muito tempo para aprender a pronunciar isso direito em eslovaco.*

— *Isso é incrível, Mesut!*

A extensão plácida do lago tinha uma coloração azul maravilhosa que, refletindo a luz do sol, parecia mesmo um enorme espelho, criado por Deus para refletir a maravilha do céu.

Mesut sentou-se na beira do morro e acendeu mais um cigarro.

— Sente, Olaf. Precisamos conversar — disse ele, tragando.

Fiz o que pediu. Mas a curiosidade começava a me dominar. Havia algo sombrio no semblante do jovem turco.

— Por que me trouxe aqui, afinal? — perguntei.

— Você olhou direito para a paisagem à nossa frente? — Mesut me devolveu a pergunta, sem tirar os olhos do lago que brilhava. — Há três meses, para você, estar diante de um lugar assim parecia impossível. Tudo o que havia era morte, a vida tingida de cinza. Estou correto?

— Sim, está.

— Você saiu do inferno e chegou ao céu. Mas, uma vez tendo pisado no inferno, nunca pode se livrar por completo dele.— Mesut suspirou e bateu as cinzas no chão.

— O que quer dizer, Mesut?

— Olhe para o lago Vodné Zrkadlo. Tudo parece sereno na superfície. Mas você já se perguntou o que há debaixo dessas águas? Imagine um homem desavisado, um idiota qualquer, passando de barco pelo lago e, de repente caindo na água fria. O que acha que aconteceria?

— Morreria. Se tivesse sorte, e soubesse nadar, talvez escapasse. Para ser sincero — eu disse —, não entendo aonde quer chegar.

— No meu país costumamos falar que, às vezes, a tragédia se disfarça de alegria para nos dar uma trégua. Para readquirirmos força a fim de prosseguir na luta. — Mesut tragou outra vez e soltou a fumaça no ar. — Olaf, acabo de retornar de um de nossos postos em Bratislava. Durante todo esse tempo, não desisti de saber de Pierre e dos outros companheiros. Enfim, na semana passada, eu soube.

Mesut atirou o cigarro para longe e a ponta de brasa sumiu em meio ao tapete verde que se estendia a alguns metros de nossos pés.

— Todos foram mortos antes de chegar à fronteira da Boêmia. Ou da República Tcheca, se preferir — disse ele. — Até onde sei, morreram lutando.

— Mesut, eu sinto muito... — murmurei. Foi o que consegui dizer.

— Pierre era o líder da operação e conhecia os riscos. — Mesut pegou outro cigarro e acendeu. Me ofereceu um e eu aceitei. — Talvez você não saiba, mas utilizamos uma técnica de guerrilha para atacar Plaszow. Tínhamos espiões dentro do campo e vigiando externamente os muros. Tudo levou um ano. Talvez mais. Foi um planejamento extensivo. Ao todo, cerca de cinquenta homens da Befreiende Schatten se empenharam em levar o ataque a Plaszow a cabo. Havia gente da Alemanha, Polônia, Irlanda, França, Inglaterra e mesmo dos Estados Unidos. Sabe quantos sobreviveram?

Balancei a cabeça, negativamente.

— Apenas nós, Olaf. Apenas nós. — Mesut tragou. Seu olhar estava perdido no horizonte. — Claro, a Befreiende Schatten continua trabalhando. Somos bem maiores do que as baixas que tivemos em Plaszow. Ainda assim, se não contarmos a história do que houve na Cracóvia no dia 25 de dezembro, o mundo não saberá. Só restou a gente para registrar o ato heroico desses homens que morreram para que, hoje, estejamos aqui.

Lembrei-me de Heinz. Havia tempos não pensava no meu amigo.

— Mas a coisa não acabou, Olaf. Hitler continua em pé — prosseguiu Mesut. — Não sei quanto você conhece sobre a história deste país, mas as notícias que trago não são nada boas. Nem para mim, nem para você e nem para Stanski.

— O que quer dizer, Mesut?

Ele suspirou.

— Você sabe que, quando a Alemanha invadiu a Tchecoslováquia, o país foi de novo dividido em dois. Grande parte da República Tcheca está nas mãos dos alemães. Entretanto, a Eslováquia ainda representa um foco de resistência. As derrotas recentes de Hitler acenderam a chama política dos opositores do Reich e, hoje, a Eslováquia está à beira de uma guerra civil. Além disso, o avanço de Stalin e das tropas soviéticas a leste causou euforia nos comunistas eslovacos.

— Comunistas?

— As cabeças pensantes do Comunismo na Eslováquia estavam no exílio. Sobretudo na Inglaterra. Agora, estão retornando e organizando uma adesão a Stalin. O país está rachado e a União Soviética começa a se infiltrar sorrateiramente na política local. Essa gente tem inimigos muito bem definidos. Pessoas do Terceiro Reich que mantiveram bom relacionamento; gente rica, de posses.

— Os Stanski?

— Entre outras famílias. Rudolph tem irmãos filiados ao Partido Nazista, ainda que ele esteja do nosso lado. Além disso, sua família é dona de várias terras na região dos Tartas. O cerco está se fechando sobre ele. Nos últimos tempos, Rudolph tem sofrido pressão de todos os lados. Dos amigos alemães e dos camaradas comunistas.

— E o que isso tem a ver conosco, Mesut?

— Aqui não é mais seguro para você nem para os judeus, Olaf — disse ele, colocando-se em pé. — Quero que oriente os demais para se prepararem para partir.

Meu peito parecia estar prestes e explodir. Eu não estava preparado para aquilo.

— Mesut, tem que haver outro jeito — eu disse. — Eu... Mariele não pode se cansar. Além disso, eu...

Meu amigo me olhava com compaixão.

— Eu não aguentaria mais passar por tudo aquilo de novo — falei, soltando um fio de voz.

— Não há outro jeito, Olaf. Vocês precisam sair daqui. Está se tornando perigoso e só vai piorar — Mesut foi taxativo.

— Mesut, olhe para os prisioneiros! Talvez você não esteja ciente, mas eu acordo todas as noites ouvindo os gritos deles enquanto dormem! Eles são assombrados por pesadelos horrendos com Plaszow! Você acha que conseguirão dar um passo para fora daqui? Logo agora que estão reconstruindo suas vidas? Não posso... não consigo tirar esse fio de esperança deles!

O jovem turco lançou o cigarro para longe. Soltou a fumaça e disse:

— Seja como for, eles terão que ser fortes. De algum modo, Stalin e seus correligionários conseguem ser piores do que Hitler. E mais fortes também.

Naquela noite e nas outras, eu não consegui dormir. Demorei alguns dias para dividir minha aflição com Mariele. Quando ouviu dos meus lábios a história que contei, ela sorriu de modo sereno e disse que tudo ficaria bem.

— Deus reservou algo grande para você, Olaf — ela disse. — Não precisa se preocupar, porque Ele o escolheu e não vai abandoná-lo.

— Não é só comigo que me preocupo, Mariele — eu disse. — Olhe para você! E o bebê! Vocês não conseguirão empreender uma fuga.

As palavras de Mariele não me tranquilizaram, apesar de, diante dela, eu tentar me mostrar mais resignado. Talvez minha fé não fosse suficiente, mas eu não conseguia deixar de temer pelo futuro dela e da criança que, a cada mês, fazia com que sua barriga se tornasse maior — e a dificuldade de locomoção aumentasse. Aquele pequeno ser que crescia dentro de Mariele parecia lhe drenar as forças e esmigalhar os ossos de seu quadril e pernas.

Então, em junho, no início do verão, o dia fatídico chegou.

Capítulo 37

Blumenberg, Alemanha
6 de janeiro de 2007

— Então foi assim que meu pai e Mesut se tornaram amigos? — perguntei tão logo Marcus terminou de me contar sobre a fuga do meu pai, Mariele e os demais prisioneiros de Plaszow.

— Sim, Hugo. Mesut me contou tudo isso muito tempo depois — disse o velho alemão. — Como está a garota?

— Seu pulso está fraco — falei, segurando o pulso de Valesca. Seu casaco estava encharcado de sangue e eu mantinha um pedaço de pano pressionado contra o ferimento. — Ela não vai conseguir, Marcus.

— Estamos chegando — ele disse. — Ela tem que aguentar só mais um pouco.

— Chegando aonde? — insisti, em tom de desespero. — Se ela morrer...

Marcus suspirou. O sangue que escorria do ferimento em sua testa parecia ter estancado, deixando um rastro de sangue coagulado. Porém, seu ombro estava péssimo. Fosse como fosse, aquele octogenário era duro na queda.

— Quando você veio a Colônia, tinha a intenção de encontrar Mariele Goldberg. Agora, estou levando você até ela.

— Mariele Goldberg?! — eu me surpreendi. — Por quê?! Deveríamos estar indo a um hospital!

— Mesut tem razão. Mariele é a única que pode salvar sua amiga, Hugo — disse Marcus. — Além disso, se fôssemos a um hospital, não tardaria para meus colegas da *Verstecktstudiumliga* nos encontrarem.

Meu coração disparou. De fato, Mariele Goldberg estava viva e eu estava prestes a encontrá-la.

O Mercedes Benz de Marcus saíra havia alguns minutos da autopista e ganhara uma estrada de terra. Todo o caminho era ladeado por um vasto campo que, na primavera, devia se transformar em um tapete de flores, mas que, naquela época, estava coberto por um verde sem vida e pontos brancos.

— Esta região é chamada de Blumenberg, que significa Montanha das Flores. Na verdade, estamos em uma região rural de Colônia. Também é uma região mais alta, por isso, o povo daqui a chama de *montanha*.

Eu ignorei a explicação de Marcus. Tomei outra vez o pulso de Valesca. Sua vida estava se esvaindo.

— Marcus, temos que ir mais depressa! Ela está morrendo! — clamei.

O trajeto, previsto para demorar vinte minutos, já nos tinha tomado mais de meia hora. Valesca estava sendo uma guerreira por aguentar, mas eu temia pelo pior.

Marcus sinalizou para que Osman entrasse por uma estradinha de terra à direita; o turco obedeceu. O terreno acidentado fazia o carro trepidar.

— Ali — apontou Marcus em direção ao horizonte.

Inicialmente era apenas um ponto cinza, mas, conforme nos aproximávamos, o objeto ia ganhando a forma de uma pequena casa de madeira e pedra, de cuja chaminé saía um braço de fumaça. Ao redor da pequena casa, galinhas ciscavam o chão. Havia também um cachorro vira-lata preso em um cercado de arame-farpado. Ele latiu ao ver o carro, mas abanou o rabo para Marcus quando este desceu do veículo.

Osman abriu a porta de trás e suspendeu Valesca pelos ombros.

— Espera! — gritei. — Eu... não sinto o pulso.

Meu olhar cruzou com o de Marcus e o de Osman. Apesar de não entender português, o turco parecia compreender o que estava havendo.

— Ela morreu, Marcus — eu disse, em prantos.

Osman retirou o corpo sem vida de Valesca do carro, suspendendo-o em seus braços. Eu desci do veículo cambaleando e, assim que coloquei os pés no chão, vomitei, apoiando-me na porta para não cair.

Caminhando com dificuldade, Marcus cruzou o pequeno terreno de terra e cascalho, ignorando o cachorro, que latia querendo chamar sua atenção. Com o braço bom, bateu na porta. Uma moça de cabelos loiros presos em forma de trança, que parecia ter saído de uma propaganda de chocolate suíço, abriu a porta.

Ao ver Marcus, deu um sorriso; porém, notando seu ferimento e o corpo imóvel de Valesca nos braços de Osman, o sorriso se fechou, dando lugar a um olhar de espanto.

— *Josepha, rufen Mariele. Now!* [Josepha, chame Mariele. Agora!] — disse Marcus, em tom ríspido.

A moça retornou para o interior da casa, deixando a porta aberta. Marcus sinalizou para que eu e Osman entrássemos.

Por dentro, a casa era ainda mais simples do que aparentava externamente. A porta de entrada dava para uma cozinha mobiliada com armários antigos e uma mesa com quatro lugares. Uma porta ampla ligava a cozinha à sala. À direita, havia uma segunda porta, onde devia ser o quarto. Não encontrei o banheiro, de modo que deduzi que este ficava interligado ao quarto, como em uma espécie de suíte rústica.

A moça loira reapareceu na porta da sala. Ela empurrava uma cadeira de rodas que acomodava uma senhora de aspecto físico bastante maltratado. Tinha cabelos brancos e ralos, presos num coque. Usava um xale cor de vinho e vestido preto.

Ao ver o ferimento de Marcus, a mulher pegou em sua mão e lançou-lhe um olhar preocupado. Trocaram algumas palavras em alemão e, depois, a senhora me encarou com curiosidade. Vi seus olhos pequenos e fundos marejarem e, então, ela perguntou, olhando diretamente para mim:

— Olaf?

Não restava dúvida. Eu estava diante de Mariele Goldberg.

— *I'm his son* [Sou filho dele] — eu disse, em inglês, sem saber ao certo se seria entendido. — *My name is Hugo. Hugo Seemann* [Meu nome é Hugo. Hugo Seemann.]

Como pequenos cristais, dois fios de lágrimas caíram pelo rosto de Mariele. Suas mãos, soltas sobre o braço da cadeira de rodas, tremiam. Notei os dedos tortos, judiados.

"Herança de Plaszow", pensei.

Marcus interrompeu a cena. Ele gesticulava, apontando em direção a Valesca. Explicava a Mariele, em alemão, o que havia acontecido. Ao terminar de ouvir, a velha senhora gesticulou, pedindo para que Osman levasse Valesca para o quarto.

— O que vão fazer com ela? — perguntei, segurando Marcus pelo casaco. — Ela está morta!

— Saia para tomar um ar e fique calmo, Hugo — disse Marcus, agarrando minha mão e desprendendo-a da manga de seu casaco.

Osman e Mariele sumiram quarto adentro com o corpo de Valesca. A moça, Josepha, precipitou-se a pegar uma caneca e colocar água para ferver. Também apanhou uma bacia e deixou-a sobre a pia.

— Saia da minha frente — eu disse, empurrando Marcus, quase lançando-o ao chão.

— Hugo!

Em vão, o velho alemão tentou me impedir. Entrei no quarto e vi o corpo de Valesca sobre a cama. Osman havia tirado seu casaco e rasgado sua blusa. Sua barriga nua estava coberta por sangue. Usando um pano, o turco pressionava o ferimento. Ao seu lado, Mariele, com o tronco curvado em direção ao rosto de Valesca, balbuciava algo em tom de murmúrio.

Depois, pousou a mão sobre sua testa e fechou os olhos. Ainda que estivesse aparentemente serena, aquilo parecia lhe drenar uma energia enorme.

Permaneci parado junto à porta, atônito. Como num espasmo, o corpo de Valesca se contorceu. Seu abdome foi lançado para cima, formando um arco em suas costas. Em seguida, seu corpo caiu sobre o colchão; notei que a respiração havia retornado. Seu peito subia e descia, como se lhe tivessem injetado oxigênio.

— Ela... está viva... — murmurei. — Como?

— Venha, Hugo. — Marcus me puxou pelo braço. — Deixe que Mariele cuide de Valesca agora. Venha.

Saí, dando passagem para que Josepha entrasse no quarto segurando uma bacia de água quente e panos. Empurrando a porta com o pé, a garota me trancou do lado de fora, na cozinha.

— Sente-se. Agora, só nos resta esperar — disse Marcus, soltando o corpo sobre a cadeira. Sua mão estava sobre o ferimento do ombro. Tinha a tez pálida e os lábios azulados.

— Marcus, você precisa de cuidados também — eu disse, ofegante.

— Eu ficarei bem. Sente-se, rapaz — insistiu.

Sentei-me e cobri o rosto com as mãos. Eu estava chorando novamente.

— Ela está viva! Ela está viva!... — repeti. E, em tom mais alto, agradeci: — Obrigado, meu Deus!

Eu nunca havia pronunciado aquelas palavras em minha vida. Ou, se o fizera, tinha sido havia tanto tempo que não me lembrava mais.

Olhei na direção de Marcus. Ele sorria.

— O que você acaba de experimentar, Hugo, eu vivenciei há quase sessenta anos — ele disse. — No dia em que Heinz Gröner morreu em Plaszow, o olhar de Mariele Goldberg entrou em mim de tal maneira que, enfim, eu compreendi e aceitei Deus. Naquele dia, minha vida mudou.

— No dia em que meu pai fugiu de Plaszow? — perguntei, enxugando as lágrimas.

— Isso. Naquele dia — Marcus parecia ver um filme passar diante de seus olhos —, eu renasci. Ela me olhou e foi como se dissesse que me perdoava pelo que eu tinha feito. Me perdoava por tê-la violentado. Por ter matado gente do seu povo. Por ter tido tanto ódio em meu coração.

Josepha saiu do quarto. Tinha um semblante tenso, preocupado. Gesticulou para que Marcus tirasse o casaco. Com uma tesoura, rasgou sua blusa, deixando a pele do seu braço exposta.

Desviei o olhar quando o buraco da bala apareceu.

— A bala entrou e saiu — disse Marcus. — Acho que dei sorte.

— Sorte? Tem um rombo no seu ombro! — eu disse, sentindo náusea.

— Alguns pontos e ficarei novo em folha — ele falou. — Quando eu estava na Juventude Hitlerista, costumava participar das competições de luta greco-romana. E vencia. Acredite, já sofri ferimentos piores.

Josepha molhou um pano com álcool e colocou sobre a ferida. Depois, apanhou uma caixa de primeiros-socorros da gaveta do armário e colocou-a sobre a mesa.

— Como está Valesca? Por favor, pergunte como ela está — pedi a Marcus, que, em alemão, repetiu minha pergunta a Josepha.

— Eles tiraram a bala — disse Marcus, depois de ouvir a resposta. — Mas a moça perdeu muito sangue. Mariele fez sua parte, Deus também. Agora, é com sua amiga, Hugo. Ela tem que fazer a parte dela e querer viver.

Suspirei, coçando a testa. Como se estivesse habituada a fazer aquilo, Josepha costurou o ombro de Marcus. Este, por sua vez, não emitiu um gemido sequer. Quando terminou o trabalho, deu para o velho alemão dois comprimidos: um analgésico e um anti-inflamatório.

— Vamos lá fora um pouco, tomar um ar — disse Marcus, sinalizando em direção à porta. — Acho que temos muito o que conversar, afinal. Você tem perguntas, e eu tenho as respostas. O que acha, jovem Seemann?

Concordei.

— Venha cá. Me ajude a vestir esta coisa — disse Marcus, lutando para colocar o casaco grosso de náilon com apenas um dos braços.

Ajudei o velho a se vestir e saímos. Ele se sentou em um banco de madeira que estava junto à parede externa. Eu me acomodei sobre uma velha lata de tinta. O frio estava aumentando com o cair da tarde.

Capítulo 38

Liptovský Svätý Mikuláš, Eslováquia
5 de junho de 1944

Não tardou para que Mesut se mostrasse totalmente correto nas suas previsões. Nos meses seguintes, a política na Europa Central tornara-se caótica. Depois de quatro anos de expansão, Berlim se preparava, de maneira estratégica, para defender suas fronteiras. As vitórias soviéticas a leste, e dos chamados Países Aliados a oeste, encurralavam Hitler e suas tropas. A sorte havia mudado em definitivo.

Outro importante aliado da Alemanha, a Itália, sucumbia. Ainda que tivesse escapado da prisão, Benito Mussolini mostrava-se incapaz de coordenar uma reação efetiva contra as tropas aliadas, que já ocupavam parte de seu país.[26]

Na Eslováquia, os órgãos políticos de fiscalização começavam a apertar o cerco. Direita e esquerda agiam, digladiando-se pelo controle do país,

---

[26] Deposto e preso em 1943, Benito Mussolini (Benito Amilcare Andrea Mussolini), aliado histórico de Adolf Hitler, foi libertado pelos alemães e conduziu um foco de resistência nas regiões da Itália que ainda não estavam ocupadas pelas tropas dos países aliados. Com a derrota da Itália, foi capturado e executado em abril de 1945, quando tentava fugir para a Suíça.

prontos para abocanhar o espólio de guerra que seria deixado pelo Terceiro Reich. As visitas de oficiais e membros do alto escalão da política regional e local à propriedade de Stanski tornaram-se constantes. O objetivo diferia; às vezes, o foco era sondar o posicionamento político de Rudolph; em outras ocasiões, extorquir dinheiro. Tanto nazistas eslovacos quanto comunistas recorriam às famílias abastadas com o pretexto de financiar a preservação ou a mudança do regime.

Diante desse cenário, Mesut, por meio de Rudolph e seus contatos em Bratislava, Varsóvia e Praga, articulou para que os cinco ex-prisioneiros judeus fugissem. Certa noite, chegou à casa em que residíamos com uma caixa de papelão contendo passaportes falsos e outros documentos necessários.

— O que é isso? — *perguntei ao me deparar com o grupo reunido na sala.*

— Eles vão deixar a Eslováquia — *disse Mesut.* — Não é mais seguro aqui. Os nazistas estão estrangulando o país de um lado e os comunistas se alvoroçam do outro. Logo, este país estará destroçado.

— O que quer dizer? O que tem na caixa? — *perguntei, acendendo um cigarro.*

— Passaportes. E outras coisas de que precisarão.

Troquei olhares com os cinco judeus. Eles estavam visivelmente assustados.

— Mesut, já falamos sobre isso. Não pode tirar a esperança dessa gente...

— Se ficarem aqui, vão morrer. Stanski vem recebendo ameaças veladas. Ele tem esposa e filhas. Está com medo. Teme por elas. — *Ele suspirou, mantendo um cigarro preso à boca.* — Eu já arranjei tudo. Vai dar tudo certo. Eles sairão da Europa por Kiev como cidadãos eslovacos. De lá, vão de barco até Buenos Aires.

— Buenos Aires? América do Sul?

— É seguro — *disse Mesut.* — Nos últimos tempos, a Argentina tem aberto as portas aos judeus refugiados.

Ele se levantou e caminhou na minha direção.

— Olaf, se eu fosse você, iria com eles. Como desertor, será executado sumariamente se a SS puser as mãos em você.

— Mariele está no sétimo mês, Mesut — respondi. — Suas pernas estão fracas, ela tem enormes dificuldades para andar. Quase não se levanta, a não ser com ajuda. Não conseguirá partir. E não vou deixá-la para trás.

— Eu cuido dela. Juro que farei o possível, dando minha vida se preciso for. Mas você tem que ir. Posso colocar você fora da Europa em três ou quatro dias.

Eu estava decidido. Não deixaria Mariele para trás. Não desta vez. Não depois de ter feito tanto mal a ela, de ter matado sua gente. Eu não pensava em mim; se para defendê-la eu tivesse que morrer, aceitaria tal destino sem hesitar.

Contudo, o destino tinha traçado outros planos para mim. E nunca mais eu encontraria Mariele de novo.

Liptovský Svätý Mikuláš, Eslováquia
17 de junho de 1944

Na noite de 17 de junho, precisamente às 19h10, Mariele me chamou. Eu estava lendo o jornal de três dias atrás. Mesut havia me trazido da casa dos Stanski. Restávamos apenas eu e Mariele na casa; Ariela, Dalice, Wladmir, Ben e Levi haviam partido na calada da noite do dia 7 rumo a Kiev, portando passaportes eslovacos; novos nomes, novo passado. Embarcaram para uma nova vida em Buenos Aires. Desde então, nunca mais soube deles.

Mesut passou a se ausentar com mais frequência. E, quando aparecia, estava sempre nervoso, fumando um cigarro atrás do outro.

Ao ouvi-la chamando, larguei o jornal e corri para o quarto. Ela estava transpirando e sentindo fortes dores.

— As contrações — ela disse. — O bebê vai nascer.

— Agora?! Mas é o sétimo mês. Ele não pode...

— Olaf, por favor. Por tudo o que é mais sagrado, não deixe meu filho morrer. Por favor...

Notei sangue no lençol. A situação era crítica.

Sem pensar duas vezes, deixei Mariele sozinha e corri para o lado de fora. Atravessei a grande extensão de terra que separava o casarão dos Stanski das casas dos empregados. Depois de quase vinte minutos, cheguei em frente à porta do casarão e a esmurrei repetidas vezes até ser atendido.

A senhora Stanski, visivelmente aturdida, abriu a porta.

— Perdão, senhora, me perdoe... — eu disse, ofegante. — Mas Mariele precisa de um médico. Agora. O bebê... o bebê vai nascer.

— Santo Deus! — exclamou Sasha. — Rudolph! Venha cá!

Rudolph Stanski apareceu diante de mim de calça, suspensório e camiseta. Tinha um cálice de licor em uma das mãos e um charuto na outra.

— Rudolph, Mariele... o bebê... — foi tudo o que consegui dizer.

Imediatamente, Stanski me conduziu até a caminhonete. Antes, mandou que Sasha avisasse Gertrudes que havia um parto a ser feito. Já no carro, enquanto nos dirigíamos para junto de Mariele, perguntei a Stanski quem era Gertrudes.

— Ela é a esposa de um de meus empregados mais antigos, o preferido do meu pai. É uma senhora que já fez de tudo na vida, inclusive, ajudou muitas crianças a nascer. Minhas filhas estão entre elas.

Um pouco mais relaxado, respirei fundo. Stanski estacionou a caminhonete ao lado da casa e descemos. Mariele ainda sentia dores e havia mais sangue. Caído perto da cama, estava um agasalho de tricô semiacabado e agulhas.

— Esquente água, Olaf — disse Stanski. — Não entendo muito de bebês, mas já vi a Gertrudes trabalhar. E ela vai lhe pedir isso. E mantenha a calma, pelo amor de Deus!

Fiz o que me mandou. Meia hora depois, Gertrudes, acompanhada de duas outras empregadas, chegou e, sem muita conversa, dirigiu-se para o quarto.

— O bebê está com pressa de nascer — disse ela, verificando a temperatura de Mariele, que gemia de dor. — Vocês, vão lá para fora! — disse, referindo-se a mim e a Stanski.

Do lado externo da casa, acendi um cigarro. Stanski fez o mesmo. Fumamos três cigarros seguidamente, em silêncio. Então, ele disse:

— Olaf, posso lhe dar um conselho? Se eu estivesse no seu lugar e meu filho acabasse de nascer, sairia quanto antes da Europa. Vá para a América. Ou para a América do Sul, Austrália. Pense na criança.

— Não posso viajar com Mariele nesse estado — falei.

Stanski suspirou. Olhou para as estrelas, que pontilhavam o céu de verão.

— Mesut me contou algumas coisas. E, também, não sou nenhum idiota. Mariele era prisioneira. E judia. Você é um ex-soldado da SS. Essa criança...

— Stanski tragou e soltou a fumaça. — Essa criança não pode ser sua. Ou pode?

Não respondi. Mordisquei o lábio e olhei para o chão. Eu sentia uma vergonha avassaladora. A culpa pesou sobre meus ombros a ponto de eu sentir meus pés afundarem na terra.

Stanski estava parcialmente certo. Eu não sabia se a criança era minha. Ou de Heinz, ou de Marcus, ou de qualquer outro soldado ou oficial. Heinz e Marcus haviam dito que Mariele se deitara com vários soldados em troca da vida de outros prisioneiros. Também fora violentada. Aquela criança era um fruto amaldiçoado.

De repente, qualquer vestígio de alegria que havia em meu coração desapareceu. Quem era eu? Ou aquela criança? Eu não tinha mais identidade. E aquele ser que estava para chegar ao mundo tampouco. Éramos, de certo modo, um monte de lixo. Dejetos, excrementos deixados para trás pela política antissemita de Hitler.

— Está bem — disse Stanski. — Não precisa responder, se não quiser. Mas pense a respeito.

E, de fato, eu pensei a respeito. Ainda hoje, quando escrevo estas linhas, eu penso sobre tudo o que houve. O que fiz e o que me tornei.

Quase uma hora depois da chegada de Gertrudes à casa, ouvimos um choro fraco vindo do quarto. Stanski foi o primeiro a entrar. Entrei em seguida.

Gertrudes trazia um bebê miúdo enrolado em um pano. A criança era pequena e chorava com um fio de voz.

— O bebê está bem? — perguntei, aproximando-me da criança.

— Ela é forte. Mais forte que a mãe dela, sabia? — disse Gertrudes, balançando a bebê no colo.

— Ela?!

— Sim. É uma menina.

Olhei para a pequena nos braços da parteira. Totalmente desprotegida, indefesa. Lutando pela vida. Tentei identificar algo de mim na criança; um traço, uma marca. Ela franziu a testa e chorou fraquinho. Uma imagem tenebrosa me passou pelos olhos.

— Heinz!...

A criança tinha as feições de Heinz. Ou não? Eu estava delirando, enxergando o que queria ver? Naturalmente, um recém-nascido não tem os traços definidos. Qualquer semelhança com os pais ou parentes se esconde por alguns dias por trás da pele enrugada e vermelha.

Esfreguei os olhos, tentando espantar o pensamento.

— E Mariele? Ela está bem?

A expressão de Gertrudes se tornou séria.

— Fiz o que pude pela menina, senhor Stanski.

A mulher respondia à minha pergunta, porém, dirigia-se ao seu patrão.

— A pobrezinha estava muito fraca. Não tinha condições físicas de gerar um filho. Além disso, a criança custou a sair. Tive que forçar, foi tudo muito doloroso e delicado.

— O que houve com Mariele? — insisti.

— Ela precisa ver um médico — disse Gertrudes. — Nas condições em que está, não conseguirá nem amamentar.

Soltei o corpo sobre o sofá. Meu mundo estava desabando mais uma vez.

— Vou chamar o doutor Kovak. Fique com a menina, Olaf — disse Stanski, saindo pela porta.

— Voltarei para o quarto para cuidar da garota Mariele — disse Gertrudes, dirigindo-se a mim pela primeira vez. — Se o senhor precisar de algo, é só me chamar. Logo poderá vê-la também.

Sorri discretamente. No fundo, eu agradecia a oportunidade de ficar sozinho. As feições da bebê não saíam da minha cabeça. As feições do meu amigo Heinz, o homem que eu havia matado.

Capítulo 39

Liptovský Svätý Mikuláš, Eslováquia
1º de agosto de 1944

Mariele deu o nome de Martha à criança. Enquanto assistia à sua saúde se tornar cada vez mais frágil, ela contemplava o desenvolvimento da menina, que engordava e superava os riscos de morte de um bebê prematuro.

Segundo o doutor Kovak, a bacia de Mariele sofrera danos irreversíveis. As causas teriam sido os maus-tratos em Plaszow, culminando com o parto difícil. Ela só conseguia se levantar da cama com ajuda e caminhava com bastante dificuldade. O problema seria progressivo, segundo diagnosticara o médico, e pioraria com o tempo e a idade.

Porém, a alegria de ter a filha nos braços e amamentá-la pareciam dissipar qualquer sombra de tristeza em Mariele. A única coisa que, de fato, aparentava incomodá-la era meu gradual distanciamento. Obviamente, eu agia daquela maneira sem perceber; mas, analisando hoje minhas atitudes, estava claro que eu não conseguia olhar para a criança sem enxergar rostos do passado que voltavam para me assombrar.

Além disso, eu me convenci de que Martha era a personificação de minha culpa por tudo o que havia acontecido a Mariele e pelas pessoas que eu matara em Plaszow. Uma semente plantada por Deus para me lembrar, sempre, de minha existência miserável.

Eu passava a maior parte do dia fora, imerso nos trabalhos na propriedade de Stanski. Quando retornava para junto de Mariele, esforçava-me para tratá-la bem. Mas tudo havia mudado. Minhas ações não refletiam amor, mas sim cordialidade. Às vezes, pena ou culpa. Era algo mais forte do que eu, que dominava minha mente e coordenava minhas ações.

Fosse como fosse, o destino novamente comandava as coordenadas de minha vida, traçando a tênue linha que me guiaria até o dia 1º de agosto, uma terça-feira, quando, por fim, minha sorte, a de Mariele e a da pequena Martha foram decididas.

Naquele dia, nas primeiras horas da manhã, dois oficiais do governo chegaram à porta dos Stanski. Mesut me contou horas depois o que ocorrera. Ele me encontrou no seleiro rastelando o feno e, tão logo me viu, disse:

— Olaf, você precisa voltar para a casa. Agora!

— O que houve? — perguntei, enxugando a testa com um lenço. — Alguma coisa com Mariele ou com o bebê?

— Pior. — Mesut segurou meus ombros e me olhou nos olhos. — Rudolph foi preso esta manhã.

— O quê?

— Sasha estava nervosa e não conseguiu me dar muitas informações — ele continuou —, mas parece que Rudolph está sendo acusado de alta traição pelo governo. Ele foi levado para um "interrogatório amistoso". Foi essa a expressão que usaram. Mas eu e você sabemos o que isso significa.

Extraoficialmente, o governo da Eslováquia apoiava a Alemanha, ainda que, oficialmente, seu discurso fosse de neutralidade. Os grandes centros do país estavam prestes a explodir em guerra civil em razão do embate entre aliados de Hitler, do governo e os comunistas, que apoiavam a intervenção das tropas soviéticas.

— Olaf, é questão de tempo até os soldados ou a polícia chegarem aqui. Você e Mariele precisam fugir.

— Como, Mesut? Mariele mal consegue ficar em pé!

— Daremos um jeito. Vamos, depressa!

Voltamos correndo até a casa. Mesut ficou na sala, enquanto que eu me dirigi ao quarto para dar a notícia a Mariele. Ela estava deitada, com os seios nus, dando de mamar a Martha.

— Mariele, prenderam Stanski. Precisamos fugir daqui — eu disse, tão logo a vi.

— Fugir? Mas e Martha, Olaf? Eu não posso... — Seu semblante tornou-se pesaroso e tenso. Era como se, de repente, toda a alegria se esvaísse do seu corpo.

— Mesut nos ajudará. Vamos, depressa!

— Eu não consigo andar, Olaf.

— Eu te ajudo.

Pedi que Mariele trançasse os braços pelo meu pescoço. Com o lençol, amarrei sua cintura à minha. Sustentei-a pelas pernas e, num impulso, a ergui da cama.

Mesut entrou no quarto e pegou Martha no colo. Havia uma arma em sua cintura, escondida sob a camisa deixada de propósito para fora da calça.

— O que faremos? — perguntei a ele.

— Vamos a pé pelo campo até chegarmos a uma estrada. Depois, pegamos carona até Sainkt-Nikolau.

— Carona? — Eu estava descrente. — Mesut, não vamos conseguir!

— Vamos, sim! — Ele me encarou. — Eu cuidarei de vocês. E, você, Olaf, cuidará de Mariele e do bebê. Fui claro?

Assenti com a cabeça. Nunca o havia visto tão decidido.

Uma vez prontos, corremos pelo campo, cuidando para não sermos vistos pelos outros empregados. Eu corria com Mariele presa às minhas costas, o que retardava um pouco mais os movimentos. Mesut levava Martha no colo, enrolada em um pano. Somente o topo nu de sua cabecinha estava à vista.

Durante o percurso, tive que parar duas vezes para recuperar o fôlego. A agitação também fez Martha começar a chorar.

— Não estamos longe da estrada — disse Mesut, entregando Martha a Mariele. Assim que sentiu o colo da mãe, a menina ficou em silêncio.

Limpei o suor da testa. Era verão e fazia calor. Suspendi Mariele outra vez, prendendo-a às minhas costas. Ela entregou o bebê a Mesut e nos colocamos em movimento de novo.

Cruzamos uma extensa planície verde até avistarmos uma estrada de terra. Aceleramos os passos e, em minutos, estávamos à beira do caminho, esperando algum veículo passar.

— Sainkt-Nikolau fica naquela direção — disse Mesut, apontando para oeste. — Vamos caminhando. Com sorte, cruzaremos com alguma boa alma que nos dará carona.

O trajeto foi se transformando em uma via sacra conforme o cansaço e a tensão iam nos vencendo. Havíamos caminhado cerca de meia hora sem cruzar com ninguém.

— O que faremos exatamente quando chegarmos à cidade, Mesut? — eu perguntei.

— Vamos encontrar uns amigos — ele respondeu, sem tirar os olhos da estrada. — Eles vão ajudar a tirar você do país.

Martha havia começado a chorar de novo. A cada passo meu, Mariele gemia; sua bacia doía, mas ela não reclamava. Apenas emitia gemidos abafados e, quando eu olhava para ela de soslaio, a via sorrindo.

De repente, Mesut colocou a mão em meu peito, parando meus passos.

— Saiam da estrada. Agora! — ele disse, me puxando para fora do caminho de terra. Acomodamo-nos atrás de um pequeno arbusto. Martha chorava e foi preciso cobrir sua boca com a mão.

Cruzando a via, um jipe com quatro soldados do governo passou por nós, deixando para trás um rastro de poeira. Felizmente, os soldados não nos viram. Mesut havia salvado nossas vidas mais uma vez.

— Estão indo para as terras dos Stanski? — perguntei a Mesut.

— Não sei — ele disse, sentado na grama e acendendo um cigarro. — É possível.

Soltou a fumaça para o alto e, já em pé, falou para partirmos.

Mais cautelosos, voltamos a caminhar. Chegamos a um entroncamento onde havia uma placa com o nome de Liptovský Svätý Mikuláš. Parada junto ao poste de madeira que sustentava a placa, uma mulher de compleição física robusta e lenço na cabeça parecia esperar por algo. Tinha os braços gordos cruzados à altura do peito. Aos seus pés, havia uma cesta com maçãs.

— Será que ela nos daria uma maçã? — cochichei no ouvido de Mesut.

— Eu não falo eslovaco. Você tampouco. Vamos ficar quietos e passar por ela com discrição.

Foi o que fizemos. A mulher nos cumprimentou, meneando a cabeça. Respondemos ao aceno, fazendo o mesmo.

Demoramos mais uma hora até avistarmos a cidade de Sainkt-Nikolau no horizonte. Os telhados pareciam pequenos pontilhados na paisagem que tinha as Montanhas Tatras ao fundo.

Os gemidos de Mariele aumentaram, o que significava que ela estava sentindo muita dor. Mesut voltou a pegar a pequena Martha nos braços e andamos o mais depressa possível em direção aos limites da cidade.

Caminhamos pela via pavimentada até encontrarmos uma praça, com fonte e um chafariz em forma de garça. Agachei-me, acomodando Mariele sentada no beiral. Depois, soltei os nós do lençol. O tempo todo mantive a mão sustentando suas costas para que não perdesse o equilíbrio e caísse. Em seguida, enfiei a mão sob a água corrente que saía do chafariz e coloquei na boca de Mariele. Estava gelada, mas ela bebeu com avidez. Mesut fez o mesmo, dando água a Martha.

Estávamos cansados, mas vivos.

— Vocês ficam aqui — disse Mesut, deixando Martha no colo de Mariele e, depois, jogando água no rosto. — Tentem agir com normalidade. Como um casal do campo que está descansando após uma longa caminhada na estrada. Eu já volto.

— Tome cuidado, Mesut — disse Mariele.

— Cuidem-se também — e, dizendo isso, Mesut pôs-se a caminhar pela rua estreita, sumindo entre as vielas.

Blumenberg, Alemanha
6 de janeiro de 2007

—V ocê está me dizendo que essa... Martha... é filha de Mariele Goldberg?

Meu coração estava disparado. Marcus havia me contado exatamente o que ouvira da boca de Mesut, testemunha ocular de tudo.

— Sim. Martha foi o nome dado à criança — repetiu Marcus.

— E essa menina... Martha... — eu disse, molhando os lábios secos com saliva. — Marcus, na carta que meu pai me deixou, ele me pedia para encontrar uma tal de Martha Fischer. Elas são a mesma pessoa? Ou seja, estamos falando da mesma Martha?

Marcus suspirou. Ele me olhava com curiosidade. Devia estar refletindo sobre o porquê de eu ter ficado pálido e tão nervoso.

— Isso mesmo — ele respondeu. — A menina Martha deixou a Europa em 1944 rumo ao Brasil, onde viveu uma vida tranquila como Martha Fischer, aparentemente, ignorando seu passado.

Enterrei os dedos nos cabelos. Apoiando os cotovelos nos joelhos, mantive os olhos cravados no chão.

— Fischer — prosseguiu Marcus — foi o sobrenome falso que seu pai escolheu para fugir da Eslováquia. Na verdade, foi um trocadilho interessante, se levarmos em consideração o sobrenome de vocês, Seemann.[27] Ele optou por dar o mesmo sobrenome ao bebê, já que deixaram o país como pai e filha.

Liptovský Svätý Mikuláš, Eslováquia
1º de agosto de 1944

Mesut *retornou quase uma hora depois. Andava apressado e olhava com nervosismo para os lados.*

Nós havíamos permanecido na praça, esperando que retornasse. Escorada no meu corpo, Mariele amamentava Martha, que sugava seu seio

---

[27] Marcus se refere, aqui, ao significado do sobrenome de Hugo e Olaf, Seemann, que quer dizer "homem do mar" ou marinheiro, em alemão. Por sua vez, Fischer significa "pescador", ou seja, também um homem que vive no mar.

com vontade. Delicadamente, Mariele havia protegido a cabecinha do bebê do sol forte com o mesmo pano que enrolava seu pequeno corpo, improvisando uma espécie de gorro.

— Venham comigo — Mesut disse, sem delonga, assim que se aproximou de nós.

— Martha está mamando — falou Mariele, pedindo que Mesut esperasse.

— Não temos tempo. Um amigo está aguardando vocês.

Mariele cobriu o seio, ainda que sob o protesto da pequena Martha, entregue aos braços de Mesut. Utilizando o mesmo lençol, tornei a prendê-la em minhas costas e seguimos nosso amigo turco pelas ruas de Sainkt-Nikolau.

Ainda que houvesse tensão pairando no ar, o comércio funcionava normalmente e as pessoas caminhavam nas ruas tentando levar a vida adiante, como em outra terça-feira qualquer.

Entramos em uma viela íngreme cujo pavimento era de pedra. Subimos até a metade do quarteirão e paramos diante de um sobrado pequeno de porta vermelha. Notei quando Mesut segurou o cabo de sua arma, que ainda estava enfiada na calça.

— Sou eu — meu amigo disse para alguém que, supunha-se, estava do outro lado.

A porta se abriu em uma fresta. A testa calva de um homem de meia-idade surgiu e, após se certificar de que se tratava mesmo de Mesut, ele escancarou a porta para nós.

— Entrem rápido, entrem — disse ele, em alemão.

— Este é Ivan — apresentou Mesut. — Pelo menos, é assim que o chamamos.

O interior da casa cheirava a madeira úmida e tabaco. Ivan era um homem miúdo, mas de gestos ágeis. Parecia bastante nervoso.

— Ivan, pode nos arrumar água? — pediu Mesut e, em seguida, apontou para um sofá antigo de dois lugares em que eu podia deixar Mariele e a bebê acomodadas.

Mariele bebeu rapidamente o copo cheio d'água trazido por Ivan. Com cuidado, gotejou um pouco do líquido na boca de Martha, limpando o excesso com a ponta dos dedos. Depois, tirou um dos seios de dentro da blusa e colocou na boca da bebê, que voltou a mamar.

— Coitadinha... está com fome — disse Mariele, praticamente ignorando tudo ao redor, como se o seu mundo se limitasse a Martha.

— Venha — disse Mesut, pousando a mão em meu ombro.

Deixei Martha e Mariele na sala e segui Ivan e Mesut por um estreito corredor até um escritório escuro e bastante bagunçado.

— Ivan é cartógrafo. Mas também nos ajuda bastante confeccionando documentos falsos — explicou Mesut.

Sem olhar na minha direção, o pequeno homem colou na ponta do nariz os óculos que estavam sobre a mesa. Sua testa brilhava contra a luz da luminária.

— Mesut me disse que você vai deixar a Europa — falou Ivan, em alemão. — Você é um ex-soldado?

— Olaf é confiável, Ivan. Acredite em mim — interveio Mesut. — Se não fosse ele, não teríamos conseguido tirar aquela gente de Plaszow.

— Que seja — disse Ivan, ainda com explícito mau humor. — Mas não gosto da ideia de ter em meu escritório um soldado que já saudou o demônio.

Ele arrumou os óculos e, pela primeira vez, olhou diretamente para mim.

— Sabe quantos amigos perdi na mão de seus amigos alemães?

Havia ódio naquele olhar. Um ódio que demoraria anos para se dissipar; que dividiria nações, separaria famílias. E que, é possível, não findaria nunca.

— Eu sinto muito — falei, consciente de meus pecados. Era um peso que teria que carregar pelos anos que me restavam.

Ivan suspirou. Destrancou a gaveta da escrivaninha e tirou de lá um formulário de documentação e um passaporte.

— Quem irá? Somente ele? — perguntou, dirigindo-se a Mesut.

— Não — respondeu Mesut, erguendo os olhos para mim. — Ele e a criança.

Ivan suspirou, arrumando outra vez os óculos. No mesmo instante, eu protestei:

— Do que está falando, Mesut? Eu e Martha?! Como assim?!

— Ouça, Olaf. Mariele não tem condições físicas de fazer uma viagem longa. Ela está fraca e, além disso, o corpo dela não aguentaria. A possibilidade de ela morrer no meio do caminho é grande. Ou, ainda, atrasar toda a operação e pôr nossas vidas em risco. A sua, a dela, a de Martha e a minha.

Eu balançava a cabeça, em desespero.

— Eu... como vou deixá-la? Como posso dizer a ela que vou abandoná-la de novo? Além do mais... como vou cuidar sozinho de um bebê?!

Mesut segurou meus braços. Seu olhar dizia tudo. Eu não tinha escolha. Ele e os demais membros da Befreiende Schatten já tinham traçado e decidido meu destino e o de Martha.

Ele acendeu um cigarro, depois o desprendeu dos lábios e me entregou. Em seguida, acendeu outro para ele. A fumaça logo infestou o pequeno cômodo, tornando o ambiente ainda mais inóspito.

— Nós cuidaremos de Mariele, Olaf — disse Mesut. — Eu juro que o manterei informado sobre ela. E tão logo haja condições, mandaremos Mariele ao encontro de vocês, em segurança. Tem minha palavra.

Comecei a andar em círculos, parando em um ponto qualquer do escritório. Meus olhos viam apenas a parede pintada de amarelo-creme. Ivan começou a falar:

— Eu estava ouvindo uma rádio alemã. A coisa está feia em Varsóvia. Ao que parece, nossos amigos da Armija Krazowa[28] estão em confronto com o governo nazista. Eles têm apoio dos soviéticos. A Polônia está fervendo.

— Uma revolução? — indagou Mesut.

— Uma tentativa, pelo menos — disse Ivan. — Depois das revoltas dos judeus nos guetos, a coisa só tem piorado. Agora, os líderes do governo deposto pela Alemanha estão agindo do exílio e capitaneando essa nova ofensiva da Armija Krazowa. É um tipo de crise anunciada. Em todo caso, qualquer plano de fuga pela Polônia é inviável.

---

[28] Grupo armado polonês. Em 1º de agosto de 1944, o grupo paramilitar *Armija Krazowa* organizou uma tentativa de contra-ataque ao governo nazista que ficou conhecida como "O Levante de Varsóvia". Contavam com o apoio do Exército Vermelho soviético, que se aproximava da fronteira da Polônia, e dos líderes do antigo governo, refugiados em Londres após a invasão alemã.

— Isso também nos impede de tentar tirá-los da Europa pela Alemanha ou França — disse Mesut. — Ou mesmo Estocolmo.

— Teriam que atravessar o território do norte ou rumarem para oeste. Seria suicídio — falou Ivan. — A melhor chance é por Kiev.

— Leste? Como os demais? — perguntou Mesut, apagando o cigarro em um cinzeiro abarrotado sobre a mesa.

— É o melhor jeito. Talvez o único. Além disso, temos bons amigos que nos apoiam em Kiev e Moscou.

— E quem irá recebê-los lá? — indagou Mesut, sentando-se diante de Ivan.

— Pavel está à frente da operação no front leste — disse Ivan. — Ele é o nome mais confiável da Befreiende Schatten na Ucrânia, ainda que seja sabidamente comunista.

— Se ele é a favor de ver a cabeça de Hitler numa estaca, está do nosso lado, de qualquer modo — Mesut disse, acendendo outro cigarro.

Ivan me encarou e gesticulou para que eu me aproximasse.

— Seu nome é Olaf, correto? — perguntou. Confirmei, meneando a cabeça. — Ótimo. A partir de agora, está prestes a ganhar uma nova vida. E sua bebê também.

Ele havia chamado Martha de minha bebê. Então me dei conta de que, desde que ela nascera, nunca tinha pensado nela como minha filha.

— Tem preferência por algum novo nome e sobrenome? — Ivan perguntou, abrindo o passaporte em uma folha em branco e pegando uma caneta tinteiro.

Eu me mantive calado. Precisava pensar.

— Anda logo, garoto — ele disse. — Não temos o dia todo. Posso pôr qualquer nome aqui. É uma identidade falsa que vai salvar a sua pele.

Suspirei e, então, disse:

— Heinz. Heinz Fischer.

Mesut me olhou com estranheza. Ivan tomou nota. Deixei o escritório e fui para a sala, me juntar a Mariele. Não disse nada a ela; apenas abracei-a com força e, pela primeira vez, beijei seus lábios.

Por sua vez, ela tocou minha testa com a ponta dos dedos. Olhamos para o rostinho de Martha, que dormia em seu colo tranquilamente.

— Oh, meu pobre Olaf... você é sensível como uma criança... — disse ela, sorrindo com doçura.

— Mariele...

— Vai tudo bem — falou, tocando meus lábios. — Você será forte. Por você, e por Martha.

Naquele instante, percebi que Mariele já sabia qual era o nosso destino. O meu, o dela e o da pequena Martha.

Ficamos calados e nos mantivemos abraçados até que Ivan e Mesut entraram na sala. O homem de compleição miúda me estendeu dois passaportes e uma pasta com novos documentos.

— Aqui estão — disse ele. — Sejam bem-vindos ao mundo, Heinz Fischer e pequena Martha Fischer.

Capítulo 40

Blumenberg, Alemanha
6 de janeiro de 2007

Dei as costas para Marcus e caminhei, zonzo, até perto do pequeno cercado dentro do qual o cachorro latia sem parar.

— É tudo o que sei, Hugo. Eu juro. Foi a versão dos fatos que Mesut me contou anos depois — disse. — Mariele, seu pai e a garotinha dormiram na casa do tal Ivan e, na manhã seguinte, Mesut colocou Olaf e Martha em um trem rumo a Kiev. Lá, eles foram recebidos pelo contato da *Befreiende Schatten*, que providenciou a partida de ambos para a América do Sul. Nesse meio-tempo, como era de se esperar, a saúde de Mariele piorou bastante. Suas pernas...

O latido do cachorro tornou-se mais estridente.

— Ela nunca mais conseguiu voltar a andar. Era como se simplesmente seu corpo tivesse entrado em pane, como uma máquina. Por outro lado, sua sensibilidade aumentou de forma considerável. Não tardou para que ela começasse a ser procurada por doentes e seus parentes para que realizasse curas.

O frio tinha aumentado. Com a mão boa, Marcus fechou o zíper da jaqueta. Eu permanecia de costas para ele, apenas ouvindo sua voz.

— A popularidade de Mariele começou a chamar a atenção. Inclusive dos nazistas. Isso tornou sua permanência em Sainkt-Nikolau perigosa para ela e para Mesut. Então partiram para o campo, mudando-se de abrigo em abrigo, sempre com a ajuda dos membros da *Befreiende Schatten*. Quando a guerra acabou e o Terceiro Reich caiu em 1945, tanto a Eslováquia como a Polônia estavam sob o domínio de Stalin. Mesut e Mariele, juntamente com outros membros da *Befreiende Schatten,* retornaram à Alemanha Ocidental.

— Eu... preciso te perguntar uma coisa, Marcus... — pressionei os dedos contra a grade do cercado. — Martha Fischer... ela era filha do meu pai? Era... minha irmã?

O olhar de Marcus tornou-se mais pesaroso. Depois de um longo suspiro, ele disse:

— Martha Fischer era uma criança que nasceu pela vontade de *Deus*. Depois de todos esses anos... foi assim que eu aprendi a enxergá-la. Ela foi gerada por meio de um ato estúpido de um bando de soldados embriagados, cegos pelo ódio. Eu, Heinz e os outros... todos fomos culpados pelo que houve com Mariele e somos responsáveis por Martha ter vindo ao mundo.

— Mas antes Mariele sofrera vários abusos. Martha poderia ser filha de qualquer outro soldado... — eu disse, tentando refugiar-me em alguma explicação que me trouxesse paz. Isso porque qualquer outra versão seria impensável para mim. Se Martha fosse filha do meu pai, eu havia tido relação sexual com minha *sobrinha*. Valesca.

— Sim, é uma possibilidade — disse Marcus. — Cheguei a perguntar a Mariele sobre isso várias vezes. Ela apenas dizia que Martha era sua filha. Um presente que Deus havia lhe dado e que era grata a Ele por isso. Respondia essas palavras com a maior serenidade do mundo.

— Então você também não sabe a verdade?

— Depois da guerra, quando Plaszow foi tomada pelos Aliados e Amon Göth, preso, passei três anos detido em Nuremberg. Temi que meu destino fosse o mesmo de outros colegas: o julgamento e a pena de morte. Porém, acho que tive sorte. Ou, quem sabe, tenha sido *intercessão divina*. Não sei — ele deu de ombros. — Eu fui condenado à prisão, mas não à morte. Interpretaram que eu seguia ordens. Isso é bastante irônico, porque eu tinha prazer em matar judeus. Não precisavam me mandar fazer isso; eu fazia por puro prazer.

Encarei Marcus. Aquilo era algo horrível de se ouvir.

— Eu sei — ele disse, olhando para mim. — É terrível admitir, mas eu estaria sendo hipócrita caso dissesse o contrário. Porém, desde o dia em que Heinz morreu, eu me tornara um novo homem. Meus dias em Plaszow depois da fuga dos prisioneiros transformaram-se num pesadelo. Foi meu purgatório por tudo o que eu havia feito. Quando saí da prisão em 1950, eu não sabia o que fazer da minha vida. Tentei cortar os pulsos uma vez, mas o que consegui foram apenas duas belas cicatrizes. Foi então que a *Verstecktstudiumliga* me localizou.

— *Verstecktstudiumliga?!*

— A organização de estudos do ocultismo que agia nos porões do Terceiro Reich. E que sobrevivera a Peter Lund, seu dirigente, cujo destino até hoje se desconhece. Eu estava vivendo em Hamburgo quando um cara chamado Wolff me apresentou uma pasta que continha o que eles chamavam de *Schwarze Dichtung*.

— O Selo Negro — eu afirmei.

— Isso mesmo. Você sabe do que se trata — disse Marcus. — Ali havia os casos ocorridos durante o governo de Hitler e que não tinham sido solucionados. Entre eles estava o de Mariele Goldberg, a menina judia que realizava curas milagrosas em Plaszow. A *Verstecktstudiumliga* me ofereceu ajuda, dinheiro e treinamento. Eles me queriam no caso de Mariele, uma vez que eu a havia conhecido enquanto servia na Cracóvia. Em 1951, comecei oficialmente a trabalhar para a *Verstecktstudiumliga*. Em outubro do mesmo ano, encontrei Mariele Goldberg vivendo nas imediações de Munique. Foi também quando conheci Mesut.

— Mas você não os entregou para a *Verstecktstudiumliga?* — deduzi.

— Não. — Marcus suspirou. — Na verdade, localizar e reencontrar Mariele tinham sido meus únicos objetivos ao aceitar entrar para a organização. Quando por fim a encontrei... — os olhos do velho alemão marejaram — ... eu só desejei protegê-la e compensar todo o mal que havia feito. De algum modo, pessoas como eu e seu pai fomos apenas outros dos tantos milagres que Mariele fez na vida. Peças num jogo maior de Deus.

— E como ela veio parar aqui?

— Eu sabia que não conseguiria protegê-la por muito tempo da *Verstecktstudiumliga*. Na época, a organização tinha uma atuação mais ativa do que hoje. Então, decidi escondê-la. Foi ela que me pediu para trazê-la a Colônia.

— Por que aqui?

— Não sei. Mas deduzo.— Marcus encolheu os ombros. — Colônia era berço de uma das pessoas que ela mais amou na vida. Seu pai, Hugo. Era uma forma de ela ficar perto de Olaf, ainda que não fosse seguro contatá-lo.

— Por isso ela nunca respondeu nenhuma das cartas do meu pai?

Marcus sinalizou positivamente com a cabeça.

— Mesut havia me contado sobre a fuga de Olaf. E que, também, ele estava morando no Brasil. Retransmiti a informação para a *Verstecktstudiumliga*, dizendo que não havia localizado Mariele, mas que seria prudente ficar de olho em Olaf Seemann, que fugira para o Brasil e vivia em Porto Alegre.

— E eles compraram a história. Por isso você foi morar no Brasil?

— Isso mesmo. Mudei de nome e recomecei. Casei, constituí família. O Brasil se tornou minha casa. Mantive Olaf sob minha vista todos esses anos, enquanto deixei Martha em paz, crescendo livre das suspeitas da *Verstecktstudiumliga*. Foi melhor assim. Mas eu sempre voltava à Alemanha e, secretamente, visitava Mariele. Aos poucos, ela foi se tornando conhecida por curar pessoas aqui em

Blumenberg também. Contudo, a *Verstecktstudiumliga* nunca conseguiu pôr as mãos nela.

— E o que houve entre você e meu pai, Marcus? Por que meu pai ficou tão transtornado?

Marcus ia responder quando Osman abriu a porta. Ele tinha um sorriso no rosto. Em alemão, trocou algumas palavras com Marcus que, depois, me traduziu:

— Eles tiraram a bala. Sua amiga ficará bem.

Em um primeiro momento, senti um alívio muito grande. Mas, logo, o peso retornou ao meu peito. Pensar em Valesca era pensar no maior erro que eu poderia cometer na vida.

— Marcus, há algo que você precisa saber — eu disse, antes de o velho alemão seguir Osman para dentro da casa. — É sobre Valesca.

Ele me lançou um olhar interrogativo.

— Valesca é filha de Martha — por fim, eu disse.

<hr />

— Eu soube que Martha havia morrido de câncer — disse Marcus, pesaroso —, mas não fazia ideia sobre a identidade da sua amiga.

Eu e Marcus trocamos olhares. Muito foi dito, sem uma palavra sequer ser pronunciada. A possibilidade de Martha ser filha do meu pai e, portanto, minha meia-irmã; a possibilidade de Valesca ser minha sobrinha; de eu e Valesca sermos mais do que amigos e, então, algo carnal e proibido ter ocorrido entre nós; a hipótese de Martha, já morta, ser filha de Marcus, de Heinz, ou de qualquer outro homem de quem Mariele sofrera violência. Ou, até mesmo, de Valesca, filha de Martha, ser sobrinha do velho alemão parado diante de mim.

— Pense nisso depois, Hugo — disse Marcus, quebrando o silêncio. — Por ora, o que importa é cuidarmos de sua amiga Valesca.

Marcus entrou na pequena casa de campo, seguido por mim. Josepha esquentava mais água no fogão, enquanto Mariele Goldberg empurrava sua cadeira de rodas para fora do quarto. Ela tinha um semblante cansado.

— *I need to see her* [Preciso vê-la] — eu disse. — *Can I see her, please?* [Posso vê-la, por favor?]

Mariele e Marcus trocaram olhares. Ficou muito claro para mim, naquele instante, que eles possuíam uma espécie de cumplicidade. Uma fidelidade mútua tecida por um fio invisível, baseado no perdão a um passado doloroso e terrível, quando eles estavam em lados opostos.

O velho alemão traduziu minha pergunta e Mariele gesticulou a ele, impaciente, como se já houvesse entendido.

— *I learned English and French when I was a school girl in Krakow* [Eu aprendi inglês e francês quando eu era estudante em Cracóvia] — ela disse. — *I don't know much, but I can take care of myself.* [Não sei muito, mas consigo me virar.]

Então, ela falou, olhando diretamente para mim:

— *You look like your father very much* [Você se parece muito com seu pai] — sua voz se tornou trêmula. — *When I met him, he was younger than you are now. But still, you have the same brightness in your eyes* [Quando eu o conheci, ele era mais jovem do que você, agora. Ainda assim, vocês têm o mesmo brilho nos olhos.]

Mariele deixou os ombros caírem e suspirou. Olhou para Marcus e disse a ele algumas palavras em alemão.

— Hugo, você pode ver a sua amiga. No entanto, ela precisa ser levada a um hospital — disse Marcus. — Mariele fez o possível e sua amiga é bastante forte. Mas se ela não receber cuidados médicos, morrerá.

— Hospital? Como assim? — Olhei para todos que estavam diante de mim naquela cozinha. — Neste exato momento, seus amigos da *Versteckstudiumliga* devem estar revirando Colônia inteira atrás de nós. Se a levarmos a um hospital, sem dúvida eles...

— A *Versteckstudiumliga* sabe exatamente aquilo que contei a eles. Isso significa — Marcus suspirou — que eles estão atrás de *você*,

Hugo. Sua amiga está fora da mira deles. Ela tem que ir a um hospital. E você precisa deixar a Alemanha quanto antes.

— Deixar a Alemanha?! Mas e Valesca?

— Cuidaremos dela — disse Marcus. — Você pode vê-la agora. Mas, depois, Osman a levará para o hospital. E, você, viajará para Frankfurt e pegará seu avião de volta a São Paulo.

Cerrei os punhos. Por mais que a ideia me revoltasse, eu sabia que Marcus tinha razão. Atravessei a cozinha e entrei no quarto. Havia panos embebidos em sangue por todo lado. Sobre o criado-mudo, a bala que haviam retirado do estômago de Valesca boiava na água dentro de uma bacia.

Ela parecia dormir. Tinha os lábios pálidos e uma grande mancha escura sob os olhos. Sentei-me ao seu lado na cama e tomei suas mãos entre as minhas.

— Valesca, me perdoe. Se não fosse por mim — engoli em seco, segurando as lágrimas —, você estaria bem. Eu te meti nisto.

As lágrimas transbordaram dos meus olhos.

— O que foi que eu fiz, meu Deus?... Se Marcus... se Marcus estiver certo, eu posso ser seu tio... E o que fizemos ontem...

Pressionei as mãos de Valesca entre meus dedos. Aproximei-as de minha boca e as beijei.

— O que fizemos foi o maior pecado que eu poderia ter cometido em vida. E a pior coisa que eu poderia ter feito a você.

As pessoas conversavam na cozinha. Eu não conseguia entender o que diziam, mas o ruído das vozes chegava aos meus ouvidos.

— Valesca, não sei se você pode me ouvir, mas eu finalmente descobri a verdade sobre mim. E sobre você. Você é neta de Mariele Goldberg. Martha, sua mãe, foi concebida em Plaszow após uma série... — ponderei as palavras. Ainda que Valesca estivesse de olhos fechados, eu não sabia se estava consciente ou não — ... após uma série de estupros. Você entende o que eu quero dizer, não é? Você está me ouvindo?

O som estridente de uma panela batendo contra a outra me fez parar de falar. Depois, o quarto voltou a ficar em silêncio.

— Confesso — prossegui — que o seu jeito de falar e agir me assustou no começo. Mas acabei gostando de você. Gostando *muito*. E esse foi o meu pecado. Mais meu do que seu. Eu acho... não, eu tenho certeza de que, mesmo que você tenha um jeito todo peculiar de enxergar a vida, nunca me perdoará e nem perdoará a si mesma pelo que fizemos ontem, depois de ouvir a verdade. Por isso, não sei se terei coragem de repetir a você o que digo agora. Talvez... talvez eu só esteja tendo essa coragem porque você está de olhos fechados, possivelmente inconsciente, bem longe daqui. Valesca...

Uma gota de lágrima caiu sobre nossas mãos entrelaçadas.

— Talvez eu não seja diferente do meu pai agora. Isso é irônico, não é? Aceitei vir para cá a fim de descobrir quem era o Olaf Seemann que eu nunca conhecera. E, no final, acabei me transformando nele. A vida é irônica... e cíclica. Acho que é um tipo de maldição pelos pecados que meu pai cometeu.

Naquele momento, tive a impressão de ver Valesca mexer os lábios.

— Você está me ouvindo? — perguntei, sem obter resposta. — Bom, de qualquer modo — suspirei — acho que todos nós... eu, meu pai, Marcus, Mariele, Mesut, a *Versteckstudiumliga*... todos estamos interligados pelo destino, não é mesmo? Mas você, Valesca, pode fugir de tudo isso. Tem a opção de prosseguir vivendo sem esse peso.

Soltei suas mãos, acomodando-as sobre o colo.

Marcus abriu a porta e arrastou os pés para dentro do quarto.

— Hugo, Osman está pronto. Eles precisam levá-la.

— Eu sei... — murmurei.

Levantei-me e segui Marcus para fora do quarto. Osman e Josepha carregaram, com cuidado, o corpo desacordado de Valesca até o Mercedes Benz. Permaneci parado junto à porta, olhando o veículo sumir atrás de uma cortina de poeira que se erguia da estrada sem asfalto.

— Quer um café? — Marcus me estendeu uma xícara.

— Obrigado — aceitei, bebericando um gole.

Por fim, lá estava eu, olhando diretamente para Mariele Goldberg, uma senhora confinada a uma cadeira de rodas. Uma pessoa que passara a vida curando pessoas — de corpo e espírito. Que, no entanto, não conseguira se curar, nem as suas pernas, nem as feridas de sua alma.

— Acho que vocês têm muito o que conversar, Hugo — disse Marcus, sentando-se à mesa ao lado de Mariele. — Sente-se. Ainda temos tempo.

Os olhos de Mariele Goldberg me analisavam com curiosidade. Era como se um sonho estivesse se tornando realidade. Uma fantasia ganhasse, de repente, substância, e se materializasse diante de mim.

Então comecei a falar, em inglês:

— Senhora, meu pai, Olaf Seemann, morreu.

Ela balançou a cabeça, como se já soubesse da notícia.

— Mas ele me deixou uma carta. E, nela, ele pedia para encontrá-la. E que eu lhe entregasse isto.

Coloquei a mão dentro do meu casaco e retirei do bolso interno a carta amarelada e selada deixada por meu pai.

— Parece que, por vários anos... ou, melhor, em *todos* esses anos, meu pai tentou localizá-la. Acho que já sabe disso também — eu disse.

Estendi a carta na direção de Mariele e ela a pegou com as mãos trêmulas.

— Meu pai... Olaf... também me deixou um caderno com anotações. Nele, contava sua história como um jovem soldado da SS no Campo de Trabalhos Forçados de Plaszow, na Cracóvia; época em que conheceu uma jovem prisioneira que, por milagre, curou os ossos de seu pé que haviam sido esmagados num acidente. — Houve um breve e incômodo silêncio. Depois do hiato, continuei: — Ele também me contou sobre as perversidades cometidas em Plaszow... e a respeito dos abusos que a jovem prisioneira sofreu. Ele nunca se perdoou pelo que houve, e decidiu protegê-la. Acho que... de algum modo... do modo dele... Olaf nutria um profundo amor por aquela garota que realizava milagres. A menina que se chamava *Mariele Goldberg*.

Marcus tomava seu café em silêncio enquanto Mariele continuava a olhar para mim de um jeito constrangedor.

— O caderno me foi roubado no Brasil pela *Versteckstudiumliga* — continuei. — Mas o restante da história eu soube por Mesut e por Marcus.

Enfim, os lábios de Mariele se mexeram. Ela falou em inglês, com um sotaque carregado.

— Foi há muito tempo... — murmurou ela. — Tanto tempo que, para mim, às vezes parece um sonho. Outra vida.

— Eu entendo... — disse. — E há mais. Além de mim, antes de morrer, meu pai enviou uma carta a outra pessoa. Martha Fischer. Sua *filha*.

Ainda que em silêncio, lágrimas cortaram o rosto enrugado e sofrido de Mariele.

— Infelizmente Martha faleceu, e quem recebeu a carta foi outra pessoa. A filha de Martha, uma mulher chamada Valesca. A mesma mulher cuja vida a senhora acaba de salvar.

Mariele Goldberg agarrou-se à cadeira. Seus pés se mexeram, agitados. Ela impulsionou o corpo para a frente, como se quisesse tomar impulso para se levantar. Porém, seu corpo frágil não se mexeu.

— *Meine Enkelin?...* — e então repetiu, dessa vez em inglês — Minha neta?

Marcus interveio, também falando em inglês:

— Eu também não sabia disso, Mariele — ele disse, segurando suas mãos pequenas e tortas. — Hugo me contou há pouco.

Mariele deu um longo suspiro e ergueu a cabeça. Olhava diretamente para mim, como se devastasse minha alma.

— Vocês são *amigos*? — perguntou.

— Sim — respondi, sentindo os lábios secos. — Bons amigos.

Minha vista se tornou turva e, por alguns segundos, achei que iria perder a consciência. Respirei fundo. Recuperado, disse em inglês:

— Ela não sabe que é sua neta — falei. — Tampouco que Martha Fischer era sua filha. Valesca acredita que Martha nasceu no Brasil e viveu uma infância tranquila numa cidade chamada Novo Hamburgo.

Sem falar nada, Mariele empurrou a cadeira de rodas na minha direção. Parou ao meu lado e segurou minha mão. Ela já não chorava mais e mostrava uma força de espírito inacreditável.

— Eu nunca mais encontrei minha filha. Mas sei que Olaf fez o possível para cuidar dela. E ele cumpriu sua promessa — ela disse, em inglês. — Agora, ela está morta. De algum modo, eu vi num sonho que Martha havia partido para junto de Deus prematuramente. Mas, como mãe, eu esperava ter uma resposta diferente. Por infelicidade, o que você acaba de me dizer só me confirma o que meu sonho me contou.

Mariele apertou minhas mãos. Ela sorria com doçura, o que me deixou desconcertado.

— Também sei — continuou, em inglês — que, para Olaf, Martha representava a personalização de seus pecados. Assim como eu. Em minutos de raiva, Olaf feriu meu corpo. Mas nunca provocou um arranhão em minha alma. Por isso pude perdoá-lo. E perdoar Marcus e os outros.

Do lado de fora da pequena casa, o frio caía sem piedade sobre Colônia e Blumenberg.

— Na verdade... não sei se Olaf chegou a me amar — disse Mariele. Suas mãos voltaram a tremer. — Mas eu o amei. Mais do que amei qualquer pessoa.

Capítulo 41

Brasil

Agosto de 1944

A viagem foi tensa, porém, sem percalços, até Kiev. Na capital ucraniana, fui recebido por um homem chamado Pavel, que falava um alemão bastante precário.

Foi muito difícil cuidar para que Martha tivesse uma alimentação adequada no trem. Por várias vezes, tive que pedir ajuda a passageiras mulheres. Ela parecia irritada por não ter mais o seio materno e chorava com toda a sua força. Então, quando cansava, caía em sono profundo. Toda a viagem foi assim: intercalando momentos de sono e de irritação.

Não podia culpá-la. Eu não passava de um colo estranho. Um colo inimigo que, um dia, tinha envergado o uniforme da morte. Talvez ela já soubesse, em seu espírito, como fora concebida. Viera ao mundo pela dor, pela violência. Ninguém deveria nascer assim.

Em Kiev, Pavel me apresentou a um grupo de outros cinco homens, todos refugiados. Também informou que dois deles seguiriam para Buenos Aires. Um deles iria para Nova York, enquanto eu e outros dois iríamos para o porto de Santos, no Brasil.

— Brasil?! — estranhei. Já ouvira sobre a Argentina. O governo local simpatizava com o Terceiro Reich. Contudo, nunca tinha ouvido falar sobre um país chamado Brasil.

— Um tipo diferente de América, Fischer — disse Pavel, chamando-me pelo meu novo nome. — Pense como uma oportunidade de recomeçar. Nos últimos tempos, o Brasil tem recebido levas de imigrantes germânicos e do Leste Europeu. Há várias colônias do gênero no sul do país. — Pavel me contava isso enquanto esperávamos no porto. Ele enchia meu copo e o dos demais com vodca, e parecia totalmente descontraído. — Além disso, é um país enorme. E isso dá maior chance de você permanecer anônimo. Lá, ninguém irá atrás de você. Pode até voltar a usar seu nome de batismo. — Pavel propôs um brinde. Eu segui os outros, embora não tivesse vontade de beber. — Vocês embarcarão no navio Dragão do Mar e sairão da Ucrânia pelo Dnieper.[29] Chegarão ao Mar Negro e de lá percorrerão o Atlântico pelo lado oposto. Ao todo, serão cerca de quize dias de viagem. Mas não há outro jeito. De nosso lado, reuniremos esforços para que a fiscalização comunista não interfira e os deixem sair. Temos bons amigos entre os soviéticos.

Eu tentava traçar uma rota imaginária em minha cabeça, mas não conseguia visualizar quase nada do que Pavel nos explicava. Algumas horas mais tarde, embarcamos no Dragão Negro para uma longa viagem.

Mais uma vez, o esforço parecia esgotar as energias de Martha. Após três dias no mar, cheguei a suspeitar que ela não sobreviveria. Assisti a muitos morrerem no percurso, inclusive crianças. As condições de higiene eram péssimas, o que só piorava com o tempo gasto em alto-mar.

O momento crítico ocorreu quando atingimos o Atlântico. Um tipo de epidemia fez as pessoas adoecerem. Elas vomitavam tudo o que lhes caía no estômago e acabavam sucumbindo, enfraquecidas, vítimas de doenças corriqueiras, como gripes e resfriados.

Chegamos ao Brasil em 20 de agosto de 1944. Eu havia perdido peso. Martha parecia estar, como que por milagre, saudável. Tivera diarreia várias

---

[29] Grande rio que passa por Kiev e corta o território ucraniano no sentido sul, desembocando no Mar Negro.

vezes durante a viagem, mas me foi muito útil a ajuda das mulheres de outras famílias de emigrantes. Ela era lutadora, como a mãe. Caso contrário, teria morrido.

Desembarcamos em Santos, de onde o navio levaria outros tantos para o Rio de Janeiro. Na cidade portuária do Brasil, fomos encaminhados ao escritório que regulamentava a situação de imigrantes e, então, embarcamos em um trem que nos levou até um local chamado Hospedaria de Santos. Lá, fomos separados em grupos, de acordo com nossa origem. Meu grupo, formado por eslavos e alemães, foi ciceroneado por um funcionário da imigração brasileira que nos avisou que teríamos o prazo máximo de cinco dias para deixar o local, que serviria como um pouso provisório. No caso dos alemães, assim como italianos e eslavos, era grande a oferta de trabalho em fazendas no Sul do país, informou o funcionário germânico.

Com Martha no colo, arrastei a mala até a entrada da Hospedaria assim que nosso trem parou na estação construída no local. Espantei-me com a infraestrutura planejada pelo governo brasileiro para receber imigrantes — ter um terminal de trem com linha especial para uma hospedaria era algo raro na Europa e isso caracterizava um país que realmente abria suas portas com legítimo interesse de receber estrangeiros.

Uma vez no local, um funcionário negro nos indicou, em português, onde ficaria nosso quarto. Dividimos, Martha e eu, um pequeno quarto com outras três famílias alemãs: os Schmidt, os Alberg e os Linch. Apresentei-me a eles como Heinz Fischer e não recebi qualquer tipo de questionamento. Tampouco perguntaram sobre meu passado. De algum modo, deduzi que todos os que ali estavam faziam parte do mesmo grupo de párias: pessoas expulsas ou fugidas de seus países, sem passado, com os olhos somente voltados para o futuro.

Um dos meus companheiros de quarto, um senhor de cerca de 50 anos bastante articulado de nome Franz Linch, explicou que havia uma comunidade grande de alemães e polacos no Sul do Brasil, nos estados do Rio Grande do Sul e Santa Catarina. Eu me espantei com seu conhecimento sobre o país, uma vez que eu nada sabia a respeito dos brasileiros. Em Santos, foi a primeira vez na vida que vi um negro, fora dos livros de história.

Linch então me explicou, já no escuro da noite, sob a luz solitária de uma lâmpada que iluminava todo o cômodo, que tinha parentes que haviam emigrado para o Brasil. Segundo ele, era um bom lugar para se construir (ou reconstruir a vida).

Naquela mesma noite, serviram-nos pratos de sopa, pão e água. Todos comemos com vontade; era a primeira refeição decente que fazíamos em quinze dias. Para as crianças, a porção era mais generosa. Também recebi leite acondicionado em uma mamadeira para dar a Martha. Coloquei o bico da mamadeira em sua boquinha e a menina sorveu tudo com avidez. Na ocasião, não me preocupei com a higienização do utensílio — queria apenas me certificar de que Martha estaria bem alimentada.

— A mãe dela morreu? — perguntou a senhora Linch, uma mulher bastante gorda que respirava com dificuldade, provavelmente em virtude do excesso de peso. O casal tinha três filhos e, com eles, viajavam mais três sobrinhas. Aquela era a primeira pergunta de ordem pessoal que alguém me fazia desde que eu deixara a Eslováquia rumo a Kiev.

— Sim, é minha filha — respondi, ninando Martha que, após mamar, caíra em sono profundo. — A mãe dela morreu na Eslováquia.

— Puxa, é uma pena... tão novinha... Penso que o senhor deve arrumar uma alemã aqui no Brasil e se casar. Há várias moças jovens nas colônias do Sul. Uma criança pequena precisa de uma mãe para cuidar dela. Pelo menos, é o que penso.

Agradeci a sugestão e, acomodando-me no colchão que nos havia sido entregue, dormi com a cabeça apoiada na mala. Aquela foi a primeira de todas as demais noites que dormi sob o céu brasileiro.

※

No dia seguinte, fomos acordados pelos funcionários da imigração, que nos conduziram, em grupos, para formarmos filas. Um agente da saúde estava vacinando todos os estrangeiros. Ainda nas filas, pegaram novamente nossos nomes e país de origem.

— Heinz Fischer, nascido em Colônia. Origem Kiev — confirmei.
— Minha filha é Martha Fischer.

O funcionário, que falava alemão fluente, perguntou a idade da menina.

— Nasceu em 17 de junho. Tem dois meses.

— Garota forte. Será guerreira — o funcionário falou em um alemão que expunha um sotaque da Baviera. — Não é fácil para uma criança aguentar uma viagem tão dura.

— Ela é forte, sim — eu disse. — É como a mãe.

Fomos vacinados e, óbvio, Martha abriu um berreiro quando foi espetada com a agulha no bracinho fino. Em seguida, fomos abordados por diversos agentes de imigração, que nos mostravam formulários e fotos de fazendas no interior do estado de São Paulo (estado este em que ficava a cidade de Santos) e no Sul.

— Vamos para um lugar chamado Nova Pomerânia — disse Franz Linch, me puxando pela manga da camisa. — Minha esposa tem parentes lá.

— Nova Pomerânia? Eles plantam maçãs lá? — perguntei, curioso.

— Não sei. — Franz riu. — Mas não custa ir até lá para descobrir, já que estamos tão longe de casa.

Ele me deu tapinhas nas costas. Poucos minutos depois, preenchi o formulário para o mesmo destino: uma fazenda de colonos alemães em Nova Pomerânia, Rio Grande do Sul.

No final do dia, como se houvéssemos nos tornado uma presença indesejada, fomos orientados a arrumar as malas rapidamente e nos dirigir à estação de trem. Amontoados nos vagões, iniciamos a viagem de três dias até o estado mais distante do Brasil, na fronteira com o Uruguai e a Argentina.

※

O destino bateu outra vez à minha porta no segundo dia de viagem.

Eram quase seis da manhã quando fomos acordados pelos gritos histéricos de uma jovem mulher. Ela segurava no colo um bebê, uma menina um pouco mais velha do que Martha, que parecia morta. Ao seu lado, o jovem marido, um rapaz magro metido em um terno duas vezes maior do que ele e usando um chapéu que lhe escondia os olhos, tentava acalmá-la. Todavia, também aparentava estar doente.

— O que houve? — perguntei discretamente à senhora Linch que, ao que tudo indicava, tinha uma enorme facilidade para descobrir o que se passava na vida alheia.

— Pobre menina — ela disse, enxugando as lágrimas. — Parece que a garotinha deles não resistiu.

— O homem que a acompanha também parece mal de saúde — eu disse, olhando para o aspecto cadavérico do jovem sentado ao lado da mulher em prantos.

— Ele e a menininha ficaram doentes no navio. Pediram ajuda aos funcionários da imigração, mas eles disseram que era coisa do mar. Mal-estar corriqueiro, que passaria. Mas parece que a menina não aguentou.

Todos os passageiros do vagão pareciam comovidos com a má sorte do casal. Depois de quase uma hora de crise histérica aguda, a jovem mulher dormiu. Ou desmaiou. Não soube ao certo. A senhora Linch acomodou a cabeça da pobrezinha em seu colo e permaneceu muito tempo acariciando seus cabelos.

Dois funcionários da ferrovia levaram o moço para a enfermaria, já que ele também não aparentava estar bem.

— Nos tratam como porcos — reclamou um homem alemão que tinha aproximadamente 30 anos e um semblante austero. — Queremos ser tratados com mais respeito!

Rapidamente, ele foi acalmado pela esposa, que disse que sua reação agressiva assustava as crianças.

Logo, tudo retornaria ao silêncio. No cair da noite, chegou a notícia de que o rapaz, de nome Adolf Platz, havia falecido. A jovem mulher recebeu a notícia com serenidade. Seu único interesse era saber sobre o estado de saúde de sua filhinha — aparentemente, estava em estado de choque e sua mente se negava a aceitar o fato de ter perdido o bebê.

Assisti a tudo aquilo procurando manter distância. Vez ou outra eu olhava para Martha, que dormia tranquila em meu colo.

Entramos no segundo dia de viagem cruzando a fronteira do Rio Grande do Sul. Fazia frio — mais frio do que em Santos.

Recebemos a refeição e, felizmente, Martha parecia mais bem-disposta. Por várias vezes, cheguei a ponderar se não teria sido melhor que ela tivesse tido a mesma sorte da bebê da jovem mulher: sucumbido às agruras da viagem e ido para junto de Deus.

Mas Martha era diferente. Forte, energética. A energia que saía de Mariele. E de Heinz. Sim... ela se parecia cada vez mais com meu amigo.

Chegamos a Nova Pomerânia por volta das três da tarde. O local era um vilarejo cercado por árvores, pasto e terra. A estação não passava de uma armação de madeira e telhas, sem dúvida um ponto de parada para outras cidades maiores (ainda que eu não fizesse ideia, na época, de como eram as cidades maiores do Brasil).

Dois homens morenos nos receberam. Tinham com eles um intérprete fluente em alemão. Fomos informados de que iríamos de caminhão e em cavalos até um lugar chamado Fazenda Estância, onde nos arrumariam um lugar para morar. A prioridade era para pessoas com crianças de colo e mulheres. Os homens iriam a cavalo ou esperariam.

Olhei ao redor; nada daquilo era familiar para mim. Muito distante de Colônia, de minha família ou Plaszow. Eu não escrevera à minha mãe; tinha medo de ser descoberto e que fizessem algum mal a ela. Também demorei para escrever para Mariele no endereço de Ivan, na Eslováquia. Foi ele quem me informou, meses depois, que Mariele havia se mudado para a Polônia. Também me passou o endereço onde eu poderia encontrar Mesut.

As mulheres e crianças estavam sendo acomodadas nos caminhões. Então, tive a ideia: entreguei Martha à senhora Linch para que a levasse em segurança à fazenda. Ela aceitou de bom grado e partiram. Reencontrei-as horas depois; um grupo havia se reunido ao redor de uma grande fogueira. Fazia frio e, ainda que ninguém verbalizasse, todos estavam assustados.

Os capatazes do local eram extremamente rudes e as moradias estavam caindo aos pedaços. Encontrei Martha brincando com a jovem mãe que havia perdido a filhinha e o marido na viagem.

— Desculpe-me — ela me disse, entregando-me Martha. — Minha filha, Eva, tinha quase o mesmo tamanho.

Tomei Martha no colo e ela começou a chorar.

— Ela tem gênio forte — disse a jovem mãe. — Também dei de mamar a ela. Minha filha ainda estava sendo amamentada e meus seios estão cheios de leite.

— Obrigado — agradeci.

Franz e a esposa juntaram-se a nós. A senhora Linch não perdera a oportunidade de contar à jovem viúva que eu também estava sozinho.

— Minha filha nasceu com a saúde fraca — explicou a jovem. — Puxou o pai, acho. Meu marido tinha tuberculose havia três anos. Pegou na guerra, servindo na Polônia.

— Eu sinto muito — falei. — Meu nome é Heinz. Heinz Fischer.

— Greta. Greta Vessel. É meu nome de solteira. Agora que Adolf morreu, não há mais motivos para usar o sobrenome Platz.

Martha começou a chorar histericamente e, com boa vontade, Greta pediu para carregá-la. Aquela jovem mulher, de aparência tão frágil na viagem de trem, adquirira uma força renovadora ao tomar Martha nos braços. Talvez a força da maternidade, coisa que somente as mulheres conhecem.

— Não se culpe — ela disse, rindo para mim. — Homens não nasceram para isso. A pobrezinha deve estar com gases ou fome. Quer mais leite, criança?

— O nome dela é Martha — eu disse.

— Martha. Nome forte. Ela é judia? — perguntou, descobrindo um dos seios e o entregando a Martha, que passou a sorver com força.

— A mãe dela era polonesa — falei, deixando a resposta em aberto. Eu não sabia o que responder.

— Isso não importa mais — interveio Franz. — Judeu ou não judeu. Aqui, nesta terra, pouca diferença faz. Nossos sobrenomes são apenas tinta num papel. Para eles, somos todos alemães. E ponto final.

Concordei. De certo modo, gostei de saber da possibilidade de residir em um país sob o anonimato. Seemann, Fischer ou Gröner. Não importava. Em minha nova vida, eu era só um estrangeiro, alguém sem passado, mas com um futuro à minha frente.

Capítulo 42

Nova Pomerânia, Brasil
2 de dezembro de 1944

No dia 2 de dezembro, olhei para a carinha robusta de Martha pela última vez. Ela crescia rápido sob os cuidados de Fräulein[30] Greta, como passei a chamar Greta Vessel, a mulher que, na prática, havia se tornado a verdadeira mãe da menina.

Não que para mim fosse cômodo entregar a criação e os cuidados da filha de Mariele para outra mulher. Contudo, conforme os dias passavam, Martha se tornava um ser cada vez mais estranho para mim. Quando ela ainda estava sendo gestada, minha única preocupação era mantê-la em segurança para que, juntos, formássemos uma família. Porém, quando Martha veio ao mundo, não consegui evitar de enxergar nela as feições de Heinz.

Além disso, para um jovem homem de 20 anos, era muito difícil criar uma menina recém-nascida. Por outro lado, Greta logo afeiçoou-se a Martha. Não tardou para que as duas se tornassem um único ser. Onde Greta estava, Martha também estava. Ela mamava em seus seios como fazia com Mariele e isso me confortava. Aquele pequeno ser, que não conhecera a mãe, não se lembraria do seu rosto, nem do meu.

---

[30] Senhorita, em alemão.

Então, três meses após minha chegada ao Brasil, tomei a firme decisão de partir. Todos os dias, eu e outros colonos tínhamos aulas de português com os imigrantes mais antigos. Em um mês, eu já conseguia me comunicar para pedir água, comida, leite. Quando pequeno, eu tinha estudado com algumas crianças cujos pais eram italianos. Ainda na Juventude Hitlerista, também havia alguns italianos do norte do país. Com eles, aprendi uma básica noção do idioma, o que me auxiliou muito no aprendizado do português. Mas compreender as conjugações verbais ainda era algo impossível para mim na época.

Porém, meu ítalo-português precário me dava segurança para deixar Nova Pomerânia para trás. A princípio, comuniquei minha decisão a Franz, que não gostou muito.

— Um pai não deixa o filho para trás, Fischer — ele me advertiu.

— Mas preciso procurar novas perspectivas para Martha — menti. — Eu voltarei para buscá-la. Soube junto aos alemães que moram há mais tempo aqui que existe emprego em indústrias nas cidades maiores. E na capital, Porto Alegre.

— E com quem deixará a menina?

— Pensei em Fräulein Greta — respondi, convicto.

— Ela parece ser uma boa jovem. Mas você nem a conhece! Talvez minha esposa esteja falando algo sensato. Você devia se casar com Greta e levá-la junto.

— Não pretendo me casar, Franz — eu disse. — Mas, juro, voltarei para levar Martha comigo.

No mesmo dia, à noitinha, comuniquei minha decisão a Fräulein Greta, pedindo que cuidasse de Martha enquanto eu estivesse ausente. Conversávamos perto do celeiro da propriedade. Nunca me esqueci do olhar da jovem.

— Você confiará sua filha a mim, Fischer?

— Sim. Confio em você com toda a minha alma, Fräulein — respondi.

— Será a melhor mãe que Martha poderia ter. Apenas tenho um pedido a fazer.

Fräulein Greta amamentava Martha. Era sempre assim; a menina não podia sentir o calor do colo dela e, rapidamente, agarrava seu seio à procura de alimento.

— Pode me pedir. Se eu puder fazer algo pelo senhor...

— Quero que cuide de Martha como se fosse sua filha legítima. Ela não precisa saber que a mãe dela morreu na Europa.

Fräulein Greta me lançou um olhar surpreso.

— Como assim? O que está me pedindo, Fischer? Para mentir para a coitadinha?

— Não. Será melhor para ela.— Olhei para Fräulein Greta de modo persuasivo. — Ouça: a senhorita perdeu o marido e sua filhinha. Eu ficarei fora e não sei quando voltarei. Minha esposa... a mãe de Martha... morreu. Ela não tem ninguém. Só terá a senhorita. E a senhorita só terá a ela. De algum modo, não é mentira.

Por fim, Fräulein Greta concordou. E, a partir daquele instante, ela se transformou na mãe legítima de Martha.

No dia 2 de dezembro, bati à porta da casa em que Fräulein Greta residia com a família Linch. Os galos cantavam ao longe, acompanhados pelo som dos pássaros.

— Está partindo? — perguntou ao ver a mala suspensa em minha mão. No outro braço, eu segurava Martha.

— Sim. Por favor, faça seu melhor para Martha.

Fräulein Greta segurou Martha nos braços. O interior da casa rústica cheirava a café fresco e esterco.

— O senhor acredita em Deus, Fischer?

Eu sorri diante da pergunta.

— Há mais de um ano, uma pessoa me fez essa mesma pergunta, Fräulein. E, a partir de então, minha vida mudou — respondi. — Sim, eu acredito Nele. Mesmo porque, tenho sido usado por Ele para várias de suas obras. E, acredite: Deus está me cobrando caro pelos pecados que cometi.

— O senhor parece um bom homem, não um pecador — disse Fräulein Greta.

— Às vezes, o demônio utiliza-se dos bons porque sabe que os pegará de surpresa e o estrago será maior. Pense assim: uma pessoa má por si só já faz maldades. Mas, para uma pessoa boa, fazer o mal é o mesmo que matar a alma.

— Sua alma está morta, Fischer? — Fräulein Greta balançava carinhosamente Martha em seus braços. Ela abriu os olhinhos e tive a impressão de vê-la sorrir. Imediatamente, senti meus olhos marejarem. — Por que, se for assim, eu também estou sendo punida por Ele. Deus me tirou meu marido. E minha filhinha. Mas abriu caminho para que Martha estivesse no meu colo hoje.

— Então, é possível que você tenha mais sorte do que eu, Fräulein — eu disse, pesaroso. Ergui a mala do chão e, olhando uma última vez para Martha, virei as costas e comecei a caminhar.

— Posso perguntar uma última coisa ao senhor, Fischer? — Fräulein Greta falou.

Virei-me para ela, sem nada responder.

— O senhor não vai voltar, não é? — perguntou. — Está me entregando Martha porque não voltará.

Fechei os olhos, resignado. Deixei meus ombros caírem e prossegui, sem olhar para trás. Daquele dia em diante, abandonei o nome Heinz Fischer e passei a utilizar meu nome de batismo novamente: Olaf Seemann.

Fiz um novo cadastro na imigração, mentindo que havia sido roubado ao chegar ao Brasil. Dei as referências corretas: Olaf Seemann, nascido e criado em Colônia. Ex-soldado. Agora, um alemão que vivia no Brasil.

Capítulo 43

Blumenberg, Alemanha
6 de janeiro de 2007

— Foi meu pai que te contou essa história, Marcus? — perguntei depois de ouvir a narrativa do velho alemão. Ele contara toda a história em inglês para que Mariele também a compreendesse.

— Mesut me contou. Seu pai havia contado para ele. Olaf nunca mais encontrou Martha, e deixou o passado para trás — disse Marcus. E, virando-se para Mariele, prosseguiu: — Eu também não soube mais da menina Martha, até agora.

Mariele batia os dedos finos e tortos nos braços da cadeira de rodas. Tinha o olhar distante. A carta que eu havia lhe entregado estava sobre a mesa, selada.

— A senhora nunca quis saber sobre sua filha? — perguntei a Mariele.

Ela suspirou e sorriu com o canto da boca.

— Eu gerei Martha. Mas ela nunca foi minha — disse. — Deus me deu o presente... a sensação de ser mãe. De gerar. Mas eu não conseguiria criá-la. Por anos, fui perseguida, mudei várias vezes de esconderijo, sempre com a ajuda de Mesut e outros colegas que já partiram para junto de Deus. O que mais eu poderia exigir de Martha? Tirar-lhe o que tinha? A mãe que conhecia?

Meneei a cabeça. Mariele tinha alguma razão no que dizia.

— Olhe para mim, jovem — ela disse. — Não consigo andar. Minha vida foi servir os outros. Curar suas feridas; do corpo e da alma. Mas nunca consegui ser mãe. Sabe, muitos me veem como santa. Como uma pessoa de Deus. Eu digo a eles que é bobagem. Não sou mais ou menos santa do que Marcus ou Olaf.

Não havia amargor em sua voz. Pelo contrário, ela pronunciava aquelas palavras com resignação e ternura.

— Deus me deu uma missão importante, assim como deu a seu pai e a Marcus. E a tantos outros. No momento certo, Ele tocou o coração de cada um, fazendo-os despertar para seus respectivos caminhos. Mas seguir a Deus exige renúncia. Marcus se tornou um traidor; seu pai passou a vida abominando o passado; e eu perdi as pessoas que mais amei: minha filha... e seu pai, meu jovem.

Olhei para a carta sobre a mesa. Tamborilei os dedos e refleti. Eu tinha apenas uma questão; não me importava com o conteúdo da carta, mas havia outra coisa que eu precisava saber.

— Mariele, me desculpe pela pergunta, mas eu preciso saber. É importante para mim — eu disse, por fim. — Martha Fischer... era filha do meu pai?

Ela fechou os olhos e riu. A pergunta pareceu diverti-la.

— Como eu poderia saber, jovem? — ela perguntou.

— Dizem que as mulheres sabem — falei, encolhendo os ombros. — E a senhora tem um dom. Eu...

— Ainda que eu soubesse, jovem Seemann, eu não diria a você — ela me interrompeu. — Nem a ninguém. Martha foi um presente de Deus. Foi entregue a mim e, depois, a seu pai. Ela mudou minha vida e a dele também.

Olhei para Marcus, que naquele momento mirava a ponta dos pés. Então era aquilo. Eu estava só em minha dúvida.

— O que a senhora fará daqui para a frente, Mariele? — perguntei. — Quero dizer... depois de saber de tudo... de ter encontrado sua neta...?

— O que farei? — Mariele sorriu. Moveu a cadeira de rodas em direção ao quarto e disse: — Esperarei Josepha voltar. Ela precisa me ajudar a terminar as coisas por aqui hoje. Amanhã, mais e mais pessoas baterão à minha porta, ansiosas por ajuda. É o que farei, meu jovem: viverei mais um dia, até que Deus finalmente se lembre de mim e me leve para junto de Martha. E de Olaf.

Não era a resposta que eu imaginava. Nem a que eu queria. Marcus me convidou a partir e eu não tive como negar. Josepha e Osman haviam retornado, informando que Valesca estava recebendo os cuidados necessários.

— Josepha disse que os médicos elogiaram o pronto-atendimento realizado com sua amiga — me contou Marcus. — É uma pena que médicos em geral não acreditem em milagres.

Antes de partir, dei um forte abraço em Mariele. Ela me acolheu com carinho e me disse junto do ouvido:

— Sabe que você poderia ter sido meu filho, rapaz? Meu e de Olaf?

Depois, me deu tapinhas nos ombros. Não tive coragem de perguntar a ela se leria a carta. A última imagem que tive de Mariele Goldberg foi a de uma mulher empurrando a cadeira de rodas em direção ao seu quarto. Em seu colo, levava a carta do meu pai. Atrás dela, a porta se fechou.

Osman conduziu o carro até a pousada em Colônia. Marcus foi ao seu lado. Eu fiquei no banco de trás.

Chegando à Rhein Inn, desci, seguido por Marcus. Ele me abraçou de um modo formal e eu perguntei:

— O que fará, Marcus? É certo que a *Verstecktstudiumliga* não deixará impune sua traição. Você também não poderá voltar ao Brasil.

Ele suspirou. Colocou a mão sobre o ombro ferido e disse:

— Um velho como eu não tem muitas perspectivas, Hugo. Mas eu vou me sair bem.

— Quer que eu mande algum recado para sua família no Brasil? Eles estão preocupados. Sua filha...

— Prefiro que ela imagine que Klaus Schneider desapareceu. Talvez levado pela senilidade. Melhor assim. Ela nunca soube quem eu fui. E quero que continue desse jeito. Pode fazer isso por mim, Hugo? Mentir para minha filha e me ajudar a acobertar o passado?

Balancei a cabeça, concordando.

— Acha que a *Verstecktstudiumliga* virá atrás de mim? — perguntei. — Será que eu não conseguirei ter paz de novo?

— É só você não mexer mais nessa história, Hugo.

— Impossível — contestei. — Ainda não sei por que meu pai cometeu suicídio, ou se Valesca de fato tem meu sangue.

Marcus suspirou.

— Há algo que preciso lhe contar, Hugo. Algo que, jurei, morreria comigo.

— O que é?

— Na última vez que encontrei Mariele, antes de viajar ao Brasil e revelar minha identidade a seu pai, ela me disse que *sentia muito*. Eu estranhei ela dizer aquilo. Havíamos acabado de tomar o chá que Josepha tinha preparado e eu lhe trouxera chocolates belgas do *free shop* do aeroporto. Logicamente, fiquei curioso, e perguntei por que ela estava dizendo aquilo. Afinal, por que ela sentia muito. Então, Mariele me respondeu.

Marcus ergueu os olhos em direção ao céu escuro. Era noite e fazia frio.

— Ela me disse, sorrindo: "Porque você é tão atencioso comigo. E me deu um dos maiores presentes que alguém poderia ter me dado. Contudo, meu coração sempre foi de outra pessoa. E você sabe disso".

— Um dos maiores presentes?!

— Eu me fiz a mesma pergunta. Porém, não perguntei nada a Mariele. Mas deduzi que ela estava falando de Martha. Talvez... eu digo talvez mesmo... tenha sido o jeito de ela me revelar que Martha era minha filha. Por isso, na noite em que seu pai matou Heinz, Mariele me lançou aquele olhar. O olhar que mudou minha vida. Ela já sabia, na ocasião, que teria um filho meu. Um filho do homem que a brutalizara.

— Deus do céu... — murmurei. — Mas você não tem certeza?

Marcus balançou a cabeça.

— Não. Não tenho. Apenas deduzo. Ela nunca mais tocou no assunto. Contudo, falei sobre isso com seu pai. Quando escutei a revelação de Mariele, achei que deveria contar a ele. E, para isso, eu tinha que me revelar. Contar que Klaus Schneider era uma farsa.

— Mas... por que ele se matou?

— Não sei, garoto. Mas suponho — disse Marcus. — Acredito que Olaf só continuava vivo porque achava que devia se arrastar pela vida remoendo a culpa de ter violentado Mariele... e de ser pai de Martha.

Um carro azul passou em baixa velocidade por nós. Meu coração gelou, temendo ser alguém da *Versteckstudiumliga*. O veículo virou a esquina e o alívio tomou conta de mim.

— Você acha que meu pai se matou porque deduziu que a missão dele estava cumprida?

— Talvez essa seja mais uma pergunta que vai ficar sem resposta, jovem. Mas é possível que sim — disse. — Eu contei a ele por que Mariele não havia respondido às cartas durante todos esses anos. Falei a ele sobre a *Versteckstudiumliga* e que, se ele insistisse em localizá-la, estaria se colocando em risco.

— Então foi por isso que ele me mandou tomar cuidado?

— Você deveria tê-lo ouvido, Hugo. — Marcus abriu a porta do carro e entrou. — Faça boa viagem amanhã. Cuidaremos de Valesca. E mandaremos notícias.

Acenei para o Mercedes Benz que seguiu pela via até sumir na esquina. Fiquei mais alguns segundos parado na calçada, refletindo. Havia muita coisa que eu precisava digerir. Eu queria muito que meu pai estivesse vivo para que pudesse me esclarecer. E, também, para que seus olhos vissem Mariele Goldberg pela última vez.

Fui surpreendido por Evelyn, que saiu à calçada para fumar.

— Senhor?! — ela exclamou em inglês. — Está frio!

— Sim — respondi na mesma língua. — Muito frio.

— Você quer um cigarro? — Evelyn perguntou, me estendendo o maço de Marlboro Light.

— Não, obrigado — agradeci, indo na direção do meu quarto.

Capítulo 44

São Paulo, Brasil
8 de janeiro de 2007

Na manhã do dia 7 de janeiro arrumei minhas malas e segui para a estação de trem de Colônia. Despedi-me de Chris com um aceno discreto. Sob a típica discrição alemã, ele não me perguntou nada sobre Valesca, tampouco fiz questão de esclarecer. Apenas disse que minha amiga ficaria mais alguns dias na cidade e que eu acertaria a diferença.

Chris consultou o sistema e verificou que os dias estavam vagos. Agradeci e empurrei minha mala através da praça da catedral. Olhei pela última vez para aquela construção secular e imponente, que sobrevivera à destruição da cidade e permanecia ali, soberana, como uma guardiã do rio Reno.

Entrei na estação e rumei para a loja da Lufthansa, onde comprei o bilhete para o trem expresso até o aeroporto. Eu tinha uma hora antes de partir, de modo que me dirigi a uma cafeteria e pedi um *espresso*. Antes que a moça de olhos azul-piscina finalizasse o pedido, mudei de ideia e pedi uma cerveja *long neck*. Ela sorriu e gentilmente fez a alteração. Em menos de um minuto, trouxe-me a cerveja e me deixou sozinho.

Através das portas largas da estação central, eu podia ver as pessoas indo e vindo. Cada qual caminhava para seu destino; iniciavam o dia com a certeza de que tudo correria bem. Sem dúvida, poucas delas pensavam que, talvez, pudesse ser a última vez que sairiam de casa: um atropelamento na esquina, um infarto fulminante, uma tentativa de assalto. Qualquer coisa era capaz de nos ceifar deste mundo num piscar de olhos. Contudo, tanto elas (as pessoas) como eu mesmo vivíamos como se esperássemos por um amanhã certeiro; com a convicção de que o sol brilharia para nós mais uma vez; e assim de novo, de novo e de novo.

Depois de tomar um gole, deixei a cerveja sobre a mesa. Por Deus, por que as pessoas não vivem como se fosse o último dia? Passam tanto tempo — horas, dias, semanas — remoendo problemas e deixam a vida escapar pelos dedos!

Observando o ir e vir, pensei em Valesca. Ela nunca havia imaginado no que estava se metendo de fato. Nem mesmo eu sabia quão incisivas seriam as ações da *Verstecktstudiumliga* para manter os milagres de Mariele Goldberg em Plaszow sob a cortina de fumaça. Pensei em meu pai, em Marcus, em Heinz. E em todos os que haviam morrido ou tido suas vidas mudadas para que, naquele dia, eu estivesse ali, sentado, tomando uma cerveja diante da praça central de Colônia.

Um senhor usando um pesado sobretudo passou pela minha mesa e me lançou um olhar simpático. Parecia ter visto algo engraçado em mim. Meneei a cabeça em sua direção, retribuindo o cumprimento inesperado. Dei mais um gole em minha cerveja e deixei para trás a garrafa ainda com metade do conteúdo.

Arrastei minha mala pelos corredores, seguindo as placas indicativas para os terminais de trem. Subi a escada rolante e observei um grupo de jovens que seguiam pelo contrafluxo, descendo as escadas e pulando alguns dos degraus.

Já na plataforma, olhei para trás e não vi sinal do senhor. Suspirei aliviado, passando a mão pela testa. Procurei um banco vazio. Não restavam mais bancos livres sob as coberturas de acrílico, que estampavam grandes cartazes anunciando shows de artistas de quem eu nunca havia ouvido falar. Um dos anúncios me chamou a atenção: ele mostrava uma mulata de biquíni, num fundo verde-amarelo, e dizia algo como "Venha participar do Carnaval de Colônia 2007 — o melhor da Alemanha". Ao lado da mulata, um homem loiro de bigodes fartos, como que saído da *Oktoberfest*, ensaiava alguns passos de samba.

Era a primeira vez em três dias que me sentia em casa. Ocupei um banco vago e permaneci olhando os rostos indiferentes das pessoas. Imaginava quais deles poderiam ser agentes da *Verstecktstudiumliga*, e não meros cidadãos caminhando para o trabalho.

Como era de se esperar, o trem expresso da DB chegou precisamente no horário previsto. Entrei e me dirigi para o vagão de segunda classe. Uma jovem de pele morena, que devia ser indiana ou paquistanesa, sentou-se ao meu lado. Ela usava um pesado casaco preto de lã e luvas. Abriu um livro sobre o colo e logo imergiu na leitura.

Em poucos minutos, o trem começou a se mover, me levando em direção a Frankfurt. Os termômetros digitais marcavam 2 ºC, às dez da manhã.

A paisagem externa se deslocava diante de meus olhos como um fio de vida que se esvai. E, conforme o trem rompia velozmente os quilômetros à beira da rodovia, um vazio crescente ia dominando meu peito.

Eu queria notícias de Valesca e de Marcus. Queria saber se Mariele Goldberg lera a carta do meu pai e qual era seu conteúdo. Acima de tudo, desejava que Marcus estivesse certo e que Martha Fischer — a menina concebida pela força em Plaszow — fosse mesmo sua filha. Suspirei e olhei para as palmas de minhas mãos, sentindo-me impotente.

Encostei a cabeça na janela do trem e fechei os olhos, despertando apenas quando o cobrador pediu meu bilhete. Após conferi-lo, ele me devolveu o papel, e tornei a guardá-lo no bolso interno do casaco.

━━━≈≋≈━━━

Uma hora e dez minutos depois de minha partida de Colônia, eu estava subindo pelas escadas rolantes do terminal de trem do aeroporto de Frankfurt.

Caminhei sem rumo, puxando minha mala pelo amplo saguão de espera, e acabei parando em um restaurante *self-service*. Pedi uma cerveja e um sanduíche com salsicha e batatas fritas. Demorei quase 45 minutos para comer, paguei a conta e fui para o setor de guichês das companhias aéreas.

No balcão da TAM-Lufthansa, uma fila de passageiros, em sua maioria, brasileiros, se formava para *check in* e despacho de bagagem. Enfim, meus ouvidos se deliciavam ao escutar um idioma familiar. Despachei minha única mala e, com a passagem em mãos, fui para o setor de embarque.

Dessa vez, não tive dificuldades em passar pela inspeção do aeroporto, já que deixara o vaso com as cinzas do meu pai para trás. Meu único contratempo foi ser parado pelo fiscal da imigração alemã, que pediu meu passaporte de novo e cravou os olhos no meu rosto.

Foi então que me lembrei da briga com os dois agentes da *Verstecktstudiumliga* na escadaria da praça da catedral. Alguém podia ter me visto e me descrito à polícia. Eu mexia os dedos nervosamente enquanto esperava o policial me dizer algo. Por fim, ele me devolveu o passaporte e desejou uma boa viagem.

Aliviado, perambulei pelo *free shop*. Fiquei imaginando quantas coisas dali Valesca levaria para o Brasil, aumentando consideravelmente o peso de sua bagagem.

Comprei uma barra de chocolate e chicletes e, deixando a loja, fui para o portão de embarque.

Dormi um sono profundo sentado na cadeira de plástico do setor de embarque. Tive um sonho estranho; nele, Heinz (com a fisionomia e o biótipo que minha imaginação construíra a partir do manuscrito deixado pelo meu pai) segurava Valesca pelo braço e apontava uma arma em direção à sua têmpora. Ao redor, tudo estava enfumaçado, de modo que eu só conseguia distinguir os dois à minha frente.

Eu estava pronto para clamar pela vida de Valesca quando um tiro levou Heinz ao chão. Então, vi meu pai surgir do nevoeiro, com o braço estendido, portando uma arma ainda fumegante.

Valesca correu em minha direção e me abraçou. Eu e o velho Olaf, que, no sonho, era jovem e vigoroso, trocamos olhares.

— Eu não quero ser como você — eu disse, afagando os cabelos de Valesca.

Ele sorriu de modo sereno e abaixou a arma.

— Tudo ficará bem, meu filho. Tudo ficará bem.

Acordei exaltado. Meu pai nunca tinha me chamado de *meu filho*. Ou chamara? De qualquer forma, eu não me recordava.

Não voltei a dormir até a hora do embarque.

Dentro da aeronave, percorri o corredor analisando todos os rostos dos passageiros que já ocupavam seus respectivos assentos. Eu procurava uma fisionomia suspeita; alguém que me lembrasse da mulher loira que me agredira, ou o homem cujo braço eu quebrara. Ocupei meu lugar e afivelei o cinto. Parecia que eu estava seguro. Pelo menos, eu pensava isso. Nem a *Verstecktstudiumliga* correria o risco de fazer algo contra mim dentro de uma aeronave.

A decolagem foi tranquila e, logo, o aviso que permitia que desatássemos os cintos acendeu. O serviço de bordo começou e pedi um vinho tinto seco. Bebi o conteúdo com dois relaxantes musculares, o que me garantiu o sono durante boa parte da viagem.

Um solavanco me fez acordar. Eu suava frio. A aeromoça tocava meu ombro, falando em português, mas deixando transparecer o sotaque germânico:

— Senhor, estamos quase chegando. Porém vamos passar por uma zona de turbulência. Endireite seu assento e afivele o cinto, por favor.

Obedeci e, ainda zonzo, segurei-me no assento quando o avião começou a chacoalhar. Depois de dois minutos de turbulência, tudo se tranquilizou. Por fim, o capitão anunciou:

— Bem-vindos a São Paulo. A temperatura está boa, céu azul. Dentro de aproximadamente vinte minutos chegaremos ao solo. Obrigado por escolher a TAM-Lufthansa como sua companhia aérea.

As rodas da aeronave tocaram suavemente o solo. Era dia 8 de janeiro e eu estava de volta ao Brasil.

Capítulo 45

São Paulo, Brasil
9 de janeiro de 2007

As primeiras horas no Brasil transcorreram com letargia. Assim que entrei no meu apartamento, liguei o *notebook* e me conectei à internet. Abri o Outlook na esperança de encontrar algum e-mail da Alemanha. Nada. Mais de duzentas mensagens baixaram em minha caixa postal, quase todas propagandas de algum serviço. Mas não havia nenhum e-mail de Marcus ou Mesut.

Por fim, deixei que o cansaço da longa viagem e do desconforto da aeronave me dominasse e me entreguei ao sono. Despertei no início da noite e, de novo, conectei-me para verificar os e-mails. Dessa vez, o número de mensagens inúteis foi menor, porém, eu continuava sem notícias de Valesca.

Tomei uma ducha, preparei um sanduíche de pão de forma com maionese e voltei para a cama.

O despertador do celular me acordou às seis e meia da manhã. Tomei outro banho, livrando-me do calor de janeiro. Troquei de roupa e me dirigi à garagem, pronto para trabalhar. Eu estava de volta à rotina da agência.

Desci pelo elevador sentindo-me vazio. Olhei-me no espelho enquanto prosseguia descendo, andar após andar. Faltava algo. O vaso com as cinzas do velho Olaf, o caderno, a história do passado do meu pai. Eu havia solucionado grande parte de todo aquele mistério, mas não me sentia confortável com isso. Pelo contrário; a história de Mariele Goldberg havia me consumido por dias, semanas. E, agora que estava tudo terminado, eu enxergava as coisas sob outra perspectiva.

De alguma forma, a história na qual meu pai me lançara no dia de sua morte preenchera minha vida como nunca antes. O passado de Olaf Seemann e Mariele Goldberg havia me consumido e, depois de tudo, só restava o vazio. O vazio que sempre fora minha vida.

Entrei no carro e dei a partida. Segui direto para a agência, sem passar na padaria para o desjejum.

Como de costume, Helô havia chegado cedo e já remexia papéis em sua sala. Passei pela recepcionista — um novo rosto que eu desconhecia. Cumprimentei-a, acenando com a cabeça, e ela me respondeu com um sorriso sem graça.

— Sou Hugo Seemann — eu disse. — Trabalho aqui. Você é...?

— Luciana — ela disse. — Comecei ontem.

— Seja bem-vinda — falei, cruzando a recepção e o corredor que dava acesso às salas de reunião.

Deixei minhas coisas sobre minha mesa, perto do meu computador. Depois, fui para a sala de Helô. Ela estava entretida, analisando as provas impressas de algumas artes, e pareceu surpresa ao me ver.

— Hugo?! O bom filho à casa torna! — Ela soltou as provas e arrumou os óculos de aro vermelho. — Sente-se, precisamos conversar.

Acomodei-me na cadeira diante de sua mesa.

— O que houve com a outra recepcionista? — perguntei.

— Sumiu, sem mais, nem menos. — Helô acionou o interfone e pediu uma xícara de chá de hortelã a Luciana. — Enfim, tive que contratar outra menina. Se os jovens deste país continuarem com essa postura ridícula, é provável que entremos em uma crise de mão de obra dentro em breve. Afinal, não somos a Suíça. Há uma grande demanda para trabalhos braçais e de *terceira categoria*, mas parece que cada vez menos gente está interessada em executá-los.

Concordei, meneando a cabeça e me questionando o que ela queria dizer com trabalhos de terceira categoria.

— Você parece abatido. Está tudo bem? Correu tudo certo na Alemanha? — Helô perguntou, olhando fixamente para mim. Ela tinha algo importante a me dizer, mas estava protelando.

— Sim, foi tudo bem. Só estou cansado — respondi. — Você mencionou que tinha algo importante a me dizer.

Notei que o movimento do lado de fora da sala aumentava com a chegada dos garotos da criação. Rosa bateu na parede envidraçada assim que me viu dentro da sala e acenou.

Luciana entrou com a bandeja e serviu o chá de Helô. Ainda parecia desconfortável na nova função. Quando a garota fechou a porta, Helô comentou, mexendo o sachê em sua xícara:

— Reparou como ela anda? Parece uma garça. Alta demais, quero dizer. E pernas finas. Ainda hoje pedirei que ela não venha mais de saia. Trabalhamos com a imagem de nossos clientes e não podemos ter, justamente na recepção, uma garota sem bom senso que use uma saia para mostrar suas belas pernas de saracura. É a imagem de nossa agência.

Heloísa bebericou o chá e deixou a xícara sobre a mesa.

— Hugo, vou parar de rodeios e ir direto ao assunto.— Por fim, ela reassumiu a postura de diretora da agência. — O que eu gostaria de conversar com você é sobre sua demissão.

Minha primeira reação foi cair de costas. Tive a sensação de que uma lança havia penetrado em meu estômago. Porém, logo a sensação sumiu, dando lugar a um sentimento reconfortante.

— Obviamente, sabemos que, pelos anos de casa, e pelo seu salário, temos uma grande soma a acertar com você — prosseguiu Heloísa. — Mas isso não é problema.

— Eu só gostaria de saber por quê — eu disse.

Heloísa suspirou. Bebeu mais um pouco de chá e falou:
— Corte de pessoal. Mandei embora dois garotos da criação também. Sabe, acho que com uma equipe enxuta, teremos mais agilidade para atender nossas contas. Claro, no início, todo mundo ficará sobrecarregado, mas logo se acostumam à nova rotina.
— E quanto às contas que já temos e cujos trabalhos estão em andamento?
— Já conversei com Estêvão a respeito e redividi as responsabilidades. Rosa foi promovida a subdiretora de criação. Ela trabalhará diretamente com Estêvão, supervisionando os rapazes. Quero Estêvão no planejamento e, como você sabe, Hugo, não é possível ter dois machos alfa num mesmo ambiente, não é mesmo?
— Você se refere a mim e a Estêvão?
— Claro! O talento de vocês dois é indiscutível, mas Estêvão tem um perfil mais... *moderno*.
— E também menos caráter — eu disse.
— O que disse? — Heloísa tirou os óculos e os deixou sobre a mesa.
— Quero dizer que Estêvão apenas depurou meu projeto para a Strongmen e apresentou a você. Ele trabalhou sobre o conceito que eu criei. Mas ele tem um mérito indiscutível: consegue vender uma ideia muito melhor do que eu. Foi assim com a campanha do celular e, depois, com a da cerveja de inverno.
— Você está levando a coisa para o lado pessoal, Hugo.
Eu ri. Pela primeira vez em todos os anos de trabalho na Royale, eu me sentia livre para falar o que bem quisesse.
— Pelo contrário, Helô. Não é pessoal — eu disse, ficando em pé. — É profissional. Estêvão não mede esforços para triturar os outros e conseguir o que quer. Mas, como você disse, esse é o perfil do profissional moderno, não é? Outra coisa: se fosse pessoal, eu não discutiria esse mérito. Afinal, eu sou muito melhor do que ele.
— Hugo...
— Eu aceito a demissão numa boa, Helô — falei, abrindo a porta. — Pegarei minhas coisas e darei o fora. Desejo sucesso.

Fechei a porta atrás de mim, despertando olhares curiosos dos outros publicitários. Caminhei em direção a Rosa e beijei seu rosto.

— Hugo, o que houve naquela sala?

— Nada de mais — falei. — Parabéns pela promoção!

— Uma merda, isso sim — resmungou Rosa. — Terei que trabalhar com Estêvão. Já imaginou? Minha vida vai virar um inferno!

— Você se adapta.

— O que Helô queria com você? — Rosa me puxou pelo braço até a copa.

— Me demitir.

— Como assim?! — Ela quase deixou a caneca cair.

— Demitir. Me dar um pé na bunda.

Rosa esfregou a testa. Estava sinceramente consternada.

— Eu vou cair fora também. Não ficarei aqui sem você.

Segurei-a pelo braço e ergui sua cabeça, sustentando seu queixo.

— Rosa, me ouça: você tem muito futuro na Royale ainda. Não pode jogar tudo fora só porque meu tempo aqui acabou.

— Mas...

— Somos amigos e isso não muda — prossegui. — Mas, se você fraquejar na frente de Estêvão, ele te devorará. Sabe como ele é. Seja forte, mostre seu talento. Vença a arrogância dele com competência. Eu confio em você.

Rosa me deu um abraço demorado, apertando seu corpo contra o meu.

— Sabe... — ela disse. — Se homens fossem minha *praia*, sem dúvida eu me apaixonaria por você.

Beijei sua testa e enchi uma caneca com café. Tomei um grande gole e respirei fundo. Estêvão havia chegado. Entrou na sala de Heloísa e saiu rapidamente, caminhando na minha direção e deixando um rastro de perfume pelo caminho.

— Hugo! — exclamou, abrindo os braços. — Soube agora que vai deixar a agência. Que pena!

— Na verdade — eu disse — é a agência que está me deixando. O *divórcio* não é culpa minha.

— Mas, como em qualquer fim de relacionamento, sempre um novo espaço é aberto para que novidades aconteçam. — Ele colou a mão sobre meu ombro e sorriu. — Você é supercompetente e profissional. Vai chover proposta de trabalho!

Notei que quase todos os funcionários que estavam na ampla sala de criação olhavam para nós, como se esperassem por algo.

Larguei a caneca sobre a bancada da copa e olhei para Rosa. Ela mantinha os olhos fixos na ponta dos pés, metidos em um par de *All Star* vermelho.

— Sabe, Estêvão — eu disse, tocando seu brinco de brilhante com a ponta do dedo —, você é um excelente publicitário, mas deve cuidar melhor de sua imagem. Esse brinco te deixa ridículo pra cacete!

Rosa abaixou a cabeça e riu. Afastei-me de Estêvão, cruzando a sala sob os olhares de todos. Peguei minha mochila e a joguei sobre as costas.

— E sabe de outra coisa? Enfie esse teu perfume no rabo. Ele cheira a merda.

Saí, deixando para trás uma sequência indecifrável de murmúrios e risos. Cumprimentei a nova recepcionista, que me lançou um olhar questionador.

— Seu nome é Luciana, não é? — perguntei.

— Sim, senhor.

— Quer um conselho? Se te mandarem parar de usar saia e vir de calça *jeans*, não ouça. Suas pernas são lindas — falei, fechando a porta de vidro atrás de mim.

Capítulo 46

São Paulo, Brasil
18 de fevereiro de 2007

No mesmo dia em que fui demitido, Rosa e Laísa foram ao meu apartamento à noite. Pedimos pizza e abrimos duas garrafas de vinho. Rosa me contou, gargalhando, que Estêvão passou o dia tendo chiliques e me xingando dos palavrões mais inventivos possíveis.

Depois que elas saíram, me senti só de novo. Gastei um bom tempo lavando a louça e fui dormir.

Os dias se passaram como se fossem todos iguais. Heloísa cumpriu sua palavra e recebi uma bolada pela saída da Royale. Com o valor, dava para passar vários meses em Aruba. Mas eu tinha outros planos em mente.

Então, no dia 22 de janeiro, segunda-feira, um e-mail do "anjodeplaszow" entrou em minha caixa de mensagem.

Sua amiga chegará em 18 de fevereiro.

Uma única frase, mas, ainda assim, a mensagem me encheu de alegria. Valesca estava bem e logo estaria de volta.

O dia 18 de fevereiro caía em um domingo. O voo de Valesca chegaria às 6h45 da manhã, em Cumbica.

Eu estava ansioso e não parava de conferir o painel eletrônico que indicava as partidas e chegadas. Valesca vinha em um voo da Iberia, cuja aterrissagem estava atrasada.

Sentei-me em um café e tomei dois *espressos*, pagando a fortuna costumeira. Enfim, o painel indicou que a aeronave estava em solo.

Cruzei o aeroporto em direção ao portão de desembarque e aguardei. Quase quarenta minutos depois, Valesca apareceu. Estava visivelmente mais magra e pálida. Mas parecia recuperada, apesar de caminhar com alguma dificuldade.

Andei com pressa em sua direção. Ela sorriu ao me ver. Segurei o carrinho de bagagem que acomodava suas malas e a abracei, deixando que seu perfume penetrasse minhas narinas.

— Ei, calma, *cacete* — ela disse. — Que fogo todo é esse, guri? Ainda estou com pontos e tu está me apertando!

— *Ops*, me desculpe! — Eu ri. — Pelo visto, e pelo *vocabulário* também, você já está melhor.

— Tu também parece bem — ela disse.

Segurei sua mão e a conduzi pelo saguão.

— Quanto tempo você ficará em São Paulo? — perguntei. — Pode ficar em meu apartamento, se quiser.

— Meu voo para Porto Alegre é hoje, Hugo — Valesca respondeu, sem pestanejar. — Pedi para que Marcus marcasse na mesma data. Ele relutou, mas acabou concordando. Sou convincente quando quero.

— Você não deveria fazer isso! A viagem da Alemanha para o Brasil é longa. E você ficará mais uma hora e meia num voo doméstico — protestei.

— Eu sei. Mas quero voltar logo para a casa. Mas — ela abriu um sorriso espontâneo —, tu podes me pagar um café e um almoço. O que acha?

※

O voo de Valesca para Porto Alegre partia às três da tarde, de modo que tínhamos muito tempo. Sentamos em uma cafeteria e pedimos dois *cappuccinos*.

— Mate minha curiosidade — eu disse. — O que houve todos esses dias?

— Eu é que tenho que te perguntar isso, *tchê*! — retrucou Valesca. — Lembro de ti falando comigo na casa daquele velho turco e, depois, tudo ficou escuro. Então, acordei em uma cama de hospital em Colônia. Fiquei ali por dias. Foram os médicos que me contaram que eu havia levado um tiro, mas que a bala não atingira ponto vital algum.

Eu ri. Um rapaz trouxe nossos *cappuccinos* e tomei um gole.

— Ninguém apareceu para me visitar durante todo esse tempo. Apenas um cara do Consulado Geral do Brasil veio de Frankfurt para me ver. Ele me disse que meu companheiro de viagem, ou seja, tu, teve que voltar ao Brasil, mas que eu estava bem assistida na Alemanha. Inclusive, as minhas despesas médicas já haviam sido pagas.

— Marcus não apareceu?

— Não. Nem ele, nem Mesut.

— Entendo...

— E então? — Valesca beliscou meu braço. — Vai me contar o que houve comigo ou não? Tu conseguiu encontrar Mariele Goldberg?

Suspirei.

— É uma longa história. Bem longa.

— Meu voo só sai às três — ela disse, tomando seu *cappuccino* e piscando para mim. — Temos tempo.

Então, comecei a contar, com detalhes, o que tinha acontecido na casa de Mesut, quando Marcus matou os dois colegas da *Verstecktstudiumliga* e, às pressas, a levamos para a casa de campo onde Mariele Goldberg vivia escondida com Josepha, a moça com cara de garota-propaganda de chocolate suíço.

— Não sei bem o que houve — prossegui —, mas se não fosse por Mariele, teríamos perdido você, Valesca.

Valesca passou a mão na região do estômago, como se tocar a ferida a fizesse lembrar de algo.

— Ao final, você se tornou mais um dos mistérios de Mariele Goldberg — eu disse.

— E quanto à carta de seu pai? Tu entregou pra ela?

— Sim. Mas ela não abriu. Pelo menos, não na minha frente. Mas consegui as peças que faltavam no quebra-cabeça do passado do meu pai.

— Inclusive a relação que minha mãe tem com Mariele?

Fiz que sim, balançando a cabeça.

— Martha Fischer, sua mãe, era filha de Mariele Goldberg.

— Isso é impossível! — exclamou Valesca, claramente contrariada. — Eu conheci minha avó. Greta Vessel. Quando meu avô morreu, ela e minha mãe mudaram-se muito novas de uma cidadezinha do interior para Novo Hamburgo, onde minha mãe cresceu e eu nasci.

— Infelizmente — soltei a xícara vazia sobre o pires —, a história que você conhece é falsa, Valesca. É decisão sua acreditar ou não, mas o que Marcus e Mariele me contaram faz sentido. Meu pai, Olaf Seemann, cuidou de Mariele depois de terem fugido de Plaszow e terem se refugiado na Eslováquia. Porém, foram obrigados a fugir outra vez. Mariele estava muito doente e não pôde ir junto. Mesut cuidou dela, enquanto meu pai levou sua mãe, Martha, para a Ucrânia e de lá chegaram ao Brasil.

— Que loucura está me contando?! — Valesca esfregava os dedos entre os olhos, como se isso a ajudasse a assimilar o que eu lhe contava.

— Valesca, eu e você viajamos à Alemanha para descobrir nosso passado. Você queria saber qual era a relação de sua mãe com meu pai. Agora, já sabemos. — Suspirei antes de continuar: — Quando chegaram ao Brasil, meu pai e sua mãe foram mandados para o Rio Grande do Sul, onde já havia uma colônia grande de imigrantes alemães instalada. Pouco depois, meu pai foi embora, deixando sua mãe com Greta, que a criou como filha.

— Por que minha avó mentiu?

— Não sei. — Encolhi os ombros. — Mas acredito que ela só tenha cumprido a promessa que fez ao meu pai. A de criar sua mãe como uma pessoa cheia de esperança em um novo país.

Valesca respirava com dificuldade.

— Tente se acalmar, Valesca. Você ainda...

— Pro inferno, merda! — ela explodiu, chamando a atenção de outras pessoas que ocupavam as mesas em volta. — Percebe o que está acabando de me dizer?

— O quê?

— Que a merda da minha vida é uma mentira, Hugo! *Mentira!*

— Valesca, eu...

— Agora fala... — Ela puxou o cabelo para trás e limpou um fio de lágrima. — Quem é o pai da minha mãe? Quem é meu avô de verdade?

— Valesca...

De repente, seu olhar perdeu o brilho.

— É seu pai, Hugo? Seu pai é também o pai da minha mãe...

A frase não soou como pergunta, mas como afirmação.

— Eu... eu não consegui saber. Juro.

— Está mentindo. Está mentindo para mim, Hugo.

— Não, não estou. Juro por Deus — eu insisti. — Valesca, não importa quem seja seu avô. Isso não muda nada se...

— Não muda nada... — ela repetiu a frase, soltando um fio de voz. Depois, puxou o ar e cobriu o rosto com as mãos. — Muda sim, Hugo. Tu percebe? Nós transamos. Foi ótimo. E isso só torna as coisas piores. Eu tive uma noite excelente de sexo com alguém que pode ser meu tio.

— Tem razão. *Pode* ser — repeti. — Marcus me disse algo... Segundo ele, Mariele fez uma espécie de confissão a ele, dando a entender que Martha, sua mãe, seria filha dele. Mas é impossível saber. Mariele sofreu vários abusos em Plaszow. Qualquer um daqueles soldados pode ser...

— Meu avô — completou Valesca, limpando as lágrimas e se recompondo. — Eu sei disso.

Um silêncio incômodo se instaurou.

— Valesca, se eu soubesse que isso iria te perturbar tanto, eu não teria dito nada.

— Tu fez bem de me contar, não se preocupe. — Ela ficou em pé, puxando o carrinho com suas malas. — Mas acho que teremos que almoçar outro dia. Preciso colocar os pensamentos em ordem.

— Valesca... — tentei detê-la, tocando em seu braço. No entanto, ela sorriu discretamente e me deu um beijo delicado no rosto.

— Obrigada por ter salvado minha vida, Hugo.

— Valesca...

— Tchau — disse, virando-se e seguindo em direção aos guichês das companhias aéreas.

— ... eu amo você... — murmurei, sem haver ninguém para me escutar.

Capítulo 47

2010

O episódio na Alemanha mudou a forma de eu enxergar as coisas — e a vida. Aquele foi o último dia em que vi Valesca, ou que conversei com ela. Por vários dias, tentei ligar para ela em Porto Alegre, mas caía na caixa postal. Depois de alguns meses, passou a acusar número indisponível.

Ainda hoje, procuro no Google informações sobre Valesca Proença, artista plástica. A notícia mais recente que li é que ela estava expondo por uma longa temporada em Londres. Fico feliz com seu sucesso, mas ainda me assombra olhar para sua foto na tela do computador e me lembrar da noite em que fizemos amor.

De algum modo, como numa espécie de maldição, repeti a sina do meu pai. Vendi meu apartamento e me mudei em meados de 2008 para sua casa, em Nova Petrópolis; Diva continuou morando comigo, de certo modo, cuidando de mim como tinha feito com o velho Olaf. Também investi em uma pequena pousada à qual dei o nome de Pousada Goldberg. Sempre achei um pouco brega prestar esse tipo de homenagem (dar nome de pessoas às coisas), mas a ideia me perseguiu de modo persistente. Rosa e Laísa costumam passar as férias conosco.

Diva toca o negócio para mim, enquanto vivo de prestar pequenas consultorias criativas para as empresas instaladas na região serrana. Financeiramente, não posso me queixar. Mas algo em mim — uma grande parte do meu espírito — ainda sente que estou fugindo. É comum eu me pegar olhando para os lados, analisando as pessoas à minha volta e questionando qual delas poderia ser da *Verstecktstudiumliga*. Porém, nunca mais sofri qualquer tipo de represália. E nem é necessário, já que construí muros suficientes para aprisionar minha mente, vinculando minha vida a tudo o que houve no início de 2007.

Nunca mais ouvi falar em Klaus Schneider (ou Marcus). A família desistiu oficialmente de procurá-lo, dando-o como morto. Hoje, em sua antiga casa/ateliê mora uma família de quatro pessoas vinda de São Paulo à procura de paz. Às vezes, me sinto culpado por ele também. Minha gana de descobrir a verdade sobre meu pai obrigou-o a se revelar. É possível que esteja morto. Ou escondido. Quem sabe, em algum lugar na Eslováquia, defronte do Wasser-Spiegel.

Tampouco obtive mais notícias de Mariele Goldberg. Presumo que ela tenha prosseguido com sua vida — cuidando de pessoas doentes e vivendo o dia a dia ao lado de Josepha. Talvez (eu digo, talvez) ela também tenha ficado aliviada ao saber sobre o destino da filha Martha — a menina crescera feliz no Rio Grande do Sul, acreditando pertencer a uma nova família; casou-se, teve uma filha (Valesca), se divorciou e viveu bem até o câncer a levar embora.

Costumo terminar meus dias sentado na varanda da casa que era do meu pai, curtindo o frescor da noite na serra — quando a temperatura cai bastante e o clima fica sobremodo agradável. Então, tento imaginar o conteúdo da última carta que meu pai escreveu a Mariele Goldberg. Passamos a vida atrás de respostas e, para encerrar um ciclo, precisamos ter acesso ao desconhecido para, então, recomeçar.

Capítulo 48

2007, Blumenberg

Mariele Goldberg foi encontrada morta em sua cama no dia 10 de janeiro de 2007. Ela parecia dormir. Seus lábios formavam um traço fino que esboçava um sorriso.

Presa a seus dedos, havia uma carta. Uma carta de confissão, amor e esperança.

Para minha querida Mariele,

A carta que lhe mando é um novo rascunho que nasceu de centenas de outros. Notei que, por mais que me esforce, eu nunca conseguirei escrever uma versão definitiva do que quero e transformar meu sentimento por você em palavras.

Então, por favor, aceite a versão não definitiva desta carta como meu adeus. Mas, antes de me despedir, quero expressar toda a gratidão que sinto por, um dia, Deus ter me permitido conhecer você.

Desde o dia em que sofri o acidente com o caminhão em Plaszow, até hoje, nossos destinos se mantiveram ligados por um fio invisível tecido pela mão de Deus. Em todos esses anos, eu me perguntei por que Ele me fez assim:

anjo e diabo, criatura dicotômica que compartilha uma mesma existência. Alguém capaz de te amar e, ao mesmo tempo, fazer-lhe tanto mal como naquela noite, em que participei daquela festa macabra.

Ainda que você tenha me perdoado, eu nunca me perdoei, e você sabe disso. Por esse motivo, me condenei a viver infeliz. Eu não poderia compartilhar uma vida tranquila ao lado de Martha enquanto você agonizava do mal que lhe fizemos. Por isso, deixei a pequena para trás. Para que crescesse em uma nova família e tivesse uma vida saudável. Possivelmente, você me perdoará por isso também.

Mariele, você tem um coração enorme. Divino. Eu não chego a seus pés. Sou imperfeito, e foi a imperfeição que me levou à ira, à dor de matar meu amigo Heinz e enxergar suas feições no rosto de Martha. Hoje, tenho o corpo doente, corroído, mas o pior é ter a alma cravada de cicatrizes que me impedem de seguir adiante. Contudo, antes de deixar este mundo, quero que leia minhas últimas palavras. Infelizmente, todos os contatos que tentei fazer com você foram infrutíferos nesses anos. Esta é minha derradeira tentativa.

Há alguns meses, reencontrei Marcus aqui no Brasil. Ele me contou tudo o que houve com você nessas décadas de distância. Disse que a protegeu e que você está bem. Eu o julgava morto; não podia imaginar que ainda estivesse vivo e que tivesse se mudado para o Brasil a fim de me vigiar e manter ocultos os milagres que você realizou em Plaszow. Mariele, o mundo deveria saber disso.

Mas eu sei, e você também, que, na História, acontece o mesmo que nos julgamentos. Prevalece o que é visto e escrito pelas testemunhas. O resto morre como boato. E foi nisso que nossa história se transformou: em um boato.

De qualquer forma, saber que você está viva, e bem, me conforta.

Marcus também me contou outra coisa: que você confidenciou a ele que Martha não era minha filha, e sim dele, Marcus. Novamente, seu coração bondoso falou mais alto, não é, minha doce menina? Você optou por cicatrizar a ferida no coração do velho Marcus dizendo a ele, nas entrelinhas, que Martha era filha dele. Você sabe que ele a ama. E ele sabe que você me ama. Marcus me contou isso também.

Escutei, calado, a versão da história e, ao final, concordei com meu ex-colega de exército. Parece que Marcus acreditou que havia me convencido.

Mas eu e você sabemos a verdade, Mariele. Martha não é filha de Marcus, tampouco minha. Você me revelou isso no dia em que me contou seu sonho profético.

"O pecado de seu amigo será seu pecado também. O pecado resulta em fogo; o fogo que arderá sobre suas costas e que se manterá aceso cada vez que você olhar para o legado do passado."

Você falava de Heinz, não é? O fogo era a culpa que pesaria sobre mim durante toda a vida, e o legado era a pequena Martha. Sua Martha. Estou errado? Pode ser que sim. Ou não. Talvez nada disso importe mais, e eu seja um velho tolo e cansado.

Logo você conhecerá meu filho Hugo — isso, se ele conseguir encontrá-la. Também poderá rever Martha (já adulta, mulher). Hugo é um rapaz brilhante; tenho tanto orgulho dele e sinto por terminar a vida sem ter dito isso a ele. Mas, pelo menos, eu o poupei de qualquer mal que pudesse ocorrer a ele devido ao contato comigo.

Essa foi minha vida, amada Mariele. Bênção e maldição. Mas parto para o outro lado certo de que Deus olha por mim com Sua misericórdia infinita e, junto Dele, encontrarei descanso e a paz que há tempos perdi. Estarei esperando por você.

Com amor,
Olaf Seemann

Capítulo 49

Julho de 2011, Nova Petrópolis

Ajeitei os óculos de leitura sobre o nariz e conferi mais uma vez a tela do monitor do PC que ficava no balcão da recepção. Era alta temporada, e eu havia dado uma pausa em meu trabalho como publicitário e consultor *freelancer* para mergulhar no mundo da administração de reservas, pagamentos, compras e tudo mais que envolvia a manutenção de uma pousada.

Diva não era exatamente uma garota e tínhamos um quadro restrito de funcionários — o que implicava que, até aquele momento, eu e Diva fôssemos os responsáveis e nos desdobrássemos para manter os hóspedes satisfeitos.

— Está aqui — conferi. — Reserva feita em nome de Otávio Medeiros. Cinco pessoas, dois adultos e três crianças. Um chalé com cama de casal, uma cama extra e um beliche.

O homem calvo e com vários quilos de sobrepeso, que estava em pé diante do balcão, sorriu. Tinha um semblante cansado; devia estar louco por um banho e uma cama quentinha.

Fazia frio. E, quando a noite caía, o ar tornava-se ainda mais gelado, denso, chegando a provocar ardência nas narinas.

O homem esfregou as mãos enluvadas e, depois, tirou a luva da mão direita para assinar o *check in*.

Enquanto o último hóspede daquela noite cuidava da papelada de sua hospedagem, acenei, espiando sobre seu ombro, para sua filha mais nova, que não devia ter mais do que 5 anos. A menina, abraçada a um enorme urso Pooh de pelúcia, retribuiu meu gesto com um sorriso e, em seguida, para minha surpresa, mostrou-me a língua.

Bom, nunca tive muito jeito com crianças, de todo modo.

— Tenha uma boa estada. Está tudo explicado no nosso fôlder e no nosso site, mas, em todo o caso, apenas para lembrar o senhor, servimos o café colonial a partir das sete da manhã, até as dez. A cozinha é ali — falei, apontando para uma porta envidraçada que estampava o logotipo e o nome da pousada.

— Obrigado — o homem bufou. — Viemos de carro de São Paulo. Uma viagem e tanto. Mais de doze horas.

— Verdade, é um bocado de estrada. Mas aproveitem — eu disse, debruçando-me sobre o balcão e voltando a encarar a pequena fedelha, que escondeu o rosto atrás do urso Pooh. — Aproveitem para descansar, para poderem passear bastante amanhã. O chalé do senhor tem lareira, e as instruções para usá-la estão no quarto. Mas, qualquer dúvida, pode me ligar.

— Pode deixar — disse o homem, apertando e sacudindo minha mão.

Pedi que um funcionário ajudasse a família a levar as bagagens até o chalé, que ficava a poucos metros da entrada principal. As crianças corriam ao redor dos pais, ignorando o frio. E a caçula do urso Pooh ia à frente, erguendo o bicho de pelúcia como se quisesse fazê-lo voar.

Após me despedir, voltei para o interior aquecido pela calefação. O termômetro (confeccionado em vidro e mercúrio, acomodado sobre o colo de um Papai Noel sorridente) marcava dois graus.

— Será a noite mais fria do ano — disse Diva, passando pela porta que dava acesso à cozinha. Segurava uma garrafa térmica numa das mãos e, na outra, uma cuia de chimarrão. — Ainda não se acostumou a tomar chimarrão, Hugo? Ajuda a esquentar.

— Não consigo gostar disso. Sinto muito — eu respondi, dando de ombros. — Sei que isso me torna um pouco menos gaúcho, mas fazer o quê?

Diva acomodou-se no sofá, colocando a garrafa térmica sobre o colo. Pressionou a parte superior do utensílio, despejando água fervente na cuia. Depois, com a bomba, remexeu a erva como se cuidasse de uma poção mágica puramente gaúcha. Por fim, colocou a bomba na boca e sorveu um gole.

Desliguei o PC e o monitor. O dia havia acabado.

— Nosso último hóspede fez *check in*. Estamos lotados, Diva — falei, sorrindo. — Doze quartos e quatro chalés ocupados.

De fato, a pequena pousada havia superado todas as minhas expectativas naquele inverno rigoroso. Gramado e Canela estavam na moda, e Nova Petrópolis era uma opção mais econômica de hospedagem. Além disso, ficava a poucos quilômetros das duas cidades.

— Prepare-se para caprichar no café da manhã. Casa cheia e muitos estômagos vazios — falei, esfregando os olhos.

— Vá descansar, guri — disse Diva, encarando-me com olhar piedoso. Particularmente, detestava quando ela fazia isso, mesmo que eu estivesse parecendo um pano de chão sujo e pisado. — Tu tens trabalhado direto há vários meses. Precisa curtir um pouco a vida. É um guri ainda!

Todas as vezes que Diva me pegava para dar bronca, ela acentuava o sotaque sulista. Contudo, ela tinha razão, eu sabia. Desde que deixara São Paulo e a agência, eu vinha me dedicando a uma vida pacata, sem sobressaltos, mas, em contrapartida, solitária.

— Guris não usam óculos para leitura, Diva — disse, guardando meus óculos na gaveta.

— Que seja! — Ela deu de ombros. — De qualquer modo, o tempo passa para todo mundo, Hugo. Já pensou no que está fazendo contigo? Tu pareces um velhote, oras! Quando não está em tuas consultorias, ou seja lá como chame o trabalho que faz, está aqui, enfurnado nesta pousada. Eu já estou velha, posso me dar ao luxo de curtir uma vida tranquila. Mas, tu! Tu está no melhor da vida! Precisa arrumar uma moça, casar, encher isto aqui de crianças.

— E o que faço com meu *sossego*? Mulher, filhos... é como viver o inferno na terra — ri, de modo irônico. Caminhei até Diva e, curvando-me, beijei sua testa. — Todo mundo tem suas vocações na vida. Família não é a minha. Já comecei errado, lembra-se? Meu pai nazista deu o fora, minha mãe teve que desempenhar vários papéis até morrer. Acho que peguei trauma da tradicional família cristã.

Diva agitou-se, fazendo um barulho de desdém com a boca.

— Para mim, isso ainda é rescaldo daquela guria de Novo Hamburgo. Como é o nome dela?

— Valesca — eu disse entredentes.

— Isso! A moça boca-suja! Ela tinha um palavreado chulo, mas era bonita.

Suspirei.

— O que aconteceu com vocês naquela viagem, Hugo? Tu nunca me contou, mas acho que os dois pombinhos se entenderam bem! — Diva cravou um olhar felino em mim. — Por que não liga para ela? O frio da serra é tão romântico!

— Não aconteceu nada entre nós, Diva — menti, de modo deslavado. — Bom, nada além da confusão que você já sabe. Valesca quase morreu, e eu fui o culpado. Felizmente, ela está bem e cuidando da vida dela em Porto Alegre. Deve estar até casada ou enrolada com alguém.

Diva riu. Provou um pouco mais de seu chimarrão, enquanto eu, tentando escapulir daquele assunto, já me lançava sobre o segundo degrau da estreita escada de madeira que dava acesso ao piso superior, onde ficavam os quartos. Em alta temporada, a fim de ter mais disponibilidade para atender os hóspedes e coordenar os funcionários, eu costumava ocupar o quarto usado para serviços, enquanto Diva ocupava o número 1.

— Sabe o que meu pai dizia sobre as mulheres de gênio forte? — perguntou Diva, fazendo com que eu me detivesse no terceiro degrau.

— Tenho até medo de saber. Vou me arrepender se perguntar "o quê?"?

— Ele dizia, com toda a rudeza que a vida lhe ensinou, que as éguas bravas e valentes são difíceis de domar. Sabe por quê?

Fiz que não.

— Porque elas sabem seu valor. Mas — Diva bebericou mais um pouco do chimarrão escaldante —, quando finalmente se entregam a um garanhão, é porque veem nele todas as qualidades que o fazem merecedor de estar ao seu lado.

— Se o seu pai disse isso, ele não era tão rude assim — eu disse.

— Bem, essa é a minha versão. A versão original do meu pai era mais ou menos assim: "Égua braba não ergue o rabo e se deixa ser coberta por garanhão qualquer, se ele não for de primeira e capaz de ficar do lado dela pra sempre e dar boas crias". Algo do tipo. Era a forma que ele tinha de dizer que uma mulher era independente e especial.

— Sei — bufei. — Delicado como um elefante numa loja de porcelana. Mas, para seu azar, Diva — comecei a subir os degraus novamente —, estou longe de ser um garanhão.

Dei boa-noite e cheguei ao piso superior. O quarto de serviços era pequeno, mas eu havia conseguido deixá-lo com um aspecto agradável. Uma cama confortável, uma manta, dois edredons, um criado-mudo e, claro, um lavabo que foi convertido apropriadamente num banheiro.

Lancei-me sobre a cama e, cruzando os braços atrás da cabeça, fixei-me no teto. Era algo que eu fazia quase todas as noites; isolar-me e refletir sobre tudo o que tinha ocorrido em Colônia.

Haveria, de fato, um dia em que eu me perdoaria?

Eu não sabia ao certo. Em primeiro lugar, deveria identificar pelo que exatamente eu merecia perdão; por ter dormido com alguém que talvez fosse minha sobrinha, ou por tê-la deixado virar as costas e ir embora naquele maldito aeroporto, empurrando para mim todo o remorso do mundo, sem que eu tivesse a oportunidade de dizer que a amava.

Sim, eu a amava. Mas amor deveria ser algo puro, não um sentimento que habita o peito dos piores pecadores. Contudo, minha história, assim como a do meu pai, de Marcus, e de tantos outros que perderam a vida, indicavam o contrário. Às vezes, somos tocados pelo amor e, através dele, ganhamos a oportunidade de nos redimir.

Acontece que fiz jus à tradição da família Seemann e joguei no lixo essa oportunidade. No passado, meu pai havia perdido Mariele Goldberg; agora, permiti que Valesca me escapasse pelos dedos. Ambos, sentimentos permeados pelo pecado, pela morte, pelo véu do fruto proibido.

É óbvio que não contei isso a Diva, mas, naquela tarde, eu havia tentado mais uma vez ligar para Valesca. Seu celular acusou número inexistente, assim como das outras tantas vezes. Cheguei a descobrir, vasculhando o Facebook, uma amiga bem próxima a ela, para quem, de modo desavergonhado, pedi o contato do telefone fixo de Valesca. Desavisada, a moça, que se chama Giulia, me forneceu o número.

Bingo!

Contudo, Valesca deve ter meu número de celular registrado – nunca o troquei – e, muito provavelmente, sistema bina para identificação de chamadas, já que nunca atendeu minhas ligações. Tentei também ligar do telefone da pousada; quase tive sucesso, já que, certa vez, consegui escutar sua voz do outro lado da linha. Era tarde da noite, e acho que a surpreendi.

Disse algo como: "Valesca? Sou eu".

Sim, patético.

Depois de um curto silêncio, ela desligou. Deve ter registrado o número da pousada também, porque, depois daquela noite, não obtive mais sucesso. Restou-me deixar inúmeras mensagens na secretária eletrônica, nenhuma delas retornadas.

Fechei os olhos, mergulhando na escuridão.

Haveria perdão para os pecados cometidos por pessoas como eu, como meu pai, Heinz Gröner e Marcus? Seria o amor uma forma de redenção? Amar apagava as vidas ceifadas, as violações, o abandono?

Se monstros podem amar, então podem se redimir, não é?

Porém, enquanto eu não chegasse a uma conclusão definitiva sobre o que, de fato, eu era (monstro ou redimido), preferia optar pelo isolamento.

A noite trouxe o frio de menos um grau, carregando também, consigo, o sono, que acabou por me engolir, dando um descanso para a culpa.

Nova Petrópolis
23 de dezembro de 2011

Cinco anos. Cinco anos desde que recebi a notícia da morte do meu pai. Morte, não; suicídio. Tudo indicava que o velho Olaf Seemann havia tirado a própria vida, num último ato em busca da redenção.

Foi a primeira coisa em que pensei quando abri os olhos naquela manhã úmida de verão. Contudo, logo que coloquei os pés para fora do quarto de serviços, topei com uma Diva esbaforida, que me solicitava para correr ao mercado e comprar mais queijo branco.

Vesti-me rapidamente e desci as escadas correndo. Eu poderia pedir a Jorge, um garoto prestativo que auxiliava Diva nas tarefas mais operacionais, para ir até lá. Porém, de carro, eu voltaria mais rápido do que ele.

— Aonde vai com essa pressa, chefe? — perguntou Rosa, que acabara de passar pela entrada da pousada ao lado de Laísa. Ela não tinha abandonado o hábito de me chamar de chefe, mas eu havia deixado de me importar. Simples assim.

Rosa encarou-me com curiosidade. Ela e Laísa haviam decidido passar o ano-novo na Serra Gaúcha e, como era praxe, tinham se hospedado na Pousada Goldberg. Quarto 11, como sempre (apesar de eu não saber o porquê da preferência pelo número 11).

— Preciso sair para comprar queijo branco — eu disse. — Diva está bufando.

— Quer ajuda? — perguntou-me Laísa.

— Não se preocupe — falei, pegando a chave do carro. — Ossos do ofício. Já fizeram a caminhada matinal?

— Quisemos aproveitar antes da chuva. Logo cairá água — observou Rosa.

— Tomem um banho. Quando descerem para o café, já terei chegado.

Era uma sexta-feira, véspera de noite de Natal, o que era motivo mais do que suficiente para justificar o fato de quase todos os caixas do supermercado estarem lotados, mesmo nas primeiras horas da manhã.

Vários estabelecimentos haviam estipulado o turno de 24 horas para atender os clientes ávidos por montar suas respectivas ceias natalinas. Nossa pousada não ofereceria nada para a Noite Feliz, mas, graças à parceria com um restaurante local, nossos hóspedes poderiam cear com desconto.

Depois de muito tempo, deixei o supermercado com sete unidades de queijo branco e outras guloseimas para o café da manhã.

Jorge me ajudou a descarregar as sacolas, depois que estacionei o carro na frente da pousada.

— Senhor Hugo, tem uma pessoa esperando o senhor. Disse que não é hóspede, mas que tem um assunto urgente para tratar com o senhor — informou-me Jorge.

— Pode deixar. Já estou indo — disse, ainda preocupado em manobrar o carro.

— Pedi para que ela esperasse na recepção — disse Jorge. Em seguida, sumiu entrando com as sacolas.

O céu adquirira um tom plúmbeo. Em breve, choveria o suficiente para arruinar o humor dos turistas, que teriam que mudar os planos e arrumar o que fazer.

Desci o pequeno lance de degraus até a porta da recepção. Abri a porta, esperando topar com Diva, pronta para me dar alguma outra ordem ou se queixar da falta de produto de limpeza.

Porém, a mulher em pé junto ao balcão não era Diva. Confesso que minha expressão deve ter sido um misto bizarro de espanto e alegria, porque Valesca desatou a rir, enquanto me encarava como uma menina levada que aprontara algo muito, mas muito, indevido.

Capítulo 50

Há momentos em que o mais sábio é não dizer nada. Mesmo porque, na maioria das vezes, a gente não sabe o que dizer.

Ainda atônito, acenei para que Valesca aguardasse um pouco. Então, invadi a cozinha, à procura de um copo d'água e fôlego.

Quando retornei à recepção, vi Valesca sentada no sofá, enquanto folheava calmamente uma revista de fofocas.

— Valesca... — afinal murmurei. — Que surpresa!

— Imagino que tenha sido mesmo! — Ela sorriu, deixando a revista de lado. — Tu fez uma cara de quem comeu bosta e não gostou!

— E você não mudou nada — respondi. — O que...?

— Acho que não fui muito educada contigo, Hugo. Podemos conversar? — ela perguntou, sem qualquer embaraço na voz.

A tal da égua valente, pensei, lembrando-me de uma conversa que havia ficado presa num passado recente com Diva.

— Claro. Mas aqui está cheio. Até te convidaria para uma caminhada, mas acho que logo, logo cairá água — falei. — Me dê um minuto que já resolvo isso.

Subi as escadas e bati no quarto de Rosa. Elas ainda não tinham descido para o café, e senti-me envergonhado ao pensar que poderia estar estragando algum momento íntimo.

— Chefe? — perguntou Rosa, colocando a cabeça para fora através da fresta da porta.

— Preciso de um favor seu. Dos grandes — eu disse.

Então, expliquei que precisava, de modo excepcional e vexatório, que ela e Laísa dessem uma mão para Diva e os funcionários, enquanto eu me ausentava para resolver um assunto urgentíssimo.

— Pode contar conosco, chefe — respondeu Rosa, escancarando a porta. Ao fundo, vi Laísa sentada na cama, secando o cabelo. — Vai chover mesmo, e isto aqui ficará um tédio.

Agradeci a Rosa. Melhor, agradeci umas cinco ou seis vezes, até que ela me mandou à merda.

Já no piso de baixo, expliquei a Valesca que a pousada estava cheia, mas que poderíamos conversar na antiga casa do meu pai para termos privacidade. De fato, o lugar não deixava de ter seu simbolismo, já que fora lá que tudo havia começado. Porém, confesso que não pensei nisso naquele momento — eu só queria dar o fora dali e descobrir o que Valesca fazia em pé, diante de mim, pedindo para que conversássemos.

Ela concordou de imediato e, sem hesitar, disse que poderíamos ir no seu carro.

— Aluguei um EcoSport — ela disse, mostrando-me a chave. — Não é muito feminino, mas eu também não sou. Além do mais, acho que combina com as estradas da serra.

Assenti. Seguimos em silêncio até a casa do meu pai, que agora era minha.

Eu tinha a estranha sensação de que aquela mulher ali, sentada ao meu lado, atrás do volante, não era Valesca, e sim alguém muito parecido com ela, mas com quem eu não tinha qualquer intimidade. Ou, ainda, pensava nela como uma aparição, alguém que havia saltado dos meus sonhos e se materializara ao volante de um EcoSport alugado, e que buzinava ferozmente para os outros carros, não economizando nos "filho da puta, vá aprender a dirigir".

Valesca estacionou em frente à casa e desligou o carro.

— Não mudou nada — ela disse, olhando a fachada. — Está do mesmo jeito que eu me lembro.

— Investi bastante na pousada, e não sobrou muito para mexer na casa — eu disse.

O silêncio incômodo abateu-se no interior do carro, pesado e denso.

— Hugo — por fim, Valesca começou a falar. Seu semblante não estava mais alegre, tampouco lembrava o de uma menina levada. Estava séria e aparentava tristeza. — Hugo, acho que precisamos conversar.

Pensei em convidá-la para descer e entrar, mas Valesca não parecia disposta a esperar.

— Acho que fui injusta contigo — ela prosseguiu. — Naquele dia... naquele dia em Colônia, se não fosse por ti, eu estaria morta. E, depois, eu... eu... tu sabe... no aeroporto.

— Acho que não tivemos nossa melhor conversa naquele dia — falei, forçando um sorriso, com ares de deixa para lá, vamos tocar a vida adiante, algo que, na realidade, eu não havia conseguido.

— Não, não tivemos. Só Deus sabe quantas merdas de noite eu passei em claro repassando aquela... cena.

— Valesca, eu sinto muito — murmurei. — Juro, eu sinto. Eu deveria...

Outra vez, o silêncio impôs-se entre nós. E, de novo, foi Valesca a primeira a quebrá-lo.

Ela cobriu minha mão com a sua e, só naquele momento, notei a mulher que estava ao meu lado: os cabelos selvagens, soltos; os brincos grandes de argola; o batom vermelho intenso; o vestido florido folgado; o salto plataforma. O carro cheirava a lavanda e a um perfume adocicado, impregnante. Cheirava a Valesca.

— Acho que nós dois quisemos que aquilo acontecesse — ela disse. — Foi bom, muito bom, Hugo. Mas não foi só isso; não foi só o fato de te sentir dentro de mim e de te possuir...

O que estava havendo? Minha mão tremia, mas não era ansiedade ou medo; minha pele vibrava, meu coração pulava, cheio de energia. Que química era aquela? Que desejo?...

— O fato, Hugo, é que nunca te esqueci — ela disse, encarando-me, como se me convidasse a beijá-la, a possuí-la de novo.

E foi isso mesmo o que fiz. Sem hesitar, puxei-a em minha direção e a beijei com paixão, tesão.

Não, não pensei que estaria prestes a pecar novamente, tampouco na grande possibilidade de sermos parentes, tio e sobrinha.

Fui o primeiro a abrir a porta e descer. Valesca me seguiu, pegando em minha mão.

Entramos na casa, cruzamos a sala e fomos para o quarto do meu pai — que passara a ser usado por mim. Suspendi sua saia e livrei-me da calcinha, enquanto ela se ocupava com a minha bermuda.

Caímos na cama. Eu estava por cima dela e, em poucos segundos, dentro dela. Curti cada gemido de prazer, conforme eu me mexia. Por fim, chegamos ao ápice juntos.

Ainda unidos, permanecemos ali, parados, nos olhando, como se quiséssemos nos decifrar. A pele nua de Valesca suava; eu também estava encharcado de suor.

— Valesca, eu preciso perguntar — eu disse, ainda ofegante. — Desculpe, pode não ser o momento ideal, mas preciso perguntar. Se estamos aqui, então...?

Ela sorriu. O semblante sombrio havia sumido. Uma onda de serenidade também me invadiu.

Segurando meus cabelos, Valesca puxou-me em sua direção e me beijou.

— Primeiro, quero foder com tu até que não aguente mais e peça água. Depois, conversamos.

Habilmente, ela se colocou sobre mim.

Ok, por mim, estava tudo bem. Poderíamos esperar para dizer seja lá o que fosse preciso ser dito.

Ainda estávamos nus e deitados sobre a cama quando, finalmente, Valesca começou a falar:

— Há uns três meses, recebi uma mensagem daquele senhor, Marcus — disse. — Aquele que cuidou de mim quando tu voltaste para o Brasil. Ele me mandou um e-mail com o nome de *FilhaDoReich*. Original, não é? Acho que se referia à minha mãe.

Assenti. Então, o velho Marcus havia sobrevivido. De algum modo, escapara da *Verstecktstudiumliga*.

— Na mensagem, perguntava se poderia me ligar e pedia meu número — ela prosseguiu. — Ele ainda estava na Alemanha, mas não deu muitos detalhes. Precaução, creio.

— Ele está bem? — perguntei enquanto acariciava o seu mamilo esquerdo.

— Morreu poucos dias depois de ter falado comigo — Valesca disse. — Acho que me procurou justamente por isso, sabe? Algum tipo de expurgo, de redenção final. Me disse que estava doente.

Franzi o cenho.

— Confesso que pensei mil vezes se deveria, ou não, mandar meu contato para aquele velho alemão. Acho que respondi o e-mail dois dias depois, passando meu telefone de casa. Então, numa noite, ele ligou. Disse que era madrugada onde estava, e que falava de uma clínica de Berlim para idosos com casos de doença terminal.

— E o que diabos ele queria? — perguntei, sentando-me na cama.

— Aí que a coisa fica estranha para *caralho*, Hugo — ela disse, me encarando. — Primeiro, ele quis saber de ti. Depois, me perguntou como eu estava. Acho que percebeu que havia algo errado, porque eu falei que não tinha mais te visto, sabe? Acho que ele entendeu o que a gente havia tido... Entendeu tudo.

Pudera. Marcus havia testemunhado minha aflição em salvar Valesca naquele dia, na casa de Mesut. Não precisaria ser muito inteligente para perceber meus sentimentos por ela também.

— Ele contou que Mariele Goldberg, a mulher que tu procurava, e que me salvou, havia morrido em 2007. Que ela morreu segurando a carta que teu pai mandou, e que tu entregaste a ela.

Senti um nó se formar em minha garganta.

— Também disse que, antes de morrer, e supõe-se que depois de ter lido a carta de teu pai, ela o chamou para uma conversa. E, naquele dia, ela contou tudo para ele.

Menina, peço, por favor, que, a partir de agora, deixe este velho falar, sem interrupções. Não sei quanto tempo me resta, mas é pouco. Logo não estarei mais neste mundo e terei que encarar Deus ou o diabo ao lado de Olaf, Heinz, Mariele e de tantos outros. Precisarei expiar meus pecados, pagar pelo que fiz, mas não quero deixar este mundo sem contar a você o que sei.

É uma forma de me redimir com a única pessoa a quem devo algo: com você, o fruto que nasceu daquele bebê, concebido em um ato imperdoável de pecado. A filha de Plaszow.

Éramos jovens, e a verdade de Hitler parecia ser a verdade absoluta. Ninguém pensava em contrariar o que dizia o Führer. *Afinal, ele conduziria a Alemanha novamente à glória e à liderança mundial. Se tínhamos consciência do que estávamos fazendo? Claro que sim, ainda que tudo fosse mascarado por um pensamento idealista. Por isso, por mais arrependimento que alguém como eu possa carregar, nunca haverá um perdão definitivo, porque, no fundo de nossas almas, sentimos que não existe o que deva ser perdoado. Possivelmente, para aqueles que restaram e seguiram suas vidas, como eu, o alento tenha sido riscar o passado, e viver um novo presente e futuro. Não pensar às vezes pode ser a melhor solução.*

Talvez não haja como eu ser perdoado por tudo o que fiz. Mas, de algum modo, Mariele me concedeu uma pequena redenção ao longo de todos esses anos, depois que a guerra acabou. Ela me perdoou de modo genuíno e, assim, resgatou o que poderia ter sobrado de humano em mim. E foi esse novo humano, esse Marcus, que prometeu protegê-la.

Porém, agora, Mariele está morta. E minha missão na Terra, terminando. Acho que fui mantido neste mundo infeliz para que eu revivesse, alguns anos mais, meus atos. Será que o inferno em que muitos creem é assim? Somos colocados diante de um espelho e obrigados a nos encarar, nus, por toda a eternidade?

De qualquer modo, não posso partir sem transmitir o que Mariele me disse sobre você. É algo que cabe apenas a você saber e, então, decidir se contará ao filho de Olaf. Porém, algo me diz que contará.

Mariele chorou dias a fio após ler a carta que vocês trouxeram. Era como se Plaszow e todos aqueles anos tivessem retornado, porém, de outro modo: o tempo trouxera de volta Olaf aos seus 19 anos, como membro da SS, e Mariele, menina prisioneira em Plaszow; mas eles estavam juntos, haviam se reencontrado.

Quando Mariele me recebeu naquela noite, havia acabado de chorar. Não poderia mais carregar a filha Martha no colo, pois ela já havia morrido num outro país, bem longe. Restava a esperança de se encontrarem em outra vida. Tampouco poderia voltar a abraçar Olaf, aquele velho idiota. O amor deles teria que esperar. Sim, ela me disse isso. Mas também me disse:

— O que eu e Olaf vivemos pode ganhar uma nova chance na eternidade, mas aqueles meninos precisam viver isso em vida, Marcus. Em vida. Quero que minha neta seja feliz, que possa viver o que eu perdi. O que a guerra me tomou; tomou de todos nós.

— Até aquele momento — disse Valesca —, eu não havia pensado em Mariele Goldberg como minha avó. Era algo tão distante e insólito, que somente se tornou real quando escutei aquelas palavras de Marcus. Eu só tinha imaginado que Olaf... seu pai... podia ser meu avô... só isso! Então, Marcus pediu que o deixasse continuar.

— Naquela noite, na noite em que Martha foi concebida, você estava lá, Marcus. Olaf também. Mas a semente que deu origem à única filha que coloquei neste mundo não veio de nenhum de vocês. Não me pergunte como sei; eu apenas sei, assim como nunca soube como conseguia curar as pessoas. Eu apenas era impelida a tocar nelas e tudo acontecia. Acho que a voz de Deus

fala dentro de mim, meu amigo, e é justamente Sua voz que sempre me disse que Martha não foi gerada a partir de você ou de Olaf.

Incrível como, depois de tudo, Mariele ainda falava em Deus com doçura. Minha jovem, uma coisa posso afirmar: se Deus existe, se há algo esperando por este velho moribundo depois da morte, Ele com certeza não estava em Plaszow, ou em qualquer outro lugar da Europa naqueles tempos. Para mim, Mariele, e todos os feitos inexplicáveis que ela realizou, incluindo a sua cura, garota, ficarão sem respostas. Talvez Deus? Talvez, não.

Enfim, perguntei a Mariele quem seria, então, o pai de Martha, da menina concebida naquele dia negro. Ela sorriu e disse que eu não deveria me preocupar com aquilo.

— O pai de minha filha morreu em Plaszow. Seu coração tornara-se negro, e ele não podia ser salvo. Mas Olaf e você, Marcus, meu amigo, são diferentes. Por isso, eu peço este último favor: minha neta precisa saber a verdade. Toda a verdade. Quem foi seu avô, quem é sua avó. E, também... E também que eu a amo, Marcus. Dirá isso a ela por mim?

Você deve estar se perguntando por que demorei cinco longos anos para lhe contar isso, não é? Eu respondo: porque sou um velho tolo. Estava mais preocupado em manter minha segurança do que em atender ao pedido de Mariele.

Depois de tudo o que houve, a **Verstecktstudiumliga** *fechou o cerco. Se eu ficasse mais tempo perto de Mariele, a colocaria em risco. Então, fugi e fiz o que sempre aprendi a fazer: sumir do mapa.*

Quando soube que ela havia morrido, minha consciência voltou a me torturar. Mas qualquer movimento era arriscado. Pelo menos, até agora. Não há nada que a **Verstecktstudiumliga** *possa me fazer, que o câncer já não tenha feito. Morrer e encontrar meu destino será, sem dúvida, um alívio.*

Contudo, como expliquei, eu precisava lhe contar essas coisas antes de partir.

— Escutei tudo calada — Valesca disse. — Marcus se despediu logo em seguida e o telefone ficou mudo.

Eu estava perplexo. Heinz Gröner era o pai de Martha, avô de Valesca. Isso significava que não éramos parentes, que ela não era minha sobrinha. Que não tinha meu sangue correndo em suas veias. Por isso Valesca não hesitara em se entregar novamente a mim; por isso estávamos naquela cama, nus, suados, olhando um para o outro, apaixonados.

Mas, como Mariele poderia ter tanta certeza, afinal?

Foi essa exata pergunta que fiz a Valesca.

— Também refleti bastante sobre essa merda toda. Por isso, demorei para procurá-lo. Contudo, acho que, depois de todos os milagres que minha avó realizou, se é que posso chamá-la assim, devo dar a ela o crédito. Pelo menos, prefiro pensar que ela tem razão, Hugo. Só assim...

Sorri e beijei os lábios de Valesca. Naquele momento, depois de tudo por que tínhamos passado, e do que havíamos acabado de fazer, o silêncio era a alternativa mais razoável.

— Eu te amo — eu disse, voltando a beijá-la, desta vez, com desejo.

— Eu também te amo. E olha que não digo isso a qualquer homem filho da puta que trepa comigo.

De novo, lembrei-me de Diva.

— Tenho certeza disso — falei, deitando-me sobre Valesca.

Capítulo 51

Nova Petrópolis
Final de junho, 2016

Inútil me perguntar se ainda penso em tudo o que houve; nas dúvidas, em Mariele Goldberg, naquele maldito diário. Claro que penso! Aliás, estava pensando exatamente nisso quando Marta cruzou a porta da recepção da pousada, esticando os bracinhos na minha direção.

De repente, como se atraída por algum tipo de magia, a garotinha mudou a direção e lançou-se sobre a mesa de centro, segurando um vaso que me fora dado de presente por Diva.

— Pode largar isso, menininha — eu disse, tomando o vaso e recolocando-o sobre a mesa.

Peguei Marta no colo. Dois anos, e crescia rápido. Tinha os olhos e cabelos da mãe; o mesmo sorriso vivo, cheio de energia.

— Cocô — ela balbuciou, sorrindo para mim.

— Fralda cheia de novo? Já está na hora de você largar isso e aprender a fazer no penico — ergui o cenho. Era de fato incrível a capacidade que as crianças tinham de produzir fezes repetidamente.

— Cadê sua mãe para te trocar?

— Mãe o cacete! Ela tem pai também — disse Valesca, parada junto à porta. — Isso que dá casar com homem folgado.

Ela segurou Marta, suspendendo-a no ar.

— Aprenda, Marta. Nunca, mas em hipótese alguma, case com um homem que não seja capaz de trocar suas fraldas.

Rimos. Apoiei-me no balcão e comecei a conferir as reservas. As aulas davam adeus, e logo começariam as férias — e, com elas, uma nova temporada de lotação.

— Papai — Marta me chamou, desviando minha atenção da tela do PC. — Te amo. Assim que mamãe fala... Te amo.

Sim, era incrível escutar aquilo. Ainda que minha filha certamente se tornasse um poço sem fundo de palavrões graças à influência da mãe, era ótimo saber que Valesca também lhe ensinava coisas doces.

— Eu amo vocês duas — eu disse, beijando Valesca e, em seguida, Marta.

Quando elas se dirigiram ao banheiro, fiquei só outra vez. Eu estava feliz? Sim, de modo que não imaginei que um dia estaria.

Eu não sabia se havia encontrado minha própria redenção, mas, de algum modo, os sacrifícios de Heinz, de Marcus, de Mariele Goldberg e do meu pai haviam me permitido viver aquela alegria.

Afinal, acho que a redenção se encontra justamente aí. Na capacidade de nos perdoarmos, de enxergarmos nosso passado com outros olhos. E eu era eternamente grato ao velho Olaf e a Mariele por isso. Haviam sido eles que, mesmo depois de mortos, me ensinaram aquilo.

— Pai, espero que também esteja bem — peguei-me dizendo, olhando para cima.

Através de mim, de Valesca e Marta, a história de Olaf Seemann e Mariele Goldberg pôde, enfim, ter um final feliz.

GRUPO EDITORIAL PENSAMENTO

O Grupo Editorial Pensamento é formado por quatro selos:
Pensamento, Cultrix, Seoman e Jangada.

Para saber mais sobre os títulos e autores do Grupo
visite o site: www.grupopensamento.com.br

Acompanhe também nossas redes sociais e fique por dentro dos próximos lançamentos, conteúdos exclusivos, eventos, promoções e sorteios.

editoracultrix
editorajangada
editoraseoman
grupoeditorialpensamento

Em caso de dúvidas, estamos prontos para ajudar:
atendimento@grupopensamento.com.br

GRUPO EDITORIAL PENSAMENTO